500
avant J.-C.

J.-C.

D1002588

500
J.-C.

VIIIe siècle
avant J.-C.

VIIe siècle
avant J.-C.

VIe siècle
avant J.-C.

Ve siècle
avant J.-C.

Écriture de l'*Iliade*

Démocratie à Athènes (508 à 322 av. J.-C.)

...isation grecque en Méditerranée   **Guerre du Péloponnèse**

● 776 av. J.-C.
Premiers Jeux olympiques

● 495 à 429 av. J.-C.
Vie de Périclès

J.-C.

● 753 av. J.-C.
Fondation
légendaire
de Rome

● 509 av. J.-C.
Instauration
de la République

● 27 av. J.-C.
Fin
de la République

VIIIe siècle
avant J.-C.

Ier siècle
av. J.-C.

J.-C.

Élaboration des textes de la Bible

● 587 av. J.-C.
Destruction du Temple de
Jérusalem et exil des Hébreux à Babylone

● 70
Destruction du
second Temple

509
av. J.-C.

206
av. J.-C.

27
av. J.-C.

J.-C.

220
ap. J.-C.

476
ap. J.-C.

Empire des Han

République romaine

Empire romain

● — Auguste
(27 av. J.-C. à 14 ap. J.-C.)

Chute de l'Empire
romain d'Occident

J.-C.

500
ap. J.-C.

Des chrétiens...

... persécutés   ... tolérés   ... reconnus

Élaboration des *Évangiles*

6-4 av. J.-C./30 ap. J.-C. ●
Jésus

313 ●
Édit
de Milan

● 391
Édit
de Théodose

Sommaire

Thème 1 • La longue histoire de l'humanité et des migrations

Thème 2 • Récits fondateurs, croyances et citoyenneté dans la Méditerranée antique au Ier millénaire avant J.-C.

Histoire

Thème 3 ■ L'Empire romain dans le monde antique

Retrouvez des exercices numériques pages 25, 41, 45, 53, 67, 129 et 151.

Sommaire

Thème 1 ■ Habiter une métropole

Thème 2 ■ Habiter un espace de faible densité

Géographie

Retrouvez des exercices numériques
pages 177, 185, 240, 273 et 285.

L'atelier du géographe

Évaluation
des connaissances et des compétences

Enseignement moral et civique

Partie EMC de fin d'ouvrage

Partie 1 - Vivre ensemble

Partie 2 - L'égalité et le respect des autres

Partie 3 - La citoyenneté

Pages EMC de fin de chapitres d'histoire et de géographie

Cycle3	Classe de sixième
Repères annuels de programmation	Démarches et contenus d'enseignement
Thème 1 **La longue histoire de l'humanité et des migrations** ◼ **Les débuts de l'humanité** ◼ **La « révolution » néolithique** ◼ **Premiers États, premières écritures**	L'étude de la préhistoire permet d'établir, en dialogue avec d'autres champs disciplinaires, des faits scientifiques, avant la découverte des mythes polythéistes et des récits sur les origines du monde et de l'humanité proposés par les religions monothéistes. L'histoire des premières grandes migrations de l'humanité peut être conduite rapidement à partir de l'observation de cartes et de la mention de quelques sites de fouilles et amène une première réflexion sur l'histoire du peuplement à l'échelle mondiale. L'étude du néolithique interroge l'intervention des femmes et des hommes sur leur environnement. La sédentarisation des communautés humaines comme l'entrée des activités humaines dans l'agriculture et l'élevage se produisent à des moments différents selon les espaces géographiques observés. L'étude des premiers États et des premières écritures se placent dans le cadre de l'Orient ancien et peut concerner l'Égypte ou la Mésopotamie.
Thème 2 **Récits fondateurs, croyances et citoyenneté dans la Méditerranée antique au Iᵉʳ millénaire avant J.-C.** ◼ **Le monde des cités grecques** ◼ **Rome du mythe à l'histoire** ◼ **La naissance du monothéisme juif dans un monde polythéiste**	Ce thème propose une étude croisée de faits religieux, replacés dans leurs contextes culturels et géopolitiques. Le professeur s'attache à en montrer les dimensions synchroniques et/ou diachroniques. Toujours dans le souci de distinguer histoire et fiction, le thème permet à l'élève de confronter à plusieurs reprises faits historiques et croyances. Les récits mythiques et bibliques sont mis en relation avec les découvertes archéologiques. Que sait-on de l'univers culturel commun des Grecs vivant dans des cités rivales ? Dans quelles conditions la démocratie naît-elle à Athènes ? Comment le mythe de sa fondation permet-il à Rome d'asseoir sa domination et comment est-il mis en scène ? Quand et dans quels contextes a lieu la naissance du monothéisme juif ? Athènes, Rome, Jérusalem... : la rencontre avec ces civilisations anciennes met l'élève en contact avec des lieux, des textes, des histoires, fondateurs d'un patrimoine commun.
Thème 3 **L'empire romain dans le monde antique** ◼ **Conquêtes, paix romaine et romanisation** ◼ **Des chrétiens dans l'Empire** ◼ **Les relations de l'empire romain avec les autres mondes anciens : l'ancienne route de la soie et la Chine des Han**	Lors de la première année du cycle 3 a été abordée la conquête de la Gaule par César. L'enchaînement des conquêtes aboutit à la constitution d'un vaste empire marqué par la diversité des sociétés et des cultures qui le composent. Son unité est assurée par le pouvoir impérial, la romanisation et le mythe prestigieux de l'Urbs. Le christianisme issu du judaïsme se développe dans le monde grec et romain. Quels sont les fondements de ce nouveau monothéisme qui se réclame de Jésus ? Quelles sont ses relations avec l'empire romain jusqu'à la mise en place d'un christianisme impérial ? La route de la soie témoigne des contacts entre l'empire romain et d'autres mondes anciens. Un commerce régulier entre Rome et la Chine existe depuis le IIᵉ siècle avant J.-C. C'est l'occasion de découvrir la civilisation de la Chine des Han.
Thème 1 Habiter une métropole ◼ Les métropoles et leurs habitants ◼ La ville de demain	La métropolisation est une caractéristique majeure de l'évolution géographique du monde contemporain et ce thème doit donner les premières bases de connaissances à l'élève, qui seront remobilisées en classe de 4ᵉ. Pour le premier sous-thème on se fonde sur une étude de deux cas de métropoles choisies pour l'une dans un pays développé, pour l'autre dans un pays émergent ou en développement. Il s'agit de caractériser ce qu'est une métropole, en insistant sur ses fonctions économiques, sociales, politiques et culturelles, sur la variété des espaces qui la composent et les flux qui la parcourent. Elles sont marquées par la diversité de leurs habitants : résidents, migrants pendulaires, touristes, usagers occasionnels, la pratiquent différemment et contribuent à la façonner. Quels sont les problèmes et les contraintes de la métropole d'aujourd'hui ? Quelles sont les réponses apportées ou envisagées ? Quelles sont les analogies et les différences entre une métropole d'un pays développé et une métropole d'un pays émergent ou en développement ? Les élèves sont ensuite invités, dans le cadre d'une initiation à la prospective territoriale, à imaginer la ville du futur : comment s'y déplacer ? Comment repenser la question de son approvisionnement ? Quelles architectures inventer ? Comment ménager la cohabitation pour mieux vivre ensemble ? Comment améliorer le développement durable ? Le sujet peut se prêter à une approche pluridisciplinaire.
Thème 2 Habiter un espace de faible densité ◼ Habiter un espace à forte(s) contrainte(s) naturelle(s) ou/et de grande biodiversité ◼ Habiter un espace de faible densité à vocation agricole	Certains espaces présentent des contraintes particulières pour l'occupation humaine. Les sociétés, suivant leurs traditions culturelles et les moyens dont elles disposent, les subissent, s'y adaptent, les surmontent voire les transforment en atouts. On mettra en évidence les représentations dont ces espaces sont parfois l'objet ainsi que les dynamiques qui leur sont propres, notamment pour se doter d'une très grande biodiversité. Les espaces de faible densité à vocation agricole recouvrent tout autant des espaces riches intégrés aux dynamiques urbaines que des espaces ruraux en déprise et en voie de désertification. Les cas étudiés sont laissés au choix du professeur mais peuvent donner lieu à des études comparatives entre les « Nords » et les « Suds ».
Thème 3 Habiter les littoraux ◼ Littoral industrialo-portuaire, littoral touristique	Les littoraux concentrent une part accrue de la population mondiale et sont des espaces aménagés pour des usages et pratiques très variés. La question porte plus spécifiquement sur les espaces littoraux à vocation industrialo-portuaire et/ou touristiques. Les types d'activités, les choix et les capacités d'aménagement, les conditions naturelles, leur vulnérabilité sont autant d'éléments à prendre en compte pour caractériser et différencier les façons d'habiter ces littoraux. C'est l'occasion de sensibiliser les élèves à la richesse de la faune et de la flore des littoraux et aux questions liées à leur protection.

Je suis un apprenti historien

A. Vous avez découvert les traces du passé

Yanis habite à Castillon-en-Couserans, dans l'Ariège.
En CM1, il a découvert que son territoire était très anciennement peuplé :
des traces en sont la preuve.

1 Des peintures retrouvées dans la grotte de Chauvet (vers 30 000 av. J.-C.)

2 Le château des comtes de Foix (XIᵉ-XVᵉ siècles)

15 000 av. J.-C.   J.-C.   2000

● 14 000 av. J.-C.
  Grotte de Niaux

XIᵉ-XVᵉ siècles ●
Château des comtes de Foix ●

● Aujourd'hui

Questions

- Comme Yanis, avez-vous découvert des traces du passé près de chez vous ?
  Si oui, de quelle période datent-elles ?

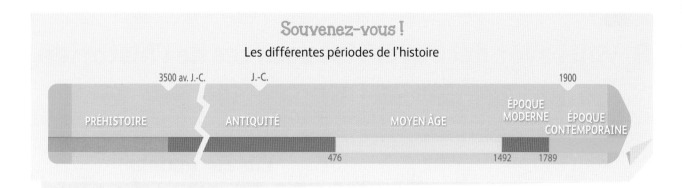

Souvenez-vous !

Les différentes périodes de l'histoire

| PRÉHISTOIRE | ANTIQUITÉ | MOYEN ÂGE | ÉPOQUE MODERNE | ÉPOQUE CONTEMPORAINE |

3500 av. J.-C.   J.-C.   1900

476   1492   1789

Yanis s'est ainsi rendu compte **que les paysages qui l'entourent ont été façonnés par les hommes.**
Les traces des populations anciennes peuvent être visibles, parfois elles sont recouvertes
par les traces des populations plus récentes.
C'est alors aux archéologues d'aller à la recherche des vestiges du passé.

3 | Chantier de fouilles préventives
à Lyon en novembre 2015

Lors d'un voyage scolaire,
Yanis s'est rendu à Lyon.
Il a observé le travail
des archéologues
sur le chantier de fouilles
d'un cimetière chrétien
des Vᵉ-VIIᵉ siècles
sur la colline de Fourvière.

Questions

- Y a-t-il eu des fouilles
  près de chez vous ?
  Renseignez-vous.
  Si oui, qu'y a-t-on
  découvert?

Vocabulaire

Archéologie : étude des populations du passé à partir
des vestiges qu'elles ont laissés.

Fouilles : opérations qui permettent de mettre au jour
les traces laissées par les populations du passé.

Fouilles préventives : fouilles réalisées sur des sites
où des travaux sont prévus.

B. Vous avez découvert les sources de l'historien

Toutes sortes de documents peuvent renseigner sur les populations du passé.
Yanis, en CM2, a également étudié la Première Guerre mondiale.
Voici les sources sur lesquelles il a travaillé :

Affiche publicitaire, 1916.

Monuments aux morts de Sées (61).

Les monuments (bâtiments, statues…)

Les objets du quotidien (ustensiles, outils, pièces de monnaie…)

Les images (fresques, mosaïques, dessins, affiches…)

Les sources de l'historien

Les documents écrits (lettres, textes de loi, inscriptions…)

Les traces archéologiques (squelettes, traces de pollens, fondations de bâtiments…)

Affiche de A. Faivre, 1915.

Lettre d'un soldat français, septembre 1918.

Point méthode — Soyez attentif aux sources dans tout le manuel

Pour chaque source présentée dans le manuel, voici les questions qu'il faut se poser :

1. Quelle est la nature de la source ?

2. L'auteur est-il contemporain des faits relatés ?

3. Quelle est son intention ?

4. L'information donnée est-elle fiable ? Peut-on la considérer comme vraie ? Peut-on en avoir une preuve ?

C. Vous avez construit des repères historiques concernant la France

200 av. J.-C.	J.-C.	200	400	600	800	1000	1200	1400	1600	1800	2000

52 av. J.-C.　　　　　496　　　800　　　　　　　1661　1715
　　　　　　　　　　　　　　　　　　　　　　　　　1789
　　　　　　　　　　　　　　　　　　　　　1939　1945
　　　　　　　　　　　　　　　　　　　　　　　2016

Consigne

- Associez chaque événement ou personnage historique suivant aux dates ou périodes de la frise.

a. Baptême de Clovis
Bas-relief en ivoire, IXe siècle, musée d'Amiens (80).

b. Louis XIV, roi de France
H. Rigaud, *Louis XIV, roi de France, portrait en pied en costume royal*, 1701, musée du Louvre, Paris.

c. L'appel du général de Gaulle
Studio de la BBC (radio publique anglaise), Londres (Royaume-Uni).

d. La prise de la Bastille
Gravure de la fin du XVIIIe siècle, MuCEM, Marseille (13).

e. Charlemagne couronné empereur
Grandes chroniques de France de Charles V, détail, manuscrit, 1378-1380, BNF, Paris.

f. Jules César, vainqueur de la guerre des Gaules
Statue en marbre, Ier siècle av. J.-C., musée du Capitole, Rome (Italie).

Alors continuons et approfondissons

Redécouvrons la Préhistoire et l'Antiquité !

Je suis un apprenti géographe

A. Vous avez appris à **localiser** et connaître votre **espace proche**

Emma habite à Sautron, en Loire-Atlantique. En CM1 et CM2, elle a appris à porter un regard géographique sur les lieux qu'elle fréquente.

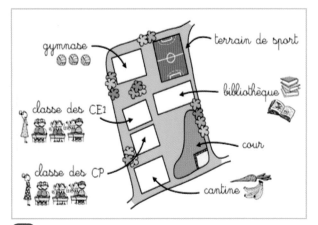

1 | Le plan de l'école d'Emma

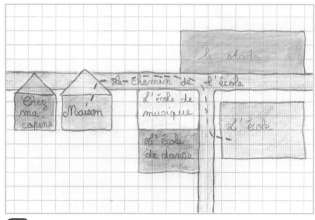

2 | L'espace proche d'Emma quand elle était en CM2

Question

• **Quel est votre espace proche maintenant que vous êtes en 6e ?**

Pour répondre à cette question, recopiez le tableau et complétez-le.

Les lieux que je fréquente le plus en dehors de mon domicile	La raison pour laquelle je fréquente ce lieu	Le moyen de transport que j'utilise pour m'y rendre	La distance de ce lieu par rapport à mon domicile
Le collège	Pour étudier	...	...
...	...	...	...
...	...	...	...

Point méthode

• Pour calculer rapidement la **distance** entre deux lieux, vous pouvez utiliser des plans interactifs sur internet comme :

ViaMichelin + Google Maps

m◄ppy

• Tapez l'un de ces noms (ou un autre que vous connaissez) dans le moteur de recherche. Renseignez le lieu de départ en indiquant votre adresse.
Vous notez comme lieu d'arrivée le lieu que vous recherchez (collège, salle de sport…).

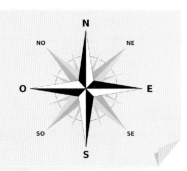

Vocabulaire

Localiser : indiquer la position d'un lieu.

Espace proche : ensemble des lieux fréquentés par une personne et proche de son domicile.

Habiter : avoir un domicile et/ou pratiquer des lieux (travailler, se déplacer, avoir des loisirs…).

B. Vous avez découvert comment vous **habitiez** le monde

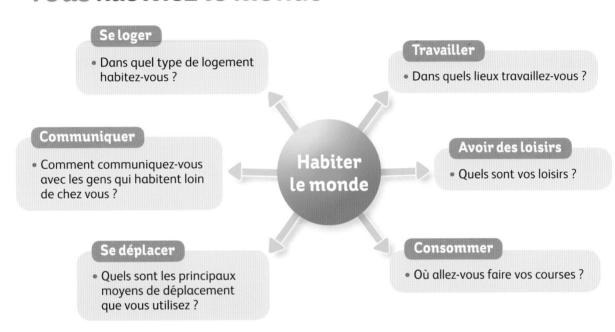

Se loger
- Dans quel type de logement habitez-vous ?

Travailler
- Dans quels lieux travaillez-vous ?

Communiquer
- Comment communiquez-vous avec les gens qui habitent loin de chez vous ?

Avoir des loisirs
- Quels sont vos loisirs ?

Se déplacer
- Quels sont les principaux moyens de déplacement que vous utilisez ?

Consommer
- Où allez-vous faire vos courses ?

Habiter le monde

C. Vous avez réfléchi pour mieux **habiter**

Développer des éco quartiers

Recycler

Question
- Quelles idées auriez-vous pour mieux habiter le monde ?

Aide | *Comment respecter l'environnement ?*
Comment moins polluer ?
Comment être plus solidaire ?

Je suis un apprenti géographe

D. Vous avez appris à travailler à différentes échelles

Le domicile d'Emma localisé à plusieurs échelles

a. À l'échelle du pays

b. À l'échelle de la région

c. À l'échelle de l'agglomération

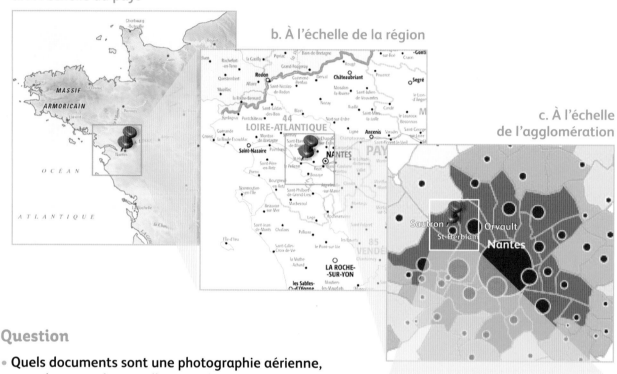

Question

• Quels documents sont une photographie aérienne, une photographie satellite, un plan, une carte ?

e. À l'échelle du quartier

d. À l'échelle de la commune

f. À l'échelle de la rue

E. Vous avez réalisé des productions écrites

a. Voici le texte qu'Emma a rédigé à son entrée en 6ᵉ pour présenter et décrire son espace proche

Je m'appelle Emma et je vis à Sautron en Loire-Atlantique, plus précisément rue de la Forêt. Sautron est situé à côté de Nantes. Mon école était à 10 min à pied de la maison, maintenant pour aller au collège, je prends le bus. Mon collège est à Saint-Herblain, entre Nantes et chez moi. Je vais aussi à la danse le mercredi après-midi, et je fais de la guitare. L'école de danse est juste à côté de mon ancienne école, comme l'école de musique. J'ai des amis qui habitent à côté de chez moi. Le week-end, j'en profite pour jouer avec eux. On va au skate-park ou au terrain de basket.

b. Avec son professeur, la classe d'Emma a réfléchi à ce qu'il fallait pour réussir le texte.

Les règles

Les règles générales de rédaction

- Faire des phrases **courtes et complètes**
- **Aller à la ligne** à chaque nouvelle idée (paragraphes et alinéas)

Les règles pour un texte de géographie

- Définir les mots-clés (ici : espace proche)
- **Localiser** (dire où c'est)
- Situer (dire à côté de quoi c'est)
- Décrire (dire comment c'est)

Questions

1. **Les règles ont-elles été appliquées par Emma ?**

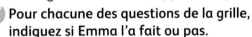 **Pour chacune des questions de la grille, indiquez si Emma l'a fait ou pas.**

A-t-elle fait des phrases **courtes et complètes** ?	Oui/Non
Est-elle **allée à la ligne** à chaque nouvelle idée ?	Oui/Non
A-t-elle rappelé la **définition** d'ESPACE PROCHE	Oui/Non
A-t-elle **localisé** où elle habite ?	Oui/Non
A-t-elle **décrit** l'endroit où elle vit ?	Oui/Non
A-t-elle indiqué où cet endroit se **situait** ?	Oui/Non
A-t-elle indiqué les différents lieux qu'elle fréquente ?	Oui/Non
A-t-elle précisé où se **situent** les lieux qu'elle fréquente ?	Oui/Non
A-t-elle **décrit** ces lieux qu'elle fréquente ?	Oui/Non

2. **À votre tour de rédiger un texte.**

À la manière d'Emma, rédigez un texte (6 lignes minimum) qui présente et décrit votre espace proche.

Alors continuons et approfondissons
Comment habite-t-on le monde ?

Une seule humanité
La révolution néolithique

Que savons-nous des premiers hommes ?
Quelles furent les conséquences
de l'apparition de l'agriculture ?

1 | **Des représentations d'animaux qui datent de 30 000 avant J.-C.**

L'art pariétal (dessins et peintures sur les murs de cavernes),
Grotte Chauvet, Vallon-Pont-d'Arc (Ardèche),
vers 30 000 av. J.-C.

1. DOC. 1 Identifiez les animaux représentés.

2. DOC. 1 Décrivez la scène au premier plan.

Vocabulaire

Hominidés : groupe de mammifères pouvant
se tenir debout sur deux jambes et dont est issu
l'homme moderne.

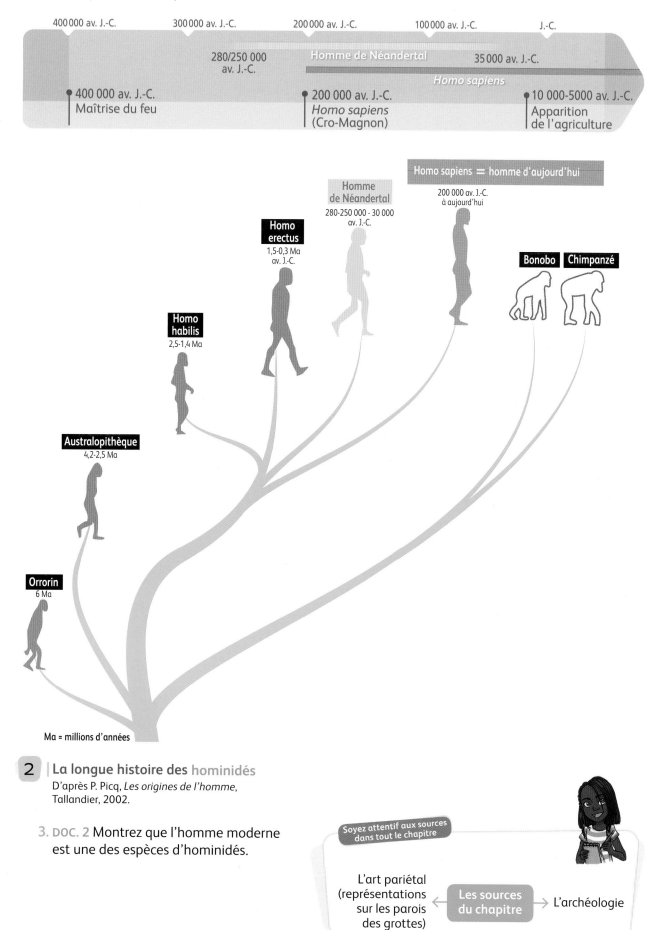

400 000 av. J.-C.	300 000 av. J.-C.	200 000 av. J.-C.	100 000 av. J.-C.	J.-C.

280/250 000 av. J.-C.

Homme de Néandertal   35 000 av. J.-C.

Homo sapiens

● 400 000 av. J.-C.
Maîtrise du feu

● 200 000 av. J.-C.
Homo sapiens
(Cro-Magnon)

● 10 000-5000 av. J.-C.
Apparition
de l'agriculture

Homo sapiens = homme d'aujourd'hui
200 000 av. J.-C.
à aujourd'hui

**Homme
de Néandertal**
280-250 000 - 30 000
av. J.-C.

Bonobo **Chimpanzé**

**Homo
erectus**
1,5-0,3 Ma
av. J.-C.

**Homo
habilis**
2,5-1,4 Ma

Australopithèque
4,2-2,5 Ma

Orrorin
6 Ma

Ma = millions d'années

2 | La longue histoire des hominidés
D'après P. Picq, *Les origines de l'homme*,
Tallandier, 2002.

3. DOC. 2 Montrez que l'homme moderne
est une des espèces d'hominidés.

Soyez attentif aux sources
dans tout le chapitre

L'art pariétal
(représentations
sur les parois
des grottes) ← **Les sources
du chapitre** → L'archéologie

Les premières migrations

➡ Comment l'homme a-t-il peuplé la Terre ?

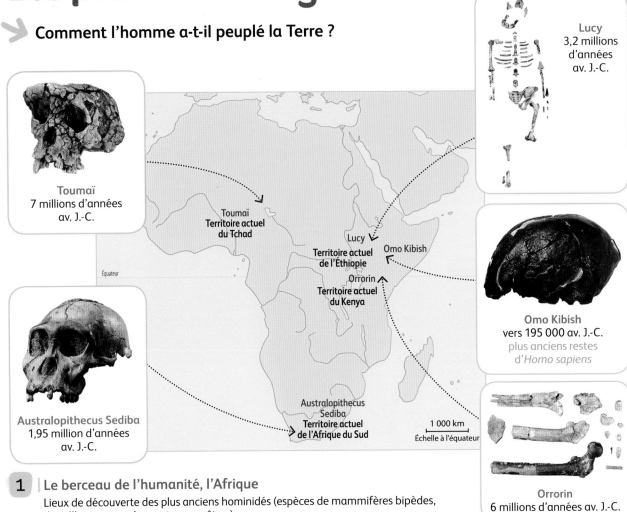

Toumaï
7 millions d'années
av. J.-C.

Lucy
3,2 millions
d'années
av. J.-C.

Australopithecus Sediba
1,95 million d'années
av. J.-C.

Omo Kibish
vers 195 000 av. J.-C.
plus anciens restes
d'*Homo sapiens*

Orrorin
6 millions d'années av. J.-C.

Équateur

Toumaï
Territoire actuel
du Tchad

Lucy
Territoire actuel
de l'Éthiopie

Omo Kibish

Orrorin
Territoire actuel
du Kenya

Australopithecus
Sediba
Territoire actuel
de l'Afrique du Sud

1 000 km
Échelle à l'équateur

1 | Le berceau de l'humanité, l'Afrique
Lieux de découverte des plus anciens hominidés (espèces de mammifères bipèdes, dont l'homme moderne et ses ancêtres).

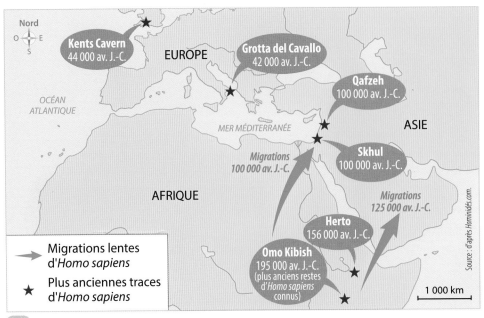

Nord
O E
S

Kents Cavern
44 000 av. J.-C.

EUROPE

Grotta del Cavallo
42 000 av. J.-C.

Qafzeh
100 000 av. J.-C.

OCÉAN
ATLANTIQUE

MER MÉDITERRANÉE

ASIE

Migrations
100 000 av. J.-C.

Skhul
100 000 av. J.-C.

AFRIQUE

Migrations
125 000 av. J.-C.

Herto
156 000 av. J.-C.

Omo Kibish
195 000 av. J.-C.
(plus anciens restes
d'*Homo sapiens*
connus)

Source : d'après *Hominidés.com.*

→ Migrations lentes
d'*Homo sapiens*

★ Plus anciennes traces
d'*Homo sapiens*

1 000 km

2 | L'homme moderne quitte l'Afrique

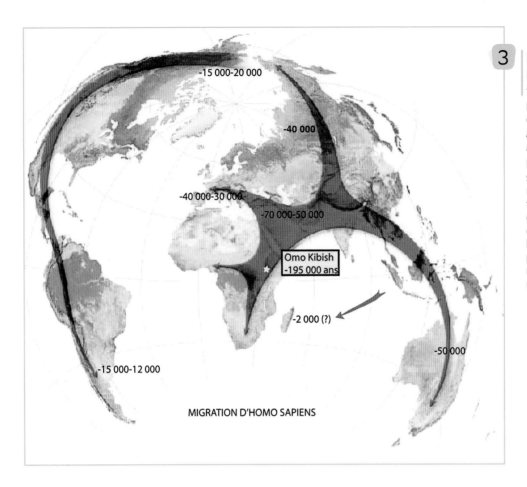

-15 000-20 000

-40 000

-40 000-30 000

-70 000-50 000

Omo Kibish
-195 000 ans

-2 000 (?)

-50 000

-15 000-12 000

MIGRATION D'HOMO SAPIENS

3 | L'homme moderne peuple toute la Terre

D'après National Geographic Society, *Migrations de l'homme moderne*, 2006.

Le peuplement s'effectue sur plusieurs milliers d'années, soit très lentement à chaque génération. Le niveau des mers étant plus bas, les hommes ont pu passer sur des territoires maintenant séparés (détroit de Béring).

4 | Les raisons de ces déplacements

Le premier homme moderne est sorti d'Afrique vers 100 000 av. J.-C. au Proche-Orient et a migré vers l'Europe entre 48 000 et 40 000 av. J.-C. L'une des principales caractéristiques de cette période est le rythme accéléré des variations climatiques, à l'origine de nombreuses adaptations culturelles à ces conditions changeantes.

D'après J. K. Koslowski,
« Les premières migrations humaines et les premières étapes du peuplement de l'Europe », *Diogène*, n° 211, 2005.

5 | Évolution de la population en France pendant la Préhistoire

Fin du Paléolithique (vers 12 000 ans av. J.-C.)	6 000
Fin du Néolithique (vers 3 000 ans av. J.-C.)	environ 30 000

D'après J.-N. Biraben et C. Lévy,
« La population préhistorique de la France »,
Population, 1987.

Activités

▶ **Socle** *Utiliser des cartes à différentes échelles*

1. DOC. 1 Pourquoi peut-on affirmer que les origines de l'espèce humaine sont en Afrique ?
2. DOC. 4 Pourquoi l'homme est-il sorti d'Afrique ? À quelle époque ?
3. DOC. 3 ET 5 Montrez que le peuplement de la Terre a été très progressif.

Pour conclure Retrouvez les grandes étapes du peuplement de la Terre en plaçant les dates approximatives dans le schéma ci-dessous après l'avoir recopié.

Apparition de l'homme moderne	Début des migrations	Peuplement de toute la Terre
....	....	....

Découvrir

Cro-Magnon, un chasseur

➜ **Comment les premiers groupes d'*Homo sapiens*
de la préhistoire vivent-ils ?**

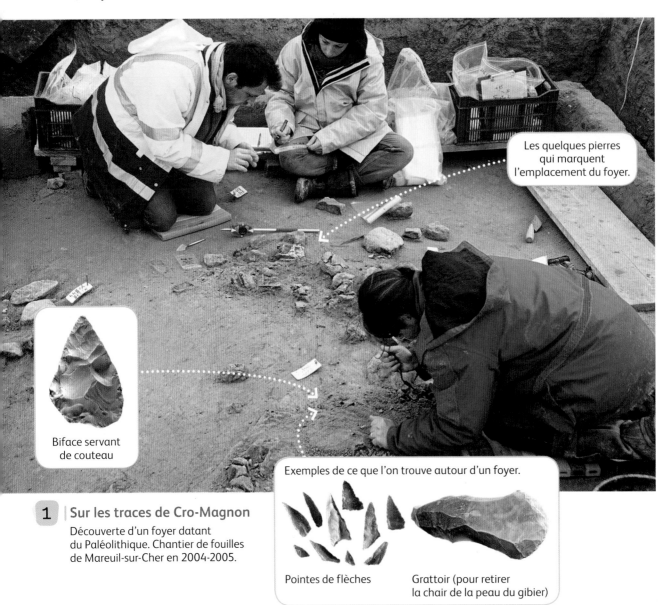

Les quelques pierres qui marquent l'emplacement du foyer.

Biface servant de couteau

1 | **Sur les traces de Cro-Magnon**
Découverte d'un foyer datant du Paléolithique. Chantier de fouilles de Mareuil-sur-Cher en 2004-2005.

Exemples de ce que l'on trouve autour d'un foyer.

Pointes de flèches

Grattoir (pour retirer la chair de la peau du gibier)

2   Le foyer, cœur de l'activité de Cro-Magnon

Les archéologues ont mis au jour des campements qui regroupent plusieurs unités, plus souvent que de simples habitations isolées. Source de lumière et de chaleur, le foyer y concentrait les activités humaines : taille du silex, confection des armes, préparation des viandes ou des baies collectées… Les amas de déchets qui se sont peu à peu formés à proximité de ces structures de chauffe font le bonheur des archéologues.

D'après C. Marcigny et D. Bétard, *La France racontée par les archéologues*, Paris, Gallimard-Inrap, 2012.

Vocabulaire

Foyer : endroit où l'on fait le feu.

Nomade : personne qui n'a pas d'habitat fixe et change de lieu en fonction des ressources disponibles.

3 | Cro-Magnon et la chasse

Peinture rupestre de la grotte de Niaux.
La chasse au bison, vers 12 000 av. J.-C.

Le propulseur ① permet d'envoyer une lance plus loin et plus fort, mais il ne permet pas de bien viser le gibier. Les hommes chassent donc à plusieurs et récupèrent ensuite les animaux blessés.

D'après INRAP.

4 | Des nomades

Campement d'hommes de Cro-Magnon, reconstitution faite à partir du site archéologique de Pincevent (vers 14 000 ans av. J.-C.).

① Tentes en peaux d'animaux
② Foyer
③ Homme rapportant du bois pour la cuisson des aliments

Activités

▶ **Socle** *Extraire des informations pertinentes*

1. DOC. 1 Décrivez comment les archéologues procèdent pour trouver les traces de Cro-Magnon.
2. DOC. 2 Quel est l'intérêt de fouiller autour d'un foyer ?
3. DOC. 1 ET 2 Quels types d'outils trouve-t-on lors de ces fouilles ?
4. DOC. 3 Décrivez la scène. Quels éléments permettent de penser qu'il s'agit d'une scène de chasse ?
5. DOC. 4 Montrez que la reconstitution prend en compte les découvertes archéologiques.

Pour conclure Répondez par quelques courtes phrases à la question suivante :

➤ **Comment les premiers groupes d'hommes de la préhistoire vivent-ils ?**

Aide (*Vous pouvez commencer par décrire leurs lieux de vie puis leurs activités.*

Leçon

Une seule humanité

Comment les hommes ont-ils habité la Terre au Paléolithique ?

I Homo sapiens s'impose

- Pendant plusieurs milliers d'années, deux espèces d'hominidés dominent et cohabitent sur l'ensemble de la planète. L'homme de Néandertal est déjà présent quand *Homo sapiens* (Cro-Magnon), l'homme moderne, apparaît, vers 200 000 avant notre ère.

- *Homo sapiens* semble s'imposer à partir de 30 000 av. J.-C. On a longtemps cru que Néandertal, ayant moins diversifié sa nourriture, s'était progressivement éteint du fait d'une natalité moins forte. Or les dernières recherches laissent penser qu'il y a eu métissage des deux espèces. Néandertal n'aurait donc pas réellement disparu, mais son espèce se serait mêlée à *Homo sapiens*.

II Le lent peuplement de la Terre

- C'est en Afrique que les plus anciens restes de l'homme moderne (*Homo sapiens*) ont été trouvés. Tout indique qu'il est apparu au cœur de ce continent il y a environ 200 000 ans.

- En raison des variations climatiques, **les *Homo sapiens* migrent**. Ils passent par le Moyen-Orient, puis l'Europe et l'Asie, avant de s'implanter sur l'ensemble de la Terre. Les hommes ont pu se rendre en Amérique car le niveau des mers était plus bas. Ainsi le continent américain a été peuplé 150 000 ans après l'apparition des hommes en Afrique.

III Les chasseurs-cueilleurs du Paléolithique

- En peuplant lentement la Terre, chaque groupe d'*Homo sapiens* adapte son mode de vie aux lieux très différents qu'il rencontre. **Les caractéristiques physiques de ces hommes se diversifient en fonction des environnements** où ils vivent.

- Les hommes du Paléolithique vivent en petits groupes. **Ce sont des nomades**. Ils changent de campements dès que les ressources de **la chasse, de la pêche ou de la cueillette** s'amenuisent. Dans ces conditions, **l'accroissement de la population est très lent**.

- Pour la chasse et pour préparer leur nourriture, ils utilisent **des outils taillés dans le silex**. C'est à partir de ces restes que les archéologues parviennent à reconstituer le quotidien de ces lointains ancêtres.

Vocabulaire

Hominidés : groupe de mammifères pouvant se tenir debout sur deux jambes et dont est issu l'homme moderne.

Métissage : mélange d'espèces différentes.

Nomade : population qui change de lieu de vie en fonction des ressources.

Paléolithique : période de la « pierre ancienne », ou « âge de la pierre taillée » (1 000 000/ 10 000 ans av. J.-C.).

7 Ma av. J.-C.   280 000 av. J.-C.   200 000 av. J.-C.

Plus anciens restes d'hominidés découverts

Apparition de Néandertal

Apparition d'*Homo sapiens*

Ma = millions d'années

400 000 av. J.-C. Maîtrise du feu

Je retiens l'essentiel

Homo sapiens remplace Néandertal

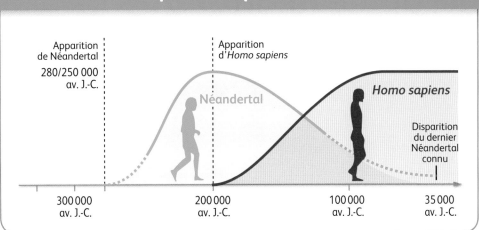

Apparition de Néandertal
280/250 000 av. J.-C.

Apparition d'*Homo sapiens*

Néandertal

Homo sapiens

Disparition du dernier Néandertal connu

300 000 av. J.-C.

200 000 av. J.-C.

100 000 av. J.-C.

35 000 av. J.-C.

Les traces	Ce qu'elles nous enseignent

Les chasseurs-cueilleurs du Paléolithique

- Outils taillés, restes de campements

- Ossements d'animaux chassés, pointes de flèches

- Habitat nomade

- Peuple de chasseurs-cueilleurs

- L'homme moderne (*Homo sapiens*) n'apparaît que plusieurs millions d'années après les premiers hominidés.
- Il faut plus de 150 000 ans à l'homme pour peupler tous les continents à partir de l'Afrique.
- Les hommes du Paléolithique sont des chasseurs nomades. Ils changent de lieu en fonction des ressources disponibles (gibiers, poissons, fruits).

Fouiller une nécropole

La nécropole néolithique de Genevray

Genevray

200 km

 Vous êtes archéologue et vous mettez au jour une nécropole. Que vous apprennent ces sépultures sur la relation des premiers hommes avec leurs morts ?

Source 1 Nécropole de Genevray

La nécropole de Genevray (vers 4 500-3 500 ans av. J.-C.), mise au jour en 2004 à Thonon-les-Bains.

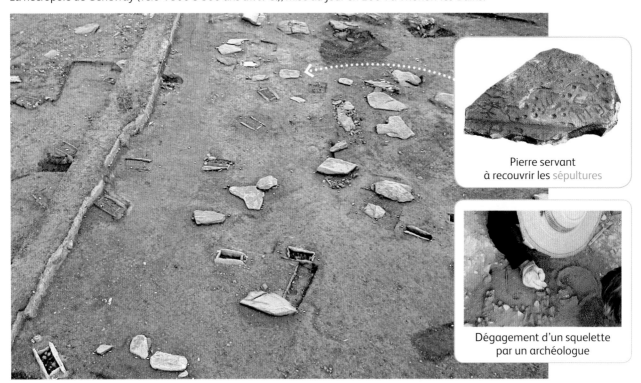

Pierre servant à recouvrir les sépultures

Dégagement d'un squelette par un archéologue

Source 2

Les archéologues en parlent

Les pratiques funéraires au Néolithique

On pratiquait à la fois des inhumations[1] successives en fosses collectives et des inhumations en fosses individuelles parfois renforcées de dalles de pierre. Ces dernières, organisées en véritables coffres, se retrouvent dans une grande partie de la France. Elles marquent l'importance du défunt[2] et l'attachement du groupe à son territoire. Lorsque les coffres restent accessibles, ils permettent d'introduire de nouveaux défunts.

D'après J.-P. Demoule (dir.), *La révolution néolithique en France*, La Découverte, 2007.

1. Fait d'enterrer les morts. 2. Le mort.

Vocabulaire

Nécropole : lieu où l'on enterre les morts, du grec *nekro* (mort) et *polis* (cité).

Sépulture : endroit où un être humain est enterré (inhumé) après sa mort.

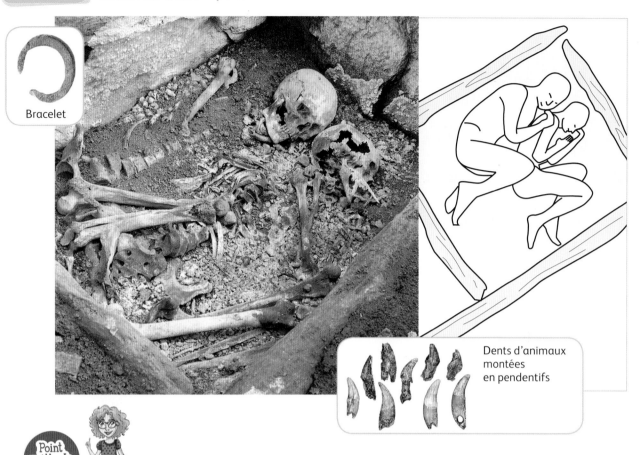

Bracelet

Dents d'animaux montées en pendentifs

La démarche de l'archéologue

Étape 1 ▶ Relever les informations apportées par les sépultures

1. Recopiez et complétez les relevés de fouilles suivants :

> SOURCE 1 **Relevé de la nécropole**
> Localisation : ...
> Date de la mise au jour : ...
> Date des sépultures : ...
> Tombes : regroupées ou isolées ?

> SOURCE 3 **Relevé de la sépulture**
> Tombe : protégée ou en pleine terre ?
> Nombre et position des défunts : ...
> Objets trouvés : ...

Étape 2 ▶ Interpréter les traces

2. SOURCES 1 ET 3 Quels éléments permettent de penser que les sépultures semblent spécialement créées pour ces individus ?

3. SOURCES 1 ET 3 Quelles informations ces sépultures peuvent-elles apporter sur la vie des personnes inhumées ?

▶ **Socle** *S'informer dans le monde du numérique*

Pour aller plus loin... Dans un moteur de recherche, tapez les mots-clés suivants « images archéologie ».
Cliquez sur le site http://www.images-archeologie.fr et tapez la recherche suivante :
« Les experts de l'archéologie ».
Recherchez la vidéo qui présente le métier de l'archéologue, et répondez à la question suivante :
Qu'avez-vous appris sur ce métier ?

Pour conclure Rédigez une phrase qui réponde à la question suivante :

➤ **Comment les hommes de la Préhistoire s'occupent-ils des défunts ?**

L'agriculture transforme la vie des hommes

> Quelles furent les conséquences de l'apparition de l'agriculture au Néolithique ?

Paléolithique

10 000 av. J.-C.　　　　5000 av. J.-C.

Apparition　　　　Arrivée des techniques
de l'agriculture　　　agricoles en Europe
en Orient

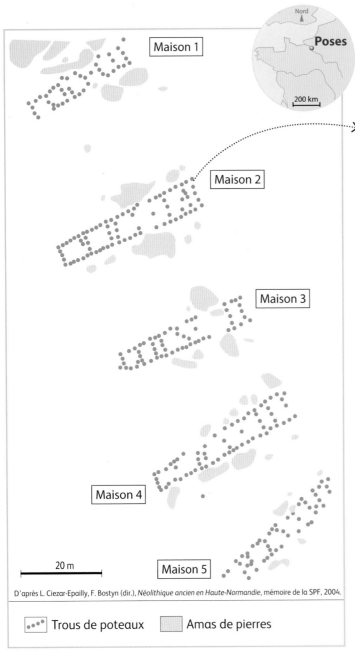

Nord

Poses

200 km

Maison 1
Maison 2
Maison 3
Maison 4
Maison 5

20 m

D'après L. Ciezar-Epailly, F. Bostyn (dir.), *Néolithique ancien en Haute-Normandie*, mémoire de la SPF, 2004.

•••• Trous de poteaux　　　▨ Amas de pierres

1 | Des traces de nouveaux habitats

Les fouilles ont permis de mettre au jour de nombreux trous de poteaux indiquant la présence de maisons au Néolithique. Chantier de fouilles de Poses (Normandie), site datant de 5 000 av. J.-C.

Vocabulaire

Agriculture : mise en valeur des sols par la culture ou par l'élevage.

Défrichement : coupe des arbres pour permettre la mise en culture des terres.

Néolithique : période de la « nouvelle pierre » ou « âge de la pierre polie ».

Sédentaire : personne qui a un habitat fixe (contraire : nomade).

2 | La révolution néolithique : nouveaux outils, nouvelles façons d'habiter

D'après B. et G. Delluc, *Vie des hommes au temps de la préhistoire*, Lille-Rennes, Ouest-France, 2015.

❶ Les nouveaux outils comme les haches de pierre polie permettent les défrichements.

Les hommes se regroupent dans les villages, se sédentarisent et utilisent des outils plus perfectionnés. Le nombre d'habitants augmente.

❹ Les premières formes d'élevage apparaissent et les animaux sont peu à peu domestiqués.

❷ Les faucilles permettent de récolter des céréales que l'homme se met à cultiver.

❸ La meule sert à écraser les grains pour en faire de la farine conservée dans des pots de terre.

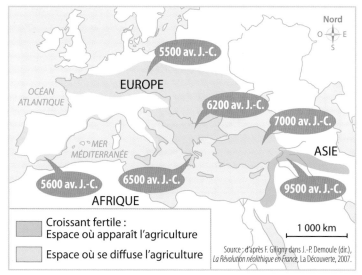

5500 av. J.-C.

OCÉAN ATLANTIQUE

EUROPE

6200 av. J.-C.

7000 av. J.-C.

ASIE

MER MÉDITERRANÉE

5600 av. J.-C.

6500 av. J.-C.

9500 av. J.-C.

AFRIQUE

Nord
O — E
S

1 000 km

Croissant fertile : Espace où apparaît l'agriculture

Espace où se diffuse l'agriculture

Source : d'après F. Giligny dans J.-P. Demoule (dir.), *La Révolution néolithique en France*, La Découverte, 2007.

3 | Les foyers d'apparition de l'agriculture au Proche-Orient et en Europe

Activités

▶ **Socle** *Extraire des informations pertinentes*

1. **DOC. 1** Quelles traces restent visibles dans ce chantier de fouilles en Normandie ?
2. **DOC. 1 ET 2** Quel nouveau type d'habitat ces traces révèlent-elles ?
3. **DOC. 2** Nommez les différents outils des populations néolithiques et indiquez le rôle de chacun.
4. **DOC. 3** Où l'agriculture est-elle apparue ? Combien de temps a-t-elle mis pour se diffuser jusqu'en Normandie ?

Pour conclure Préparez une réponse orale à la question suivante :

➤ **Comment la vie des hommes a-t-elle changé au Néolithique ?**

Découvrir

L'agriculture transforme l'environnement

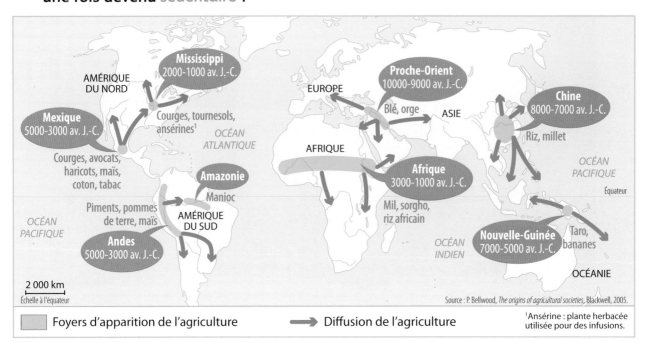

Paléolithique	Néolithique
10 000 av. J.-C.	5000 av. J.-C.

Vers 5500 av. J.-C.
Apparition de l'agriculture en Europe

> Comment l'homme transforme-t-il son environnement, une fois devenu sédentaire ?

Source : P. Bellwood, *The origins of agricultural societies*, Blackwell, 2005.

Foyers d'apparition de l'agriculture   → Diffusion de l'agriculture

[1] Ansérine : plante herbacée utilisée pour des infusions.

1 | La diffusion de l'agriculture à travers le monde

La diffusion de l'agriculture se fait très lentement à l'époque du Néolithique, à partir de centres (foyers). Il faut ensuite plusieurs millénaires pour que la plus grande partie du monde utilise cette technique.

a. Avant l'arrivée des premiers agriculteurs, une zone humide au milieu des chênes

b. Premiers défrichements, disparition de la zone humide et transformation de la forêt

2 | Les défrichements transforment la forêt

D'après C. Ballut et Y. Michelin, « Les paysages de la chaîne des Puys », *Développement durable et territoires*, 2014.

1 Chênes et hêtres
2 Zone humide
3 Défrichement et mise en culture
4 Hêtres et sapins après abandon des cultures

Vocabulaire

Défrichement : action de couper les arbres pour transformer l'espace en champs cultivables.

Environnement : ensemble des éléments naturels ou non dans lesquels l'homme vit.

Sédentarisation : fait de fixer géographiquement son habitat.

4 L'homme agit sur son environnement

L'action de l'homme sur l'environnement ne date pas d'aujourd'hui, ni d'hier. Le signal en fut donné lorsque les populations néolithiques du Proche-Orient, les premières à vivre de plantes cultivées et d'animaux domestiques, transformèrent certains espaces en champs ou pâtures, à partir de 9000 av. J.-C. En Occident, c'est plus tardivement, dans le courant du VIᵉ millénaire, que ces fermiers s'installèrent et commencèrent à brûler les forêts postglaciaires pour ensemencer les clairières ainsi dégagées ou pour les transformer en prairies destinées à l'alimentation du bétail.

Auparavant, l'homme s'était contenté de se soumettre aux rythmes climatiques que la nature lui imposait, se moulant dans son environnement sans le transformer réellement, à l'exception des prélèvements carnés (chasse, pêche) ou végétaux (cueillette) qu'il effectuait pour se nourrir.

D'après J. Guilaine, *Sciences humaines*, juillet-août 2005.

3 Une scène primitive de labour

Sur cette stèle, le dessin d'un homme guidant un araire pour labourer des terres est encore perceptible.
Stèle gravée, fin du IIIᵉ millénaire av. J.-C., Bagnolo II, Valtelline (Italie).

Activités

▶ **Socle** *Extraire des informations de documents différents*

1. DOC. 1 Montrez que l'agriculture se répand un peu partout sur la Terre et que sa diffusion est très lente.
2. DOC. 3 Décrivez le document. Quels animaux l'homme du Néolithique utilise-t-il ?
3. DOC. 2 ET 4 Que font les populations pour développer l'agriculture ?
4. DOC. 2 ET 4 Quelle conséquence les défrichements peuvent-ils avoir sur l'environnement ?

Pour conclure Reproduisez la carte mentale suivante. Dans chaque case, notez à la place de la phrase le mot-clé qui convient. Illustrez ensuite votre carte mentale par un dessin ou une image.

Aide (*Les mots-clés sont dans les encadrés vocabulaire p. 26 et 28.*

```
                    Les populations au Néolithique

Elles se regroupent        Elles pratiquent l'élevage    Elles coupent les arbres
et vivent dans des villages    et cultivent                  pour installer leurs activités
```

Leçon

La révolution du Néolithique : l'agriculture et l'élevage

Quelles sont les conséquences de l'apparition de l'agriculture au Néolithique ?

I Vers la sédentarisation au Néolithique

- Les changements climatiques et le perfectionnement des outils, notamment l'apparition de la pierre polie plus résistante, permettent aux *Homos sapiens* de mettre en place **les premières formes d'agriculture**.

- Apparues en Méditerranée orientale il y a 12 000 ans, ces nouvelles techniques qui consistent à récolter ce que l'on a semé se diffusent dans l'ensemble du monde. Il faut plusieurs millénaires pour que l'agriculture parvienne dans l'ouest du continent européen, en 5 500 avant J.-C.

- **Les hommes du** Néolithique **commencent alors à se fixer sur le territoire qu'ils mettent en valeur en fonction de leurs besoins et en procédant à des** défrichements. Des céréales sont cultivées et assurent une alimentation de base plus régulière, même si les périodes de disette restent nombreuses. Les animaux commencent à être domestiqués et sont utilisés pour leurs productions : laine, lait et viande.

- Les archéologues ont découvert les traces d'**un habitat fixe, souvent organisé en plusieurs grandes habitations regroupées et entourées de champs**. La chasse et la pêche continuent de fournir une part importante de l'alimentation mais l'homme n'en est plus dépendant.

II Le développement et l'organisation des premiers groupes d'hommes

- Le développement de l'artisanat permet aux hommes et aux femmes de mieux s'habiller et de mieux se loger. Ces meilleures conditions de vie ainsi qu'une nourriture plus régulière, plus abondante et plus diversifiée permettent un accroissement de la population plus rapide.

- Le mode de vie sédentaire et l'augmentation des richesses créées transforment les groupes humains. Des tombes, mieux protégées et présentant davantage d'objets, prouvent que certaines personnes occupent un rôle plus important que d'autres. C'est la naissance des premières organisations sociales.

- Les récoltes et les troupeaux attirent également l'envie des voisins et les conflits entre les hommes se développent. Les fouilles dévoilent des défunts gravement blessés.

Vocabulaire

Agriculture : travail de la terre (cultures) et élevage du bétail pour obtenir des produits alimentaires.

Défrichement : action de couper les arbres pour transformer l'espace en champs cultivables.

Néolithique : période de la « pierre nouvelle », ou «âge de la pierre polie » (10 000/3 000 ans av. J.-C.).

Sédentarisation : fait de devenir sédentaire, lorsque l'habitat devient fixe.

Disette : période de manque de nourriture.

10 000 av. J.-C.		5000	3000	2000	J.-C.

Naissance de l'agriculture — Diffusion de l'agriculture en Europe

Premières écritures
Mésopotamie   Égypte   Crète

Je retiens l'essentiel

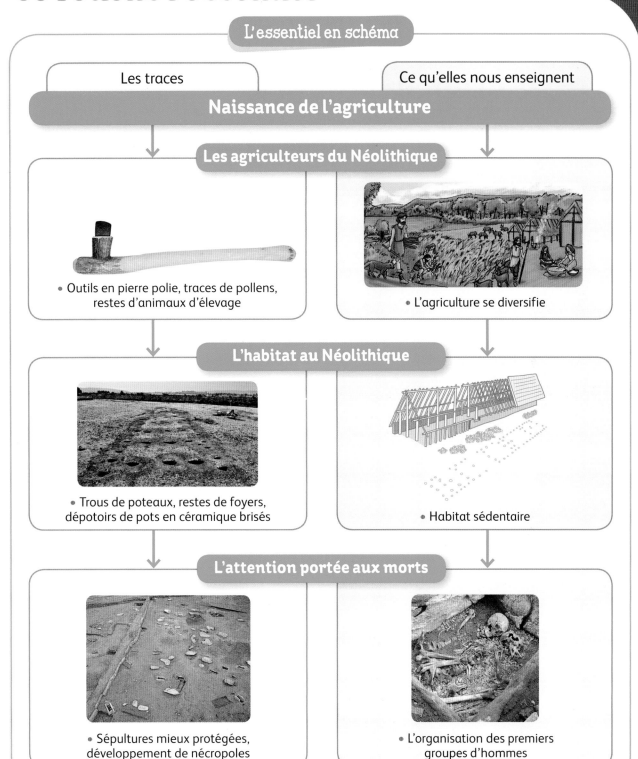

Les traces

Ce qu'elles nous enseignent

Naissance de l'agriculture

Les agriculteurs du Néolithique

- Outils en pierre polie, traces de pollens, restes d'animaux d'élevage

- L'agriculture se diversifie

L'habitat au Néolithique

- Trous de poteaux, restes de foyers, dépotoirs de pots en céramique brisés

- Habitat sédentaire

L'attention portée aux morts

- Sépultures mieux protégées, développement de nécropoles

- L'organisation des premiers groupes d'hommes

L'essentiel en texte

- Entre 10 000 et 5 000 ans avant notre ère, l'agriculture se répand à partir du Moyen-Orient.
- Les hommes se sédentarisent sur un territoire qu'ils mettent en valeur par l'agriculture.
- La population augmente plus rapidement et les groupes d'hommes commencent à s'organiser. Les premières sociétés structurées apparaissent.

FICHE DE RÉVISION
À TÉLÉCHARGER
Fiche 1

Une seule humanité
La révolution néolithique

1. Construire sa fiche de révision : notez le titre de la leçon sur votre feuille

Je connais...

Objectif 1 ▶ Construire les repères historiques

Reproduisez la frise chronologique ci-dessous et placez-y les périodes suivantes :
- Paléolithique - Néolithique - Apparition d'*Homo sapiens* - Apparition de l'agriculture.

Vers 200 000 av. J.-C.   Vers 10 000 av. J.-C.

Objectif 2 ▶
Connaître les repères géographiques

À l'aide de la carte, répondez aux questions suivantes :
- Au cœur de quel continent l'homme est-il apparu ?
- Dans quelle région l'agriculture est-elle apparue ?

Objectif 3 ▶ Connaître les mots-clés

Donnez la signification des mots suivants :
- Néolithique – Nomade – Sédentaire – Défrichement.

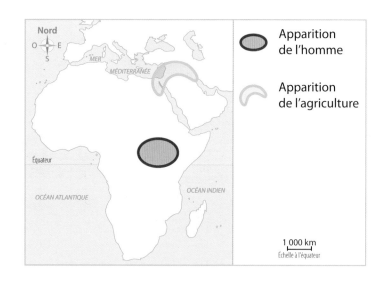

Apparition de l'homme

Apparition de l'agriculture

Je suis capable de...

Pour chacun des objectifs suivants, construisez une réponse à la consigne :

Objectif 4 ▶ Décrire le peuplement de la Terre

Aide | *Commencez par situer l'apparition de l'homme et montrez que ce peuplement s'est fait très progressivement.*

Objectif 5 ▶ Expliquer les différences de mode de vie au Paléolithique et au Néolithique

Aide | *Montrez la différence entre nomade et sédentaire.*

Objectif 6 ▶ Expliquer les conséquences de l'apparition de l'agriculture

Aide | *Montrez le lien entre l'agriculture et l'augmentation de la population.*

Construire des repères historiques

Paléolithique ou Néolithique ?

1. Les « menus » néolithique et paléolithique se sont mélangés.
Indiquez quels aliments ne datent que du Néolithique. Justifiez votre réponse.

Fraises des bois	Côte d'aurochs grillée	Jus des fruits du jardin
Cuisse de renne	Eau de la rivière	Galette de blé
Légumes du potager	Racines et feuilles de chêne	

2. Choisissez la bonne formulation :
   a. Le Paléolithique signifie *l'époque de la « pierre ancienne »* ou *l'époque de la « pierre nouvelle »*.
   b. Un groupe d'humains est sédentaire *lorsqu'il s'installe et reste vivre au même endroit ou lorsqu'il change de lieu fréquemment*.
   c. Les chasseurs-cueilleurs sont les hommes du *Paléolithique* ou du *Néolithique*. Ils sont *sédentaires* ou *nomades*.

Comprendre une image

Une sépulture dans la préhistoire

1. Présentez la découverte (nature, lieu, époque de la sépulture et de la découverte).

2. De quelle période s'agit-il ?

3. Décrivez ce qui a été découvert (forme de la tombe, constitution, nombre d'individus, disposition des corps).

4. Que nous apprend cette tombe sur le mode de vie des hommes de cette époque ?

Sépulture, entre 4 500 et 3 500 av. J.-C., mise au jour en 2004, Thonon-les-Bains (Haute-Savoie).

Auto-évaluation

Je me positionne sur une marche :

1.
• J'observe l'image.
• Je repère sa nature.

2.
• J'observe l'image.
• Je repère sa nature, **sa date et le sujet montré**.

3.
• J'observe l'image.
• Je repère sa nature, sa date et le sujet montré.
• **Je décris ce que j'observe**.

4.
• J'observe l'image.
• Je repère sa nature, sa date et le sujet montré.
• Je décris ce que j'observe.
• **J'interprète (je donne du sens)**.

= Question **1** | = Questions **1** et **2** | = Questions **1**, **2** et **3** | = Questions **1**, **2**, **3** et **4**

Pour progresser, j'analyse mes axes de progrès. Que devrais-je améliorer ?

L'atelier d'écriture — Comment les hommes du Néolithique vivaient-ils ?

À l'aide de vos connaissances, rédigez un texte qui décrit et explique comment les hommes du Néolithique vivaient.

Travail préparatoire (au brouillon)

1. Comprenez bien le sujet : « Comment les hommes du Néolithique vivaient-ils ? »

Comment : on attend d'abord une description de la façon de vivre de ces hommes.

Néolithique : la période est précisée. Il faut donc la dater et expliquer ce qui change par rapport à la période qui précède.

Répondez aux questions sur le mode de vie des hommes du Néolithique autour du « pense pas bête ».

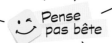

- À quelle période le Néolithique est-il situé ?
- Les hommes sont-ils alors des chasseurs ou des agriculteurs ?
- De quoi se nourrissent-ils ?
- Comment s'occupent-ils de leurs morts ?
- Sont-ils nomades ou sédentaires ?
- Vivent-ils dans des maisons ou dans des campements ?

Pense pas bête

2. Vérifiez dans votre cahier et votre manuel que vous n'avez pas oublié d'informations essentielles.

Travail de rédaction (au propre)

À vous de choisir votre niveau de difficulté et votre ceinture !

Soignez la présentation de votre texte et votre écriture. Évitez les ratures. N'oubliez pas de relire et de vérifier vos accords.

Je rédige un texte **sans aide**.

Rédigez votre texte en vérifiant que :
- Vous organisez vos idées en deux courts paragraphes : la naissance de l'agriculture ; la sédentarisation.
- Vous allez à la ligne entre chaque paragraphe.

Je rédige un texte **avec un guide**.

Rédigez votre texte en construisant deux paragraphes
- Le premier commence par : « Au Néolithique, les hommes sont des... »
- Puis le second par « Les premiers agriculteurs changent leur mode de vie... »
- Allez à la ligne entre chaque paragraphe.

RAPPELS

Je rédige un texte **en reprenant les réponses du « pense pas bête ».**

Rédigez deux paragraphes
- Vous commencez le premier par « Au Néolithique, les hommes sont des... » puis reprenez les réponses des questions du pense pas bête.
- Vous allez à la ligne pour commencer le second par « Les premiers agriculteurs changent leur mode de vie... » puis reprenez les réponses des questions du pense pas bête.

Point méthode

Rédiger un paragraphe
Écrire des phrases complètes.
Commencer chaque paragraphe par un alinéa.

> Au Néolithique, les hommes sont des agriculteurs...

Enquêter Pourquoi l'homme de Néandertal a-t-il disparu ?

*Présent sur la Terre environ **100 000 ans avant** Homo sapiens, cet homme robuste capable de s'adapter à de nombreux changements climatiques a disparu, ce qui reste une énigme. Quelles sont les différentes hypothèses qui expliquent cette disparition ?*

les faits

Néandertal

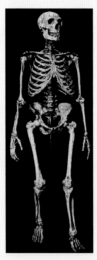

Homo sapiens

Néandertal
(reconstitution
contemporaine)
280/250 000 av. J.-C.

Homo sapiens
(reconstitution contemporaine)
200 000 av. J.-C à aujourd'hui

Les indices

Indice n°1

Des traces de Néandertal se retrouvent dans les gènes des hommes actuels. Il y a donc eu des croisements entre Néandertal et *Homo sapiens*.

Indice n°2

Chez *Homo sapiens* comme chez Néandertal, les fouilles des campements montrent des outils pour s'adapter à son environnement. Cela contredit ce que certains archéologues avaient pu supposer : *Homo sapiens* n'était pas plus intelligent que Néandertal.

Indice n°3

Dans les fouilles des campements de Néandertal, on retrouve principalement des restes de gros gibiers alors que la nourriture semble plus diversifiée pour *Homo sapiens*.

Indice n°4

Homo sapiens et Néandertal cohabitent sur les mêmes territoires pendant plusieurs milliers d'années. Il se peut que Néandertal ait été repoussé vers des régions moins favorables, en petits groupes, ce qui a pu entraîner une baisse de sa natalité.

Avez-vous pris connaissance des indices ? Quelle est votre conviction sur la disparition de Néandertal ?

Par équipe, complétez le carnet de l'enquêteur :

Identification de quatre hypothèses : …

Choix de la plus probable : …

Raisons de ce choix : …

Pour aller plus loin, vous pouvez vérifier votre choix sur le site http://www.hominides.com dans le dossier « disparition de Néandertal ».

Histoire des Arts

Lascaux :
la naissance de l'art

➜ **Pourquoi les hommes du Paléolithique ont-ils peint certaines grottes ?**

Lascaux

200 km

Ⓥocabulaire

Peinture pariétale :
décor d'un mur ou d'une paroi.

1 | Grotte de Lascaux, peintures pariétales, **entre 18 000 et 17 000 av. J.-C.**
Les contours noirs sont des dessins à l'oxyde de manganèse.

2 Pourquoi ces peintures ?

On sait aujourd'hui que les hommes de Lascaux ne mangeaient pas ce qu'ils peignaient. À part quelques rares os de cerf, de chevreuil, de lièvre et de sanglier, 89 % des restes de gibier retrouvés dans la grotte sont du renne. Alors qu'il est si représenté dans les parois, le cheval est à peine présent dans les restes osseux. De plus, on ne trouve qu'une seule peinture de renne sur la paroi, non blessé de surcroît. Ce type d'observation est généralement utilisé pour contester l'hypothèse de représentations magiques pour la chasse.

D'après J. d'Huy et J.-L. Le Quellec,
« Les animaux fléchés de Lascaux »,
Préhistoire du Sud-Ouest, 2010.

Présenter

1. DOC. 1 Présentez le document : de quand date-t-il ? Sur quel type de support ces peintures sont-elles réalisées ? Que sait-on de leurs auteurs ?

Décrire

2. DOC. 1 Identifiez les différents dessins désignés par des lettres.

Aide (*Vous pouvez utiliser les mots suivants : aurochs (espèce disparue) - humain - cheval - signe non identifié (flèches ?) - flèche ou lance.*

3. DOC. 1 Décrivez les couleurs, l'organisation de la scène.

Comprendre

4. DOC. 1 et 2 Quelles raisons ont pu pousser les artistes à vouloir représenter ces scènes ?

Exprimer sa sensibilité et conclure.

5. Les artistes donnent-ils une impression de réalité à cette scène ? Justifiez votre réponse.

Comment montrer qu'il n'y a qu'une seule humanité ?

1 | Une humanité aux nombreux visages

La cascade des bustes montre la diversité d'*Homo sapiens* telle que l'avaient imaginée certains scientifiques du XIXe siècle.

Cascade des bustes, musée de l'Homme, Paris.

3 Tous les êtres humains ont les mêmes droits

Article Premier

Tous les êtres humains naissent libres et égaux en dignité et en droits. Ils sont doués de raison et de conscience et doivent agir les uns envers les autres dans un esprit de fraternité.

Déclaration universelle des droits de l'homme (1948).

2 La science démontre que les races n'existent pas

Le concept de race ne s'applique pas aux humains. Les diversités physiques et génétiques transmises par les parents sont plus fortes entre les individus d'une même population qu'entre les populations. Ceci rend l'espèce inclassable en races cohérentes, malgré de nombreuses tentatives. Pensez à la transfusion sanguine : seuls comptent les groupes sanguins, les mêmes partout.

D'après A. Langaney, professeur d'anthropologie génétique, dans L. Brasier, « Tous les hommes sont-ils de la même race ? », *Sciences et Avenir*, septembre/octobre 2015.

La sensibilité

1. DOC. 1 Que pouvez-vous constater sur les êtres humains en regardant la cascade des bustes du musée de l'Homme ?
2. DOC. 1 Pourquoi le musée a-t-il placé ces bustes les uns à côté des autres ?
3. DOC. 2 Que montre la science aujourd'hui à propos des races ? Pourquoi ?

S'engager

4. DOC. 1, 2 ET 3 Par équipe, imaginez que vous travaillez dans une agence de publicité. Une association de lutte contre le racisme vous confie une campagne d'affiches qui seront collées sur les bus. Faites une affiche où vous mettrez en avant le fait qu'il n'y a qu'une seule humanité.

2 Premiers États, premières écritures

🔍 Comment l'écriture est-elle née avec les premiers États ?

1 | **Gudea, roi de Lagash**
Statue, 33 cm x 46 cm, vers 2120 av. J.-C., Tello (Irak), musée du Louvre, Paris.

2 | **Khéphren, pharaon d'Égypte**
Statue en gneiss, 57 cm x 168 cm, milieu du IIIe millénaire av. J.-C., musée égyptien, Le Caire (Égypte).

1. DOC. 1 ET 2 Décrivez chaque personnage (regard, musculature, posture, gestes…). Comparez-les et expliquez comment le sculpteur suggère la puissance du roi.

Vocabulaire

Cité : territoire indépendant composé d'une ville et de sa campagne.

Écriture : signes inscrits sur un support (argile, pierre, papyrus…) pour communiquer et en conserver une trace.

État : territoire indépendant administré par un chef qui gouverne.

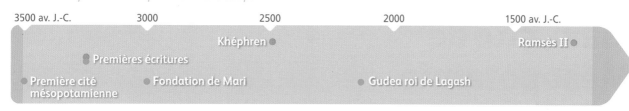

3500 av. J.-C.   3000   2500   2000   1500 av. J.-C.

Khéphren ●   Ramsès II ●

● Premières écritures

● Première cité   ● Fondation de Mari   ● Gudea roi de Lagash
mésopotamienne

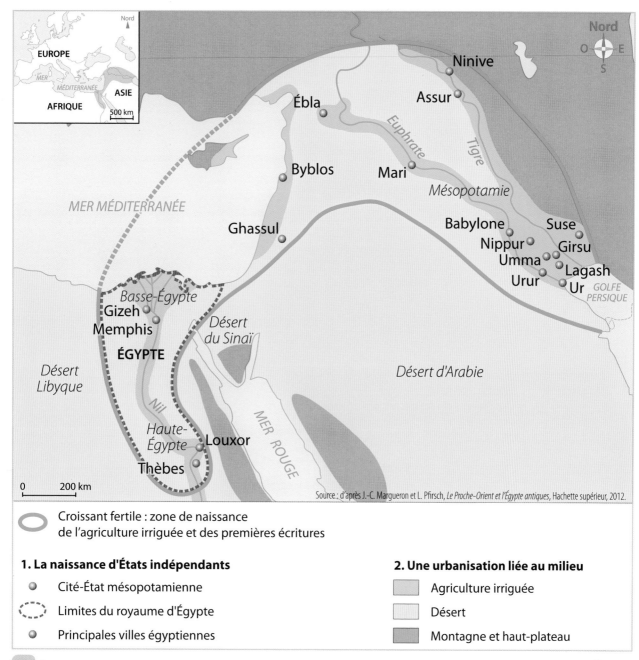

Source : d'après J.-C. Margueron et L. Pfirsch, *Le Proche-Orient et l'Égypte antiques*, Hachette supérieur, 2012.

⬭ Croissant fertile : zone de naissance
de l'agriculture irriguée et des premières écritures

1. La naissance d'États indépendants

●   Cité-État mésopotamienne

⬭   Limites du royaume d'Égypte

●   Principales villes égyptiennes

2. Une urbanisation liée au milieu

▢   Agriculture irriguée

▢   Désert

▢   Montagne et haut-plateau

3 | Un milieu favorable à l'installation
de l'homme

2. **DOC. 3** Où les premières cités
mésopotamiennes et villes égyptiennes
se sont-elles installées ?

3. **DOC. 3** Quelle forme l'État prend-il
en Égypte ? En Mésopotamie ?

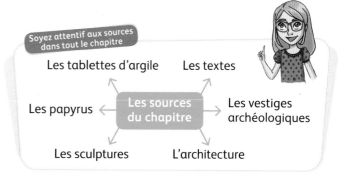

Soyez attentif aux sources
dans tout le chapitre

Les tablettes d'argile   Les textes

Les papyrus ← **Les sources du chapitre** → Les vestiges
archéologiques

Les sculptures   L'architecture

Mari, cité de Mésopotamie

Comment la cité de Mari est-elle gouvernée ?

2500 av. J.-C.   1800 av. J.-C.
Règne d'Ishqi-Mari   Règne de Yahdun-Lîm

500 km

1 | Mari, une cité sur l'Euphrate
a. Vue aérienne récente du site archéologique de Mari

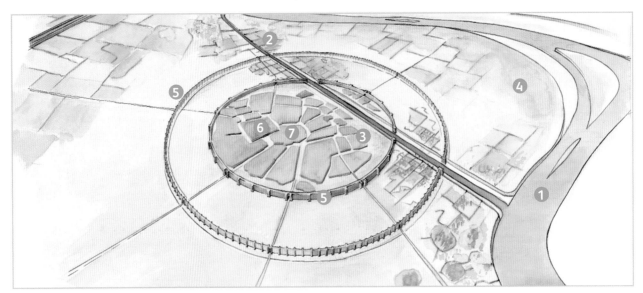

b. Reconstitution de la cité de Mari fin du IIIᵉ-début du IIᵉ millénaire av. J.-C.
Dessin de N. Bresch / Mission archéologique de Mari.
1 Fleuve Euphrate 2 Canal 3 Port 4 Champs irrigués
5 Rempart et digue 6 Grand palais royal
7 Temple du « seigneur pays »

Vocabulaire

Cité : territoire indépendant qui exerce son autorité sur une ville et sa campagne.

2 L'intronisation du roi de Mari

a. Peinture murale du palais royal de Mari

Peinture à la détrempe sur enduit de terre, retrouvée dans la salle du trône du palais royal de Mari, seconde moitié du XIXᵉ siècle av. J.-C., musée du Louvre, Paris.

① Déesse Ishtar
② Roi de Mari
③ Les insignes du pouvoir : le cercle et le bâton

b. Une reconstitution de la peinture murale

D'après J.-C. Margueron et L. Pfirsch, *Le Proche-Orient et l'Égypte antiques*, Hachette supérieur, 2012.

3 Écrire pour gouverner

Sûmiya, administrateur du roi de Mari, fait un rapport sur la cité de Suprum.

Mon Seigneur[1] m'envoie régulièrement des tablettes et j'envoie réponse aux tablettes de mon Seigneur, le jour même. [...] Avant même que la dernière tablette de mon Seigneur ne me parvienne, j'avais écrit chez Isar-Lîm[2] et, de ce fait, il a envoyé Yatir-Nannûm[3] et 3 000 soldats. [...] Le jour où mon Seigneur prendra connaissance de cette tablette, il faut que mon Seigneur compte 4 jours et, le 5ᵉ, l'armée s'approchera de Suprum. Mon Seigneur Išme-Dagan[4] va bien et ses troupes vont bien.

Documents épistolaires du palais de Mari, XVIIIᵉ siècle av. J.-C.

1. Yasmah-Addu, roi de Mari (vers 1793-vers 1775 av. J.-C.).
2. Gouverneur au service du roi de Mari.
3. Chef de guerre aux ordres d'Isar-Lîm.
4. Frère aîné de Yasmah-Addu, c'est le roi mésopotamien de la cité Ekallātum, alliée de la cité de Mari.

Activités

▶ **Socle** *Écrire pour construire son savoir*

1. À l'aide des documents, rédigez quelques phrases pour expliquer comment la cité de Mari est gouvernée au IIᵉ millénaire avant J.-C.

   Aide | DOC. 1 *Localisez la cité de Mari et décrivez-la telle qu'elle était au début du IIᵉ millénaire avant J.-C.*
   DOC. 2 *Montrez que le roi de Mari est le chef de la cité et qu'il est proche des dieux.*
   DOC. 3 *Montrez que le roi utilise l'écriture pour diriger la cité.*

▶ **Socle** *S'informer dans le monde numérique*

Pour aller plus loin... Dans un moteur de recherche tapez les mots-clés « Mari Euphrate vidéo ». Regardez la vidéo du reportage « Mari, naissance d'une cité sur l'Euphrate » (vimeo.com) de la 9ᵉ à la 15ᵉ minute.

2. Comment et pourquoi fouille-t-on le site archéologique de Mari ?

Étudier une source endommagée

La stèle des vautours

➤ **Vous êtes un historien et vous disposez d'une très ancienne stèle mésopotamienne. Or elle est endommagée. Comment l'utiliser et comprendre ce qu'elle raconte ?**

2450 av. J.-C.   2000 av. J.-C.
Stèle des vautours

Source 1 La stèle des vautours

Stèle d'Eannatum, dite « stèle des vautours », calcaire, 130 cm x 180 cm, retrouvée à Tello (Irak), vers 2450 av. J.-C., musée du Louvre, Paris.

a. La stèle, une source très endommagée

□ Eannatum, roi de Lagash
▨ Armée d'Eannatum
▨ Soldats d'Umma
□ Fragments retrouvés de la stèle originale

Le combat

Le défilé de la victoire

La cérémonie des funérailles

L'exécution d'un chef ennemi

Source : D'après A. Benoît, Art et archéologie, les civilisations du Proche-Orient ancien, RMN, 2003.

b. Une reconstitution partielle de la stèle des vautours

Source 2

Inscription de la stèle des vautours

Eannatum frappa Umma. Il eut vite dénombré 3 600 cadavres [...]. « Moi Eannatum, comme un mauvais vent d'orage, je déchaînai la tempête ! »

> Stèle d'Eannatum, vers 2450 avant J.-C., musée du Louvre, Paris.

Qui est-il ?

Eannatum
(vers 2450 av. J.-C.)
Roi de Lagash. Son règne marque l'apogée du royaume de Lagash. Il mena une guerre contre la cité rivale d'Umma.

Vocabulaire

Stèle : monument en pierre gravé d'inscriptions et de dessins afin de commémorer un événement ou un individu.

L'Étendard d'Ur, une source pour reconstituer la stèle des vautours

Étendard d'Ur (détail), coffre en bois recouvert de nacre, de calcaire rouge et de lapis-lazuli, 48 cm x 27 cm, vers 2650 av. J.-C., British Museum, Londres (Royaume-Uni). Pour l'Étendard entier, voir p. 53.

❶ Le char (zoom source 1)

❷ Le roi (zoom source 1)

Point méthode

La démarche de l'historien

Étape 1 ▶ Identifier et comprendre la source principale

1. SOURCE 1 Reproduisez et complétez la fiche suivante :

> SOURCE 1
> **Nature :** ...
> **Cité d'origine :** ...
> **Date :** ...
> **Ce que la source nous apprend :** ...

2. SOURCES 1 ET 2 Pourquoi le texte gravé est-il important pour comprendre la scène représentée ?

Étape 2 ▶ Confronter les documents sources

3. SOURCES 1 ET 3 Comment l'Étendard d'Ur a-t-il pu aider les archéologues à reconstituer des parties disparues de la stèle des vautours ?

Étape 3 ▶ Conclure

4. SOURCES 1b Rédigez une phrase décrivant ce qu'il y aurait dans chaque partie de la stèle d'après la reconstitution.

La naissance des écritures

→ **Quelles sont les premières écritures ? À quoi servent-elles ?**

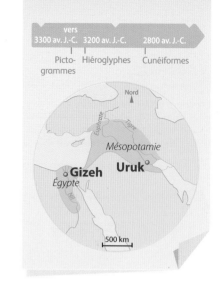

vers		
3300 av. J.-C.	3200 av. J.-C.	2800 av. J.-C.
Picto-grammes	Hiéroglyphes	Cunéiformes

A. En Mésopotamie

1 **Une tablette de comptes avec des** pictogrammes

Tablette d'argile, Uruk, vers 3000 av. J.-C., musée du Louvre, Paris.

❶ Propriétaire / Prendre

❷ Signe numérique : un creux = le chiffre 1

❸ Pot à grains

❹ Épi d'orge permettant de calculer une somme d'argent

❺ Pictogramme du mot « arbre »

❻ Pictogramme du mot « grand »

Inscription cunéiforme indiquant : « Au divin Shar-kali-sharri, roi d'Agadé, Ibni-Sharrum, le scribe, est ton serviteur. »

2 **Le sceau-cylindre du scribe Ibni-Sharrum**

Sceau-cylindre[1] du scribe de Sharkali-sharri roi d'Agadé (Mésopotamie), dorite, 3,9 cm x 2,6 cm, vers 2200 av. J.-C., musée du Louvre, Paris.

1. Le sceau servait à imprimer les motifs sur de l'argile.

Vocabulaire

Cunéiforme : écriture avec des signes en forme de clous (*cuneus* en latin).

Hiéroglyphes (*hieros*, « sacré » en grec) : écriture des Égyptiens avec des signes représentant un objet, un être, une action ou un son.

Pictogramme : un dessin qui représente un objet, un être ou une action.

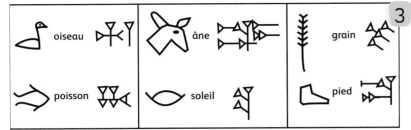

3 — L'évolution des pictogrammes aux cunéiformes (IIIᵉ millénaire av. J.-C.)

oiseau — âne — grain

poisson — soleil — pied

D'après J.-C. Margueron et L. Pfirsch, *Le Proche-Orient et l'Égypte antiques*, Hachette supérieur, 2012.

Rappel de CM1

La civilisation gauloise était-elle une civilisation de l'écrit ?

B. En Égypte

Phonogramme
(le hiéroglyphe représente un son ; associés ils forment des mots)

nfr + t = « belle »

i3b + t = « Orient »

Nfrt-i3bt, « Bel-Orient », nom de la princesse

s3 + t = « fille »

nw = « roi »

s3t-nw, « princesse » (litt. : fille du roi)

Idéogramme
(le hiéroglyphe désigne un mot)

···· Cuisse de bœuf

···· Canard

4 — Les hiéroglyphes, une écriture sacrée

La princesse Néfertiabet devant son repas d'éternité.
Stèle de calcaire peint provenant du mastaba (tombe) de Néfertiabet, 52,5 cm x 37,7 cm, Gizeh, règne de Khéops (2590-2565 av. J.-C.), musée du Louvre, Paris.

Activités

Socle *Réaliser ou compléter des productions graphiques*

1. À partir des documents, recopiez et complétez le tableau suivant.

	Nom de l'écriture	Quand est-elle apparue ?	Où est-elle apparue ?	Sur quoi écrit-on ?	À quoi sert l'écriture ?
DOC. 1					
DOC. 2					
DOC. 4					

2. Présentez ensuite à l'oral l'une des premières écritures inventées par les hommes.

Socle *S'informer dans le monde numérique*

Pour aller plus loin… Dans un moteur de recherche, tapez les mots-clés suivants « sceau-cylindre Ibni-Sharrum 3D ». Cliquez ensuite sur le premier site pour observer en vidéo une reconstitution 3D du sceau.

3. DOC. 2 ET VIDÉO Quelle est l'utilité d'un sceau-cylindre pour le roi ? Expliquez comment le roi l'utilise.

Ramsès II, immortel Pharaon d'Égypte

➤ **Comment pharaon gouverne-t-il l'Égypte ?**

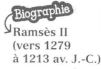

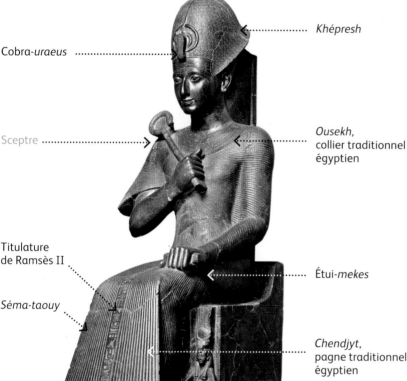

Khépresh

Cobra-*uraeus*

Sceptre

Ousekh,
collier traditionnel
égyptien

Titulature
de Ramsès II

Séma-taouy

Étui-*mekes*

Chendjyt,
pagne traditionnel
égyptien

La reine Néfertari

1 | Ramsès II, un pharaon égyptien
Statue en granit, h. : 194 cm, règne de Ramsès II,
musée égyptien, Turin (Italie).

Point méthode

Identifier les documents sources
1. **Quels sont les documents sources de l'ensemble documentaire ?**
2. **Quelle est la nature de chacun d'eux ?**

Identifier leur point de vue
3. **Montrez que l'image qu'ils donnent de Pharaon est positive. Expliquez pourquoi.**

Vocabulaire

Pharaon : nom donné au souverain d'Égypte.

Sceptre : bâton de commandement.

Scribe : spécialiste de l'écriture dans l'Antiquité. Il tient les comptes et prend des notes, et recopie les textes sacrés.

Le khépresh (couronne de guerre)

Le cobra-uraeus (protecteur de la Basse-Égypte)

Le vautour (protecteur de la Haute-Égypte)

Les insignes du pouvoir (le fléau **nékhekh** et le sceptre **heqa**)

Séma-taouy composé d'une fleur de papyrus (Basse-Égypte) et de lotus (Haute-Égypte)[1]

Le mekes, décret confiant la gestion de l'Égypte à Pharaon

2 | Les insignes du pharaon
1. La Basse-Égypte se situe au nord du pays, la Haute-Égypte au sud.

3 | Ramsès II, pharaon guerrier

Copie de la fresque du temple d'Amon construit par Ramsès II, Beit el-Wali (Nubie), British Museum, Londres (Royaume-Uni).

1 Ramsès II sur son char **2** Soldats égyptiens **3** Ennemis nubiens

4 | Les scribes au service de Pharaon

Peinture de la tombe de Menna, vers 1300 av. J.-C., Thèbes (Égypte).

5 | Ramsès II, enfant des dieux

Le pharaon Ramsès se présente lui-même :

Le Roi de Haute et de Basse-Égypte, le Fils du Soleil, Ramsès, aimé d'Amon[1], apparaît sur le trône. Dieu incarné, maître des terres du Sud, tel Horus[2] il protège l'Égypte de son aile, faisant de l'ombre pour les humains, tel un mur de vaillance et de victoire. Il incarne le Double Seigneur d'Égypte, celui pour qui le jour de la naissance fut l'objet d'exaltation dans le ciel. Les déesses déclarèrent : il est issu de nous pour exercer la royauté de Rê… Il inspire la terreur et son nom circule parmi les pays, en raison de ses victoires.

Stèle de Kouban, règne de Ramsès II,
musée de Grenoble.
Traduit par de C. Desroches-Noblecourt,
Ramsès II, la véritable histoire, Pygmalion, 1996.

1. Amon et Rê désignent le dieu du Soleil dans la mythologie égyptienne.
2. Horus, dieu-faucon, est considéré comme le premier des pharaons.

Activités

▶ **Socle** *Réaliser ou compléter des productions graphiques*

Reproduisez et complétez le schéma suivant en répondant aux questions.

1. DOC. 2 ET 3
Sur quelles terres Pharaon règne-t-il ? Quels symboles représentent cette union ?

2. DOC. 3
Par quels moyens Pharaon impose-t-il son autorité sur les peuples voisins ?

Comment Pharaon gouverne-t-il ?

3. DOC. 5
Quels sont les liens entre Pharaon et les dieux ?

4. DOC. 4
Grâce à qui Pharaon dirige-t-il son territoire ?

Pour conclure À partir du schéma ci-dessus, présentez à l'oral comment Pharaon gouverne l'Égypte.

Aide | *Faites une phrase pour chaque idée en respectant l'ordre des questions.*

Lire un papyrus

Les hiéroglyphes, une écriture sacrée

➡ **Vous êtes un historien et vous cherchez à comprendre les croyances des Égyptiens sur la mort.**
À l'aide du point méthode, étudiez les deux sources dont vous disposez pour expliquer le rôle de l'écriture dans la croyance des Égyptiens.

Source 1   Le *Livre des Morts* du scribe **Hounefer**

Papyrus du scribe royal Hounefer, Thèbes, 1280 av. J.-C., British Museum, Londres (Royaume-Uni).

Formule à prononcer pour que le cœur du défunt ne l'empêche pas d'accéder au royaume des morts

Pesée de l'âme

La Dévorante qui mange les condamnés

Plume de Mâat, déesse de la vérité et de la justice

Enregistrement du résultat

Hiéroglyphes

Le scribe Hounefer

Cœur du défunt (il ne doit pas peser plus lourd que la plume sinon le scribe sera condamné)

Vocabulaire

Hiéroglyphes (*hieros*, « sacré » en grec) : écriture des Égyptiens faite des signes représentant un objet, un être, une action ou un son.

Papyrus : feuille composée de plusieurs couches de tiges de plante sur laquelle les Égyptiens écrivaient.

Polythéisme : croyance en plusieurs dieux.

Scribe : voir page 44.

Stèle : voir page 42.

Extrait d'un *Livre des Morts*

Formule à prononcer pour que le cœur du défunt ne l'empêche pas d'accéder au royaume des morts :

« Ô mon cœur de ma mère, ô mon cœur de ma mère, ô mon cœur de mes différents âges, ne te lève pas contre moi en témoignage, ne t'oppose pas à moi dans le tribunal, ne montre pas d'hostilité contre moi en présence du gardien de la balance. [...] Ne rends pas puant mon nom pour les juges qui mettent les hommes à leurs places ! [...] N'imagine pas de mensonges contre moi devant le grand dieu, maître de l'Occident[1]. »

Extrait du *Livre des Morts*, chap. 23, 1280 av. J.-C.

1. Le royaume des morts, l'au-delà.

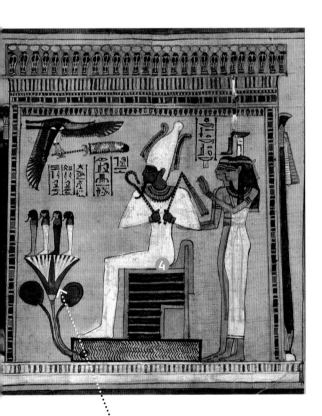

Le « Champ des roseaux »
(royaume de l'au-delà)

Dieux égyptiens

❶ Anubis   ❸ Horus
❷ Thot   ❹ Osiris

Point méthode

La démarche de l'historien

Étape ❶ ▶ **Identifier et lire les sources**

1. Pour chacune des deux sources, reproduisez et complétez la fiche modèle suivante :

> **SOURCE 1**
> **Nature :** ...
> **Date :** ...
> **Informations apportées sur les croyances des Égyptiens face à la mort :** ...

Étape ❷ ▶ **Comprendre en confrontant les sources**

2. **SOURCES 1 ET 2** Identifiez sur la source 1 le « gardien de la balance » et le « grand dieu » cités dans la source 2.

3. **SOURCE 1** Qu'est-ce que ce papyrus nous apprend sur les croyances des Égyptiens face à la mort ?

Pour conclure

Complétez le schéma ci-dessous pour raconter à l'oral les croyances des Égyptiens face à la mort et présenter le rôle de l'écrit pour préparer sa mort.

Les croyances des Égyptiens

Pour un Égyptien, quelle cérémonie se déroulera après sa mort ?

Où pense aller un Égyptien après sa mort ?

Les Égyptiens et la mort

Dans quels documents écrits les Égyptiens ont-ils retranscrit leurs croyances ?

Comment ces documents écrits étaient-ils utilisés par les Égyptiens pour préparer leur mort ?

Le rôle de l'écrit dans la religion

Leçon

Premiers États, premières écritures

🔍 Comment l'écriture est-elle née avec les premiers États ?

I La naissance des premiers États

● À partir du milieu du IVe millénaire avant J.-C., les premières villes naissent dans le Croissant fertile. Les progrès de l'agriculture irriguée et l'essor du commerce favorisent leur apparition. **Ces centres où s'installe le pouvoir donnent naissance à des États où la vie politique, culturelle et religieuse s'organise autour d'un roi.**

● En Mésopotamie, des cités indépendantes apparaissent et s'affrontent pour le contrôle des routes commerciales et des riches terres agricoles des vallées du Tigre et de l'Euphrate.

● En Égypte, les cités sont unifiées par le roi Narmer vers 3150 av. J.-C. L'Égypte est désormais un royaume dirigé par Pharaon, roi guerrier, administrateur et bâtisseur qui contrôle la riche vallée du Nil.

II Les débuts de l'écriture

● **Les premières écritures naissent en même temps que les États : les pictogrammes puis le cunéiforme en Mésopotamie, les hiéroglyphes puis le hiératique (écriture simplifiée) en Égypte.**

● D'abord gravés dans la pierre, les écrits se développent avec l'apparition des tablettes d'argile en Mésopotamie et du papyrus en Égypte.

● Les hommes ressentent le besoin d'écrire pour la gestion des affaires quotidiennes (comptabilité, commerce) et pour transmettre des informations. Polythéistes, ils utilisent également l'écriture pour honorer les dieux et préparer leur mort.

III L'écriture au service des premiers États

● **Les rois et les pharaons disposent d'une administration qui utilise l'écriture** pour gouverner leur État et affirmer leur pouvoir.

● Grâce aux scribes, les rois commémorent leurs victoires militaires et montrent les liens privilégiés qu'ils entretiennent avec les dieux qu'ils honorent. Les pyramides égyptiennes et les temples mésopotamiens reflètent cette relation entre les rois et les dieux qui les protègent. Les rois et les pharaons prétendent également tenir leurs pouvoirs des dieux.

● Faisant écrire leurs exploits guerriers, les rois veulent laisser une trace des hauts faits de leur règne. L'écriture leur permet de laisser une trace des événements passés : c'est la naissance de l'Histoire.

Vocabulaire

Cité : territoire indépendant composé d'une ville et de sa campagne.

Écriture : moyen de communication fondé sur l'inscription d'un signe sur un support.

État : territoire indépendant administré par un chef qui gouverne.

Croissant fertile : territoire de l'Égypte et de l'Orient ancien où sont apparues l'agriculture et les écritures.

Pharaon : nom donné au souverain d'Égypte.

Polythéisme : croyance en plusieurs dieux.

3500 av. J.-C.	3000 av. J.-C.	2500 av. J.-C.	2000 av. J.-C.	1500 av. J.-C.	1000 av. J.-C.

● Narmer unifie l'Égypte
● Apparition des hiéroglyphes
● Fondation d'Uruk première cité mésopotamienne
● Fondation de Mari
● Apparition des pictogrammes
● Gudea roi de Lagash
● Ramsès II
● Rédaction du Livre des Morts

Je retiens l'essentiel

Naissance des premiers États à partir du IVe millénaire avant J.-C.

En Mésopotamie

- Des cités indépendantes dirigées par des rois

Gudea,
roi de la cité
de Lagash

En Égypte

- Un royaume unifié dirigé par un pharaon

Ramsès II,
pharaon du royaume
d'Égypte

Naissance des premières écritures à partir du IVe millénaire avant J.-C.

En Mésopotamie

- Pictogrammes puis signes cunéiformes

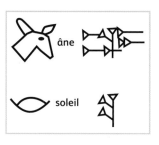

âne

soleil

En Égypte

- Hiéroglyphes puis écriture hiératique

Tombe de
la princesse
égyptienne
Néfertiabet

Les écritures sont au service des États et des rois pour :

- Administrer
- Commémorer
- Compter
- Gouverner
- Honorer les dieux

L'essentiel en texte

- Les États naissent au IVe millénaire av. J.-C. sous forme de cités en Mésopotamie et d'un royaume en Égypte.
- Les écritures (pictogrammes puis cunéiformes en Mésopotamie, hiéroglyphes en Égypte) apparaissent en même temps que les États.
- Les rois utilisent les écritures pour gouverner, renforcer leur pouvoir et laisser une trace des événements passés.

FICHE DE RÉVISION À TÉLÉCHARGER
Fiche 2

Premiers États, premières écritures

1. Construire sa fiche de révision : notez le titre de la leçon sur votre feuille

Je connais...

Objectif 1 ▶ Connaître les repères historiques

🖊 **Répondez aux questions suivantes :**
   1. Lors de quel millénaire les premiers États sont-ils apparus ? (lettre A sur la frise)
   2. Lors de quel millénaire les pharaons bâtirent-ils les pyramides de Gizeh ? (lettre C sur la frise)
   3. Lors de quel millénaire les premières écritures sont-elles apparues ? (lettre B sur la frise)

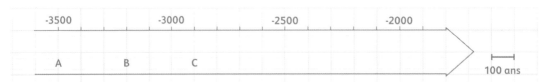

Objectif 2 ▶ Connaître les repères géographiques

🖊 **À l'aide de la carte ci-contre :**
   4. Nommez les régions désignées par une lettre.
   5. Nommez les fleuves, la mer et le golfe désignés par des chiffres.
   6. À quoi correspond la zone entourée de rouge ?

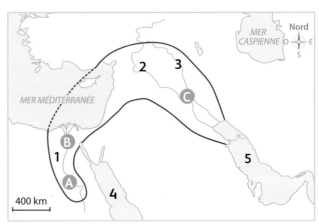

Objectif 3 ▶ Connaître les mots-clés

🖊 **Notez la définition des mots-clés suivants :**
   • Cité – État – Écriture.

Je suis capable de...

🖊 **Pour chacun des objectifs suivants, construisez une réponse à la consigne :**

Objectif 4 ▶ Montrer qu'il existe un lien entre apparition des premiers États et développement de l'agriculture

   Aide (*Recherchez à quoi correspond le « Croissant fertile ».*

Objectif 5 ▶ Expliquer le rôle du pharaon dans l'Égypte antique

   Aide (*Présentez les pouvoirs du pharaon et expliquez comment il montre sa puissance.*

Objectif 6 ▶ Expliquer les rôles des premières écritures

   Aide (*Rappelez quelles ont été les premières écritures et à quoi elles servaient.*

1 Construire ses repères

Identifier les premières écritures

Pour chacun des documents, identifiez l'écriture utilisée et indiquez son origine géographique.

a Tablette de la liste des rois des dynasties d'Awan et de Shimashki, environ 1800-1600 av. J.-C., musée du Louvre, Paris

b Papyrus d'Hounefer, 1280 av. J.-C., British Museum, Londres (Royaume-Uni).

c Tablette de comptes, fin du IVe millénaire av. J.-C., musée du Louvre, Paris.

2 S'informer dans le monde numérique

L'Étendard d'Ur

1. Dans un moteur de recherche, tapez les mots-clés « étendard d'Ur » puis cliquez sur le lien de l'article « Étendard d'Ur » de l'encyclopédie en ligne Wikimini.

2. Lisez l'article pour en apprendre davantage sur la scène représentée.

3. Sur le croquis simplifié de la « face de la guerre », construisez une légende en indiquant pour chaque couleur ce qu'elle représente.

4. Décrivez la scène d'une des trois parties de l'Étendard d'Ur.

« Face de la guerre » de l'*Étendard d'Ur*, coffre en bois recouvert de nacre, de calcaire rouge et de lapis-lazuli, 48 cm x 27 cm, vers 2650 av. J.-C., British Museum, Londres (Royaume-Uni).

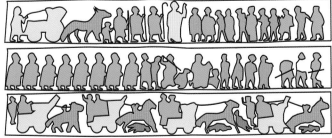

D'après H. Nanna & L. Pavageau, TRAM HG, Orléans-Tours.

L'atelier d'écriture Le pharaon Ramsès II

Vous êtes un guide touristique du musée de Turin et vous commentez la statue de Ramsès II. À l'aide de vos connaissances et de l'étude p. 46, rédigez un paragraphe pour présenter le pharaon Ramsès II aux visiteurs.

Travail préparatoire (au brouillon)

1. Analysez le sujet : « Le pharaon Ramsès II ».

Qu'est-ce qu'un pharaon ?
Où vit-il ? Quels pouvoirs a-t-il ?
Comment gouverne-t-il ?

Qui est-il ?
Quand a-t-il vécu ?
Qu'a-t-il fait d'important ?

● Comment s'appellent ces objets ? Quels pouvoirs symbolisent-ils ?

2. Recopiez le sujet ci-dessus.
Répondez par des mots aux questions bleues puis aux questions mauves.

3. Observez la statue pour compléter votre liste de mots (écriture, objets du pouvoir...).

4. Vérifiez dans votre cahier et votre manuel que vous n'avez oublié aucune information importante.

Travail de rédaction (au propre)

Conseil : N'oubliez pas qu'un paragraphe commence par un alinéa et qu'une phrase commence par une majuscule et se termine par un point.

À vous de choisir votre niveau de difficulté et votre ceinture !

Soignez la présentation de votre texte et votre écriture. Évitez les ratures. N'oubliez pas de relire et de vérifier vos accords.

RAPPELS

Je rédige un texte **sans aide**.

Rédigez votre texte en vérifiant que :
● Vous commencez votre paragraphe par un alinéa.
● Vous utilisez des mots-clés du chapitre.

Je rédige un texte **avec un guide**.

Rédigez votre texte à l'aide des amorces de phrases suivantes :
Le pharaon Ramsès II a vécu … .
Ses pouvoirs sont … .
Les hiéroglyphes servent … .

Je rédige un texte **à partir des mots-clés du chapitre**.

Rédigez un texte en faisant des phrases simples à partir des mots-clés du chapitre :
● **1re phrase** : *Vous situez le personnage dans le temps et dans l'espace* (Pharaon – Ramsès II – royaume d'Égypte – vers 1279-1213 av. J.-C.).
● **2e phrase** : *Vous présentez ses pouvoirs* (les insignes du pouvoir – pouvoir militaire – pouvoir politique).
● **3e phrase** : *Vous expliquez son intérêt pour l'écriture* (écritures – hiéroglyphes – affirmer son pouvoir).

Enquêter Quel dieu protège le roi de la cité d'Ur ?

Menez l'enquête et déterminez le candidat choisi pour protéger la cité d'Ur.

Les candidats

Candidat 1

Enki, dieu de l'eau et de la fertilité
Empreinte de sceau-cylindre,
Bristish Museum, Londres (Royaume-Uni).

Candidat 2

Nanna, dieu de la Lune
Musée du Louvre, Paris.

Candidat 3

Ningal, déesse de la fertilité et de la prospérité, fille d'Enki et épouse de Nanna

Statue en diorite, dédiée à Ningal 1953-1935 av. J.-C., Ur, Penn University, Philadelphie (États-Unis).

Deux indices

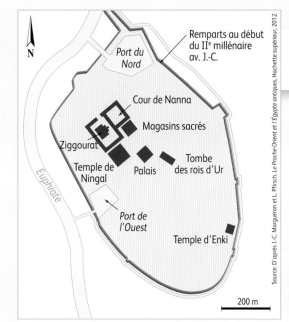

Source: D'après J.-C. Margueron et L. Pfirsch, *Le Proche-Orient et l'Égypte antiques*, Hachette supérieur, 2012.

Indice n°1

Les dieux dans la cité

Indice n°2

Le roi Ur-Nammu assis sur son trône. Ce sceau[1] est décoré de représentations des pouvoirs du roi, des dieux et d'écritures.

1. Il servait à imprimer les motifs sur de l'argile.
Sceau-cylindre du roi Ur-Nammu, British Museum, Londres (Royaume-Uni).

Avez-vous pris connaissance des indices ?
Quelle est votre conviction : pour vous, quel dieu protège le roi de la cité d'Ur ?

Par équipe, complétez le carnet de l'enquêteur
Nom des candidats : … .
Nom de la divinité protectrice : … .
Preuves relevées dans les indices : … .
Faites part de vos conclusions aux autres équipes.

Histoire des Arts

Les pyramides de Gizeh

➤ **Quelle image des pharaons les pyramides de Gizeh donnent-elles ?**

1 | Les pyramides de Gizeh (2500 av. J.-C.)

❶ Pyramide de Khéops vers 2560 av. J.-C.

❷ Pyramide de Khéphren vers 2500 av. J.-C.

❸ Pyramide de Mykérinos (2480 av. J.-C.)

❹ Sphinx vers 2480 av. J.-C.

❺ Temple pour préparer le corps du défunt (momification)

Vocabulaire

Pyramide : bâtiment abritant le tombeau des pharaons.

Sphinx : créature associant une tête humaine à un corps de lion.

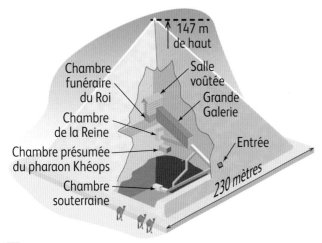

2 | Organisation de la pyramide de Khéops

3 La fonction d'une pyramide

Par un tel monument, le corps du pharaon semblait mieux protégé et sa tombe se distinguait des tombes des autres mortels ; mais surtout, le pharaon devait monter au ciel pour rejoindre le dieu du soleil Ré et la pyramide apparaissait comme un « escalier du ciel ».

D'après G. Rachet, *Dictionnaire de la civilisation égyptienne*, Larousse, 1992.

Présenter

1. **DOC. 1** Localisez les pyramides. Citez les trois pharaons qui les ont commandées.

Décrire

2. **DOC. 1 ET 2** Décrivez l'extérieur et l'intérieur de la pyramide de Khéops.

   Aide | *Vous pouvez effectuer une visite virtuelle de la pyramide de Khéops en tapant dans un moteur de recherche « giza 3d ».*

3. **DOC. 1 ET 2** Quels autres monuments trouve-t-on sur le site de Gizeh ?

Comprendre

4. **DOC. 2 ET 3** Quelle était la fonction des pyramides ?

5. **DOC. 2 ET 3** Que nous apprennent-elles sur le pouvoir de Pharaon ?

Pour aller plus loin… Indiquez quel autre moyen les Égyptiens utilisaient pour s'assurer une vie dans l'Au-delà après la mort.

   Aide | *Reportez-vous à l'Atelier de l'historien (p. 48).*

Pour quoi les règles sont-elles faites ?

1 | Le Code de Hammourabi

Cette stèle a été commandée par le roi Hammourabi de Babylone (1792-1750 av. J.-C.). On le voit représenté avec le dieu Shamash, divinité de la justice.
Le roi est cité dans le texte comme « protecteur du faible et de l'opprimé ».
Près de 300 lois et réglementations relatives à la vie quotidienne sont inscrites sur cette stèle. Musée du Louvre, Paris.

2 | Le règlement intérieur du collège

Extrait du règlement du collège Pablo Picasso d'Éragny-sur-Oise (95).

J'ai le droit :
– de recevoir un enseignement et de penser librement
– d'être respecté(e) par tous, quels que soient mon âge, mon sexe, mon origine et mes opinions
– de n'être ni humilié(e), ni insulté(e) quelle que soit mon apparence
– de ne pas être frappé(e), ni violenté(e)
– d'être représenté(e) par mes camarades délégués de classe que j'ai librement élus
– d'être accueilli(e) dans des locaux propres et en bon état.

J'ai l'obligation :
– de respecter les autres, adultes et élèves du collège
– de travailler et de suivre les cours dans le calme
– de ne pas tenir de propos racistes, xénophobes, antisémites, homophobes, sexistes ou diffamatoires
– de respecter la liberté et la dignité d'autrui
– d'accepter que les autres n'aient pas les mêmes croyances ou opinions que moi
– de n'être violent ni en paroles ni en actes
– de respecter le matériel et les locaux
– d'adopter un langage correct vis-à-vis des adultes et élèves du collège.

3 | Que dit la loi aujourd'hui?

Le règlement intérieur précise les règles de vie collective applicables à tous les membres de la communauté éducative [...].
Chaque établissement définit sa propre démarche d'élaboration ou de modification du règlement intérieur. Il s'agit d'associer l'ensemble des membres de la communauté éducative et de créer les conditions d'une véritable concertation pour que le règlement intérieur soit le résultat d'un travail collectif [...] Le projet de règlement intérieur est [...] soumis au conseil d'administration qui l'adopte.

Circulaire n° 2011-112 du 01/08/2011.

Le droit et la règle

1. **DOC. 1** Par qui était faite la loi au IIᵉ millénaire avant J.-C. ?
2. **DOC. 2** Selon vous, à quoi servent les règles qui ont été mises en place au collège ?
3. **DOC. 3** Par qui est fait le règlement intérieur du collège ?

Penser par soi-même et avec les autres

3. Par équipe, relisez le règlement intérieur de votre collège. Listez les droits et les devoirs des élèves. Discutez entre vous. Que pourrait-on ajouter ? Partagez ensuite vos idées avec la classe.

Le monde des cités grecques

Comment la culture et la religion unifient-elles les Grecs ? Comment la démocratie athénienne apparaît-elle ?

Souvenez-vous !
Pouvez-vous rappeler où sont apparues les premières cités ?

1 | **Duel d'hoplites en présence d'Athéna et d'Hermès**

Des hoplites (soldats grecs) de deux cités s'affrontent, soutenus par les dieux protecteurs de leur cité.

Amphore attique, céramique à figures rouges, Athènes, VIᵉ siècle av. J.-C., musée du Louvre, Paris.

1. DOC. 1 À quoi voyez-vous que les Grecs sont rivaux ?

2. DOC. 1 Quel semble être le rôle des divinités représentées derrière les deux combattants ?

Vocabulaire

Cité : petit État indépendant qui exerce son autorité sur une ville et sa campagne.

Démocratie : le pouvoir est exercé par la communauté des citoyens.

XIIIᵉ		VIIIᵉ	VIIᵉ	VIᵉ	Vᵉ (av. J.-C.)

Vers 1250-1200
av. J.-C.

**Guerre
de Troie ?**

Écriture de l'Iliade

**Démocratie
à Athènes**

Colonisation grecque en Méditerranée

● 776 av. J.-C.
Premiers Jeux olympiques

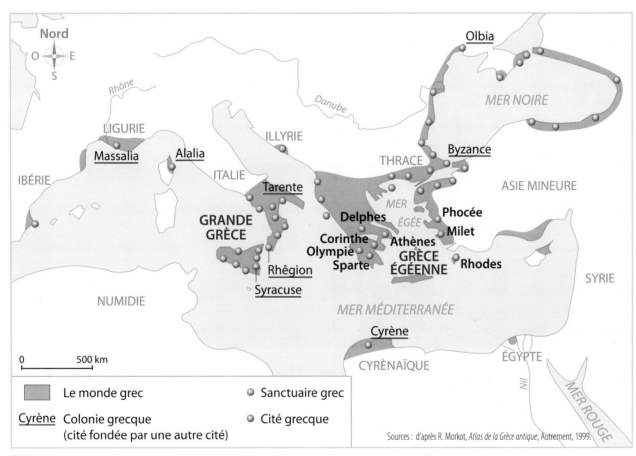

Sources : d'après R. Morkot, *Atlas de la Grèce antique*, Autrement, 1999.

2 | Les cités grecques à l'époque classique

3. DOC. 2 Localisez les cités grecques.

4. DOC. 2 Dans quelle cité
la démocratie est-elle apparue ?
Situez cette cité.

Rappel de CM1

Dans quelle partie de la Gaule,
les Grecs se sont-ils installés ?

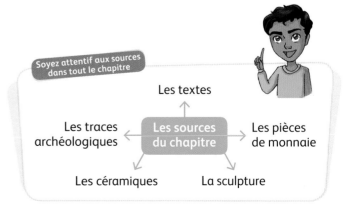

Soyez attentif aux sources
dans tout le chapitre

Les textes

Les traces
archéologiques ← Les sources
du chapitre → Les pièces
de monnaie

Les céramiques   La sculpture

Les cités grecques

➤ **Dans quel cadre la majorité des Grecs vivent-ils ?
Pourquoi s'affrontent-ils ?**

A. Un monde de cités semblables ?

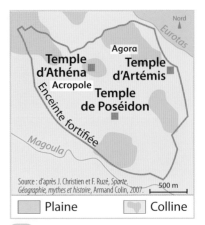

431 av. J.-C.   404 av. J.-C.
Guerre du Péloponnèse | Victoire de Sparte

Érechthéion, temple d'Athéna et de Poséidon

Parthénon, temple d'Athéna Parthénos (jeune fille)

Temple d'Athéna Niké (la Victoire)

Propylées (entrée de l'Acropole)

Voie sacrée

1 | **L'Acropole d'Athènes**
Vue aérienne de l'Acropole, Athènes (Grèce).

Source : d'après J. Christien et F. Ruzé, *Sparte. Géographie, mythes et histoire*, Armand Colin, 2007.

☐ Plaine   ☐ Colline

3 | Plan de Sparte, cité du Péloponnèse (Vᵉ siècle av. J.-C.)

Nord

Eurotas

Agora
Temple d'Athéna   Temple d'Artémis
Acropole   Temple de Poséidon
Enceinte fortifiée
Magoula
500 m

Vocabulaire

Acropole (« cité en hauteur ») : colline fortifiée où se trouvent le principal sanctuaire et le trésor d'une cité.

Agora : place publique rassemblant la communauté des citoyens. C'est le centre religieux, politique et civique de la cité.

2 | La cité athénienne au IVᵉ siècle av. J.-C. (reconstitution)

❶ Acropole
❷ Mur d'enceinte
❸ Campagne
❹ Agora
❺ Temple
❻ Pnyx

B. Des cités indépendantes parfois rivales

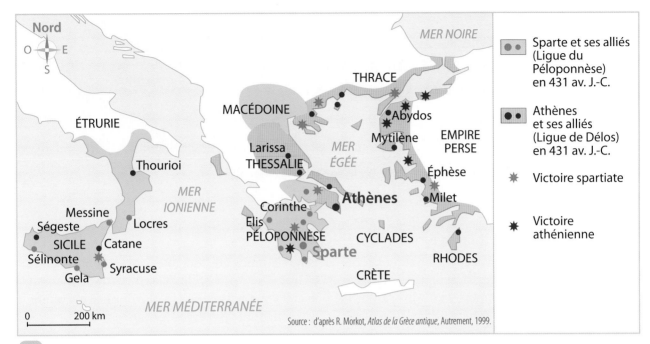

4 | La Guerre du Péloponnèse (431-404 av. J.-C.)

5 Une guerre entre cités

Quand les Perses [en 480 av. J.-C.] eurent été repoussés par la coalition, on ne tarda pas à voir les cités grecques se diviser pour se grouper les unes aux côtés d'Athènes, les autres aux côtés de Sparte. Puis leurs relations se gâtèrent et ils se firent la guerre, appuyés par leurs alliés respectifs. Mais la cause la plus vraie se trouve selon moi dans l'expansion athénienne qui inspira des inquiétudes aux Spartiates et ainsi les contraignit à se battre.

D'après Thucydide, *La Guerre du Péloponnèse*, fin du Vᵉ siècle av. J.-C. (traduit par D. Roussel, Gallimard, 2000).

Qui est-il ?
Thucydide
(vers 460 - vers 396 av. J.-C.)
Historien athénien qui a participé à la guerre du Péloponnèse.

Activités

▶ **Socle** *Compléter des productions graphiques*

1. DOC. 2 ET 3 Relevez les éléments communs aux deux cités présentées.
2. Reproduisez le schéma de la cité grecque ci-contre. Ensuite, complétez sa légende à l'aide des mots soulignés dans le texte suivant :
   La cité grecque est composée d'une ville, protégée par son mur d'enceinte, et de la campagne environnante. Au cœur de la ville, on trouve l'agora et l'acropole avec le temple de la divinité protectrice de la cité.

Titre : ...   Légende
☐ ...
◯ Ville
⊙ ...
▬ ...
▲ ...
● ...

Pour conclure

Construisez une réponse courte aux deux questions suivantes pour l'exposer à l'oral.

➤ **Quel est le cadre de vie des Grecs ? Pour quelles raisons se font-ils la guerre ?**

L'atelier de l'historien

Mythe et archéologie

La fondation d'une colonie grecque, Cyrène

 Quelles sources permettent de raconter la fondation d'une nouvelle cité ?

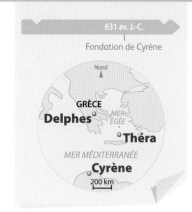

631 av. J.-C.
Fondation de Cyrène

Source 1   Le récit de la fondation de Cyrène

On fut ensuite sept ans à Théra sans qu'il y plût, et tous les arbres y périrent de sécheresse, excepté un seul. Comme ils en ignoraient la cause, ils partirent consulter l'oracle[1] à Delphes. La Pythie répondit qu'ils seraient plus heureux s'ils fondaient, avec Battos[2], la ville de Cyrène en Libye. Sur cette réponse, ils firent partir Battos avec deux vaisseaux à cinquante rames. Battos et ceux qui l'accompagnaient firent voile en Libye; mais ils revinrent à l'île de Théra. Les Théréens les attaquèrent lorsqu'ils voulurent descendre à terre. Leur interdisant d'aborder, ils leur ordonnèrent de retourner en Libye. Là les Libyens les conduisirent à une fontaine consacrée à Apollon : « Grecs, leur dirent-ils, fixez ici votre demeure : le ciel y est ouvert pour vous donner les pluies qui rendront vos terres fécondes. »

D'après Hérodote, *Histoires*, Ve siècle av. J.-C.

1. Message du dieu Apollon délivré par sa prêtresse, la Pythie, dans son sanctuaire de Delphes.
2. Battos a été choisi pour fonder la nouvelle cité et en devenir roi.

Qui est-il ?
Hérodote (vers 484 - vers 420 av. J.-C.)
Premier historien grec.

Source 2   Le site archéologique de la colonie de Cyrène

Dans les années 1950, des archéologues fouillent les sites de l'agora et du sanctuaire d'Apollon. La dernière campagne de fouilles, dans les années 2000, a mis au jour le sanctuaire extra-urbain de Déméter.

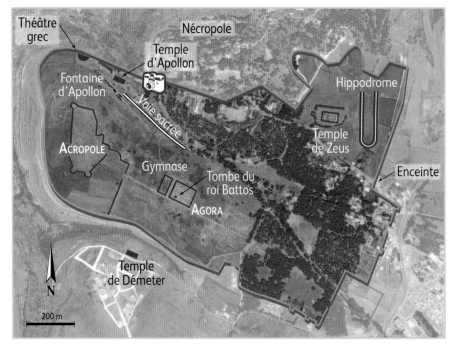

Source 3

Pièce de monnaie en or de Cyrène
Statère d'or, Cyrène, IVe siècle av. J.-C., BNF, Paris.

Zeus

Vocabulaire

Colonie : cité fondée par des Grecs en dehors de la Grèce.

Pour aller plus loin :
Observez la reconstitution
du sanctuaire d'Apollon sur le site
http://jeanclaudegolvin.com/cyrene/
et repérez-y les cinq lieux.

 Source 4   **Les vestiges du sanctuaire d'Apollon**

① Temple d'Apollon ② Théâtre d'Apollon ③ Fontaine d'Apollon
④ Voie sacrée ⑤ Enceinte

Point méthode

La démarche de l'archéologue

Étape 1 ▶ Identifier et comprendre une source littéraire

1. Reproduisez et complétez
la fiche source ci-contre.

> SOURCE 1
> • Auteur, nature et date de la source : …
> • Nom et localisation de la colonie : …
> • Nom et localisation de la cité-mère : …
> • Chef de l'expédition : …
> • Raisons de la fondation : …

Étape 2 ▶ Confronter la source littéraire à l'archéologie

2. SOURCES 1, 2, 3 ET 4 Relevez les éléments qui font de Cyrène une cité grecque.

> **Aide** (À la page 60, vous trouverez deux exemples de cités grecques (Athènes et Sparte).

Pour conclure

Vous êtes un archéologue et vous fouillez le site de Cyrène.
À l'aide des sources dont vous disposez, rédigez un texte pour prouver que Cyrène
a été fondée par des Grecs.

> **Aide** ⎰ Indiquez d'où sont issus ceux qui ont fondé Cyrène.
> Expliquez pour quelles raisons ils l'ont fondée.
> Montrez que Cyrène est une cité grecque.

Héraclès, un « héros » commun aux Grecs

> **Comment le mythe d'Héraclès illustre-t-il l'unité du monde grec ?**

1. Athéna, déesse protectrice d'Héraclès
2. Héraclès, recouvert de la peau du lion de Némée
3. Orthos, le chien de Géryon tué par Héraclès
4. Géryon armé de trois lances et trois boucliers

1 | Héraclès, vainqueur de Géryon

Pour son 10ᵉ travail, Héraclès doit capturer le troupeau de bœufs du géant Géryon, un monstre à trois corps.

Amphore, Rhêgion (Italie), 540-530 av. J.-C., BNF, Paris.

Vocabulaire

Héros : individu né d'une divinité et d'un mortel.

Mythe : récit légendaire racontant les actions de dieux, héros, créatures et mortels.

Mythologie : ensemble des mythes partagés par une civilisation.

2 | Héraclès, un héros grec

Le géant Chrysaor, uni à Callirhoé, fille de l'illustre Océan, engendra Géryon aux trois têtes. Le puissant Héraclès, désarmant Géryon, lui enleva ses bœufs dans Érythie[1] entourée d'eau, le jour où il conduisit ces animaux au large front jusque dans la divine Tirynthe[2], après avoir traversé la mer et tué le chien Orthos et le pasteur Eurytion.

D'après Hésiode, *Théogonie*, VIIIᵉ siècle av. J.-C.

1. Île légendaire du royaume de Géryon, probablement située au sud-ouest de l'Ibérie (Espagne).
2. Cité du roi Eurysthée qui confia les douze travaux à Héraclès.

Qui est-il ?

Hésiode (VIIIᵉ s. av. J.-C.)

Poète grec, il rédige une généalogie des dieux, héros et monstres mythologiques pour raconter leur naissance et leurs aventures.

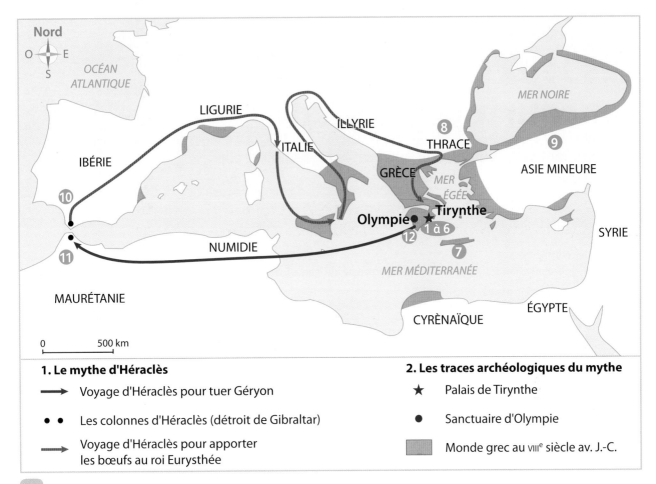

1. Le mythe d'Héraclès

→ Voyage d'Héraclès pour tuer Géryon

•• Les colonnes d'Héraclès (détroit de Gibraltar)

→ Voyage d'Héraclès pour apporter les bœufs au roi Eurysthée

2. Les traces archéologiques du mythe

★ Palais de Tirynthe

● Sanctuaire d'Olympie

▨ Monde grec au VIIIᵉ siècle av. J.-C.

3 | **Héraclès, voyageur du monde grec**

1 à 6 Les travaux d'Héraclès dans le Péloponnèse : Lion de Némée, Hydre de Lerne, Sanglier d'Érymanthe, Biche de Cérynie, Lac de Stymphale, Écuries d'Augias. Les six autres travaux : **7** Taureau de Minos, **8** Juments anthropophages, **9** Ceinture de la reine des Amazones, **10** Géryon, **11** Jardin des Hespérides, **12** Capture de Cerbère aux enfers.

4 **Héraclès, unificateur des Grecs**

Au terme de ses douze travaux, la mythologie grecque mentionne qu'Héraclès aurait institué les Jeux olympiques.

Parmi tant de hauts faits qu'il convient de célébrer, Héraclès a droit à notre souvenir parce que, le premier, par amour pour les Grecs, il les rassembla [pour les Jeux olympiques]. Jusque-là les cités étaient divisées entre elles. Mais, après avoir mis fin à la tyrannie et réprimé la violence, il institua une fête qui fut un concours de force, une émulation de richesse, un déploiement d'intelligence, dans le plus beau lieu de la Grèce[1]. Ce rapprochement, pensait-il, serait propre à faire naître entre les Grecs une mutuelle affection.

D'après Lysias, *Discours olympique*, IVᵉ siècle av. J.-C.

Qui est-il ?

Lysias (vers 440 - vers 380 av. J.-C.)
Auteur de discours juridiques à Athènes, il prononça ce discours lors des Jeux olympiques en 388 av. J.-C.

1. Le sanctuaire d'Olympie, dédié au dieu Zeus, père d'Héraclès.

Activités

▸ **Socle** *Écrire pour construire son savoir*

Rédigez quelques phrases qui montrent comment le mythe d'Héraclès unit les Grecs.

Aide | DOC. 1 ET 2 *Utilisez la définition de « mythe » et montrez qu'Héraclès est un personnage de la mythologie grecque.*

DOC. 1, 2 ET 4 *Montrez qu'Héraclès est un personnage dont les qualités inspirent tous les Grecs.*

Les Jeux olympiques, concourir pour sa cité

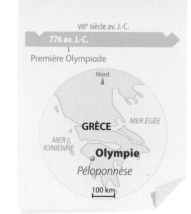

> **Comment une compétition entre cités rassemble-t-elle les Grecs ?**

1 | Reconstitution du sanctuaire panhellénique d'Olympie

Les Grecs se réunissent à Olympie tous les quatre ans pour participer aux Jeux olympiques.

J.-C. Golvin, *Le Sanctuaire d'Olympie*, aquarelle, musée départemental Arles antique, Arles.

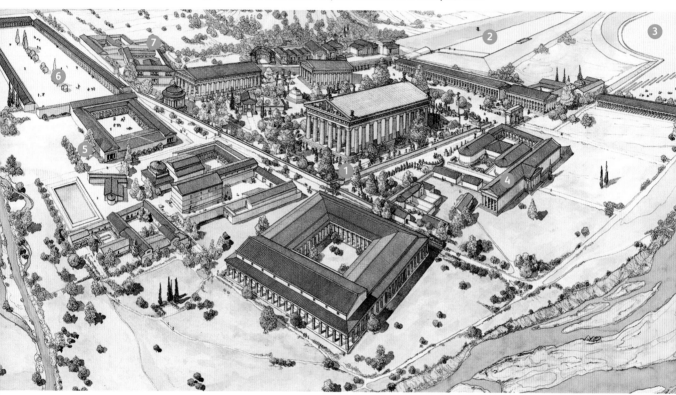

2 | Sept jours de Jeux olympiques

1er jour	– Procession et sacrifices à Zeus – Serment des athlètes	
Du 2e au 6e jour	*Épreuves sportives*	*Cité du vainqueur[1]*
	Course de chars et de chevaux	Syracuse • Agrigente • Camarine • Syracuse
	Lutte	Égine • Oponte
	Pugilat	Rhodes • Locres
	Stade	Orchomène • Corinthe
7e jour	– Récompenses des vainqueurs – Procession et sacrifices	

1. D'après les poèmes de Pindare (Ve siècle av. J.-C.) qui célèbrent les vainqueurs.

❶ Temple de Zeus
❷ Stade
❸ Hippodrome (courses de chevaux et de chars)
❹ Autel de Zeus
❺ Palestre (saut, lutte, boxe, pancrace, pugilat)
❻ Gymnase (course, lancer de disque et javelot)
❼ Prytanée (lieu des sacrifices et des banquets pour les vainqueurs)

Vocabulaire

Sanctuaire : territoire religieux consacré aux divinités.

Panhellénique : qui réunit tous les Grecs.

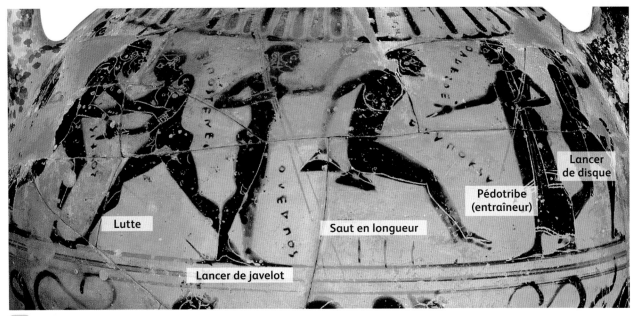

Lancer
de disque

Pédotribe
(entraîneur)

Lutte

Saut en longueur

Lancer de javelot

3 | **Une compétition sportive**
Amphore à col à figures noires, Cerveteri (Italie), 540 av. J.-C., British Museum, Londres (Royaume-Uni).

4 **Des jeux politiques ?**

On fait avec raison l'éloge de ceux qui ont institué les panégyries[1], parce que, grâce à l'usage légué par eux, après des libations[2] et l'abolition des haines existantes, nous nous réunissons et qu'ensuite, mettant en commun nos prières et nos sacrifices, nous nous rappelons notre parenté réciproque et […] nous renouvelons les anciennes relations d'hospitalité et en formons de nouvelles.

D'après Isocrate, *Panégyrique*, Ve siècle av. J.-C. .

1. Rassemblement des Grecs lors d'une fête religieuse, comme les Jeux olympiques.
2. Offrande d'une boisson à une divinité.

Qui est-il ?

Isocrate
(vers 436 -
vers 338 av. J.-C.)

Auteur de discours athénien, il rédige un discours olympique pour appeler à l'union des Grecs contre les Perses.

Activités

▶ **Socle** *Réaliser une production graphique*

À l'aide des documents, reproduisez et complétez la carte mentale ci-dessous en répondant aux questions.

DOC. 1 et 2
Pour quel dieu ?

Une fête religieuse

Les Jeux olympiques

À Olympie

DOC. 1
Quand ont-ils lieu ?

DOC. 2
Combien de temps durent-ils ?

DOC. 1 à 3
Quelles épreuves ?

Une fête sportive

Une fête panhellénique

DOC. 4
Qui y participe ?

▶ **Socle** *S'informer dans le monde du numérique*

Pour aller plus loin… Dans un moteur de recherche, tapez le mot-clé « olympique ».
Entrez sur le site officiel (.org) puis cliquez sur les onglets « Jeux olympiques » puis « L'Antiquité »
pour en apprendre davantage sur les épreuves sportives des Jeux olympiques antiques.

Athènes, berceau de la démocratie

➜ **Comment la démocratie naît-elle et fonctionne-t-elle à Athènes ?**

1 Clisthène instaure la démocratie

Quand le peuple eut ainsi repris le pouvoir, il se laissa diriger par Clisthène à qui on devait l'expulsion des tyrans. Clisthène fit ses réformes. Il commença par répartir les Athéniens dans dix tribus. Jusque-là, il n'y en avait eu que quatre ; mais Clisthène voulait mêler davantage les citoyens les uns aux autres et faire participer un plus grand nombre d'hommes à la vie politique. Après ces réformes, la constitution fut beaucoup plus démocratique que celle de Solon[1]. Il se trouvait en effet que les tyrans, en ne les appliquant pas, avaient comme abrogé les lois de Solon et que Clisthène en avait établi de nouvelles : parmi elles, était la loi sur l'ostracisme.

D'après Aristote, *Constitution d'Athènes*, IVe siècle av. J.-C.

1. Solon (vers 640-vers 558 av. J.-C.) a interdit la mise en esclavage des citoyens pauvres pour dette.

Qui est-il ?
Aristote (vers 384-322 av. J.-C.)
Philosophe grec qui séjourne à Athènes où il étudie l'histoire et le fonctionnement de la cité.

2 Périclès définit la démocratie

Discours prononcé par Périclès devant l'Ecclésia en 431 av. J.-C.

Du fait que l'État, chez nous, est administré dans l'intérêt de tous et non d'un petit nombre, notre régime a pris le nom de démocratie. L'égalité est assurée à tous par les lois ; mais en ce qui concerne la participation à la vie publique, nul n'est gêné par la pauvreté, s'il peut rendre des services à la cité[1]. La liberté est notre règle dans le gouvernement. Nous obéissons toujours aux magistrats et aux lois et, parmi celles-ci, surtout à celles qui assurent la défense des opprimés[2].

D'après Thucydide, *La Guerre du Péloponnèse*, fin du Ve siècle av. J.-C. (traduit par J. Voilquin, Flammarion, 1966).

1. Périclès met en place une indemnité (*misthos*) rétribuant le vote des citoyens.
2. Victimes d'un pouvoir injuste.

Qui est-il ?
Thucydide (vers 460 - vers 396 avant J.-C.) (voir p. 61)

Tyrannie des Pisistratides		Démocratie	
510 av. J.-C.		451 av. J.-C.	404-403 av. J.-C.
		Instauration du misthos par Périclès	Oligarchie des Trente

Point méthode

Identifier les documents sources
1. Quels sont les documents sources de l'ensemble documentaire ?
2. Quelle est la nature de chacun d'eux ?

Identifier leur point de vue
3. L'image qu'ils donnent de la démocratie athénienne est-elle positive ou négative ? Justifiez.

3 Tesson d'ostracisme

Le citoyen y inscrit le nom de celui qu'on veut chasser de la ville. On lit ici le nom de Thémistocle.
Musée de l'Agora, Athènes (Grèce).

Biographie

Clisthène (vers 570 - vers 508 av. J.-C.)
Aristocrate athénien, il chasse le tyran Hippias puis installe les principes démocratiques à Athènes, comme l'égalité des citoyens.

Biographie
Périclès (495-429 av. J.-C.)
Élu quinze fois stratège, il enracine la démocratie à Athènes par des réformes et engage la cité dans la guerre du Péloponnèse.

Vocabulaire

Démocratie : régime politique où le pouvoir est exercé par la communauté des citoyens.

Ostracisme : bannissement d'un citoyen pendant dix années par décision de l'Ecclésia.

4 | L'Ecclésia, cœur de la démocratie athénienne

❶ Orateur prononçant un discours à la tribune
❷ Membres de la Boulê (prytanes) organisant et surveillant le déroulement du vote
❸ Citoyens athéniens
❹ Autel de Zeus
❺ Clepsydre (chaque citoyen a un temps égal de parole à la tribune)
❻ Enregistrement des votes

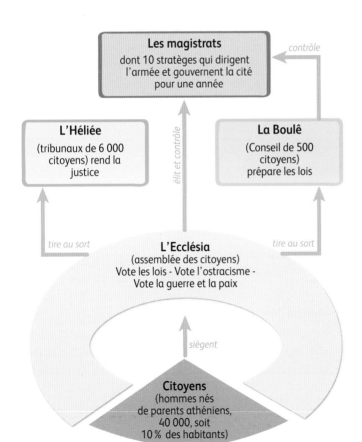

Les magistrats
dont 10 stratèges qui dirigent l'armée et gouvernent la cité pour une année

← *contrôle*

L'Héliée
(tribunaux de 6 000 citoyens) rend la justice

La Boulê
(Conseil de 500 citoyens) prépare les lois

élit et contrôle

tire au sort

tire au sort

L'Ecclésia
(assemblée des citoyens)
Vote les lois - Vote l'ostracisme - Vote la guerre et la paix

siègent

Citoyens
(hommes nés de parents athéniens, 40 000, soit 10 % des habitants)

5 | Le fonctionnement de la démocratie athénienne à l'époque de Périclès

Activités

▶ **Socle** *Extraire des informations pertinentes*

1. DOC. 2 Relevez la phrase qui définit la démocratie.
2. DOC. 2 Comment Périclès définit-il la démocratie ?
3. DOC. 1 ET 2 Pourquoi peut-on dire que la démocratie s'est mise en place lentement à Athènes ?
4. DOC. 3, 4 ET 5 Tous les habitants d'Athènes participent-ils à la vie politique de leur cité ?

Pour conclure

Répondez à la question suivante sous la forme d'un texte de 5 à 10 lignes :

➤ **Comment naît et fonctionne la démocratie à Athènes ?**

Aide | DOC. 1 ET 2 *Rappelez ce qu'est la démocratie et montrez qu'elle s'est mise en place lentement grâce à des réformateurs.*

DOC. 3, 4 ET 5 *Décrivez son fonctionnement.*

Leçon

Le monde des cités grecques

Comment la culture et la religion unifient-elles les Grecs ?
Comment la démocratie athénienne apparaît-elle ?

I Des cités indépendantes et rivales

- À partir du VIIIᵉ siècle avant J.-C., les Grecs fondent des cités en Grèce égéenne puis des colonies autour de la mer Méditerranée et de la mer Noire comme la cité de Cyrène fondée par les habitants de Théra.

- **Chaque Grec vit dans une** cité in**dépendante** qui possède son propre régime politique (la démocratie, l'oligarchie ou la tyrannie).

- Sans unité politique, **les cités s'affrontent régulièrement** pour la domination du monde grec. Lors de la guerre du Péloponnèse (431 à 404 av. J.-C.) Sparte et ses alliées combattent les cités de la Ligue de Délos dirigée par Athènes.

II À chaque cité, ses citoyens

- Le citoyen est un membre d'une communauté d'hommes appartenant à une cité. **Chaque citoyen doit remplir des devoirs** (combattre pour sa cité, respecter les lois). Il **possède des droits politiques (voter, exercer une magistrature)** et civiques (se marier, posséder des terres).

- Dans **la démocratie, née à Athènes au** Vᵉ **siècle avant J.-C.**, chaque citoyen participe à la vie politique. Les réformes progressives de Solon, Clisthène et Périclès garantissent l'égalité politique et juridique entre les citoyens athéniens.

- Dans les cités grecques, les citoyens sont minoritaires. La majorité des habitants est exclue de la citoyenneté : les étrangers, les femmes, les enfants et les esclaves.

III Des citoyens unis par la civilisation hellénique

- **Les Grecs sont unis par la religion**. Ils sont polythéistes. Ils vénèrent les mêmes divinités (comme Zeus ou Athéna) et chantent les mêmes héros (comme Héraclès).

- **Les Grecs partagent aussi une culture commune** : la langue, la gastronomie, l'alphabet, la mythologie, les récits homériques (l'*Iliade* et l'*Odyssée*).

- Les Grecs célèbrent cette unité lors de fêtes panhelléniques (Jeux olympiques). Ils partagent des sanctuaires communs (Delphes) et combattent des ennemis communs (Perses lors des guerres médiques).

Les régimes politiques des cités grecques au Vᵉ siècle av. J.-C.

Nom du régime	Définition
Tyrannie	Le gouvernement d'un seul homme prend le pouvoir par la force (ex. : Syracuse).
Oligarchie	Le gouvernement d'un petit nombre de citoyens (ex. : Sparte, Corinthe).
Démocratie	Le gouvernement est exercé par la communauté des citoyens (ex. : Athènes).

Vocabulaire

Cité : petit État indépendant qui exerce son autorité sur une ville et sa campagne.

Démocratie : le pouvoir est exercé par la communauté des citoyens.

Colonie : cité fondée par des Grecs en dehors de la Grèce.

Mythologie : ensemble de mythes partagé par une civilisation.

Panhellénique : qui réunit tous les Grecs.

XIIIᵉ   VIIIᵉ   VIIᵉ   VIᵉ   Vᵉ (av. J.-C.)

Vers 1250-1200 av. J.-C.
Guerre de Troie ?

Écriture de l'Iliade

Colonisation grecque en Méditerranée

776 av. J.-C.
Premiers Jeux olympiques

Démocratie à Athènes

495 à 429 av. J.-C.
Périclès

Je retiens l'essentiel

Les Grecs vivent dans des cités en Grèce et autour de la mer Méditerranée

Les cités ont une organisation commune

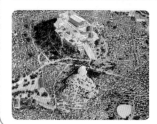

- Une ville avec sa campagne autour
- Une agora, un acropole, des temples, un théâtre

Des cités rivales qui s'affrontent

- Lors de guerres ou de compétitions sportives

Les Grecs sont unis par leur culture et leur religion

Une religion et une mythologie communes

Héraclès

Une culture commune

- Langue, alphabet, gastronomie, etc.

La démocratie naît à Athènes au Vᵉ siècle av. J.-C.

Les citoyens

- Ils participent à la vie politique de la cité

Les exclus de la citoyenneté

- Femmes, enfants, étrangers, esclaves

- Les Grecs vivent dans des cités indépendantes qui ont leur propre régime politique. Les cités rivales sont souvent en guerre.

- La démocratie, apparue à Athènes au Vᵉ siècle av J.-C., garantit l'égalité politique et juridique de tous les citoyens.

- Divisés politiquement, les Grecs sont unis par leur culture, leur religion et le rôle du citoyen : c'est la civilisation hellénique.

Le monde des cités grecques

FICHE DE RÉVISION À TÉLÉCHARGER
Fiche **3**

1. Construire sa fiche de révision : notez le titre de la leçon sur votre feuille

Je connais...

Objectif 1 ▶ Les repères historiques

🖋 **Reproduisez la frise chronologique ci-dessous et placez-y les repères suivants :**

- Les premiers Jeux olympiques ont eu lieu en ... .
- La démocratie naît à Athènes au ... siècle av. J.-C.
- Les premières cités grecques apparaissent au ... siècle av. J.-C.

| av. J.-C. | 800 | 900 | 700 | 600 | 500 | 400 | 300 | 200 | 100 | J.-C. |

100 ans

480 av. J.-C.   323 av. J.-C.

Objectif 2 ▶ Connaître les repères géographiques

🖋 **Recopiez sur votre feuille la légende de la carte ci-contre et complétez-la.**

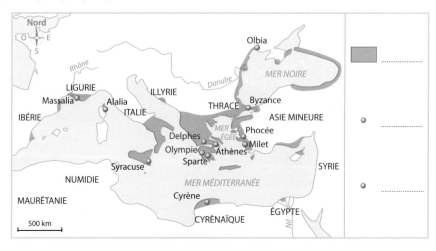

Objectif 3 ▶
Connaître les mots-clés

🖋 **Notez la définition des mots-clés suivants :**
- Cité – Démocratie – Fondation – Mythologie – Colonie.

Je suis capable de...

🖋 **Pour chacun des objectifs suivants, construisez une réponse courte à la consigne :**

Objectif 4 ▶ Montrer que la cité est le cadre de vie commun aux Grecs

Aide ⟮ *Définissez ce qu'est une cité et citez des éléments communs à chaque cité grecque.*

Objectif 5 ▶ Expliquer pourquoi les mythes unissent les Grecs

Aide ⟮ *Présentez les héros et les récits que les Grecs ont en commun, puis expliquez comment ils unissent la civilisation grecque.*

Objectif 6 ▶ Raconter comment naît la démocratie à Athènes

Aide ⟮ *Définissez ce qu'est la démocratie et rappelez les réformes et réformateurs qui ont permis de la mettre en place.*

1 Construire des repères

Les mythes grecs

1. Qui sont les héros grecs peints sur ces céramiques ?
Pour chacun d'eux, rédigez deux ou trois phrases pour les présenter et expliquer leur importance dans l'unité du monde grec.

a Vase en céramique (cratère), vers 500-480 av. J.-C., Athènes, British Museum, Londres (Royaume-Uni). Voir détail p. 76.

2. Dans quelle œuvre l'épopée du héros du vase **a** est-elle racontée ? Qui en est l'auteur ?

b Amphore, Rhêgion (Italie), 540-530 av. J.-C., BNF, Paris. Voir détail p. 64.

2 Comprendre une image

Gravure d'après P. von Foltz, *Oraison funèbre des soldats athéniens prononcée par Périclès*, 1852.

La démocratie à Athènes

1. Présentez le document (nature, auteur, date de réalisation).

2. Identifiez la cité où se déroule cette scène. Justifiez votre réponse par au moins un élément de la gravure.

3. Identifiez le personnage central et le lieu où se tient cette assemblée.

4. Repérez l'intrus présent dans la scène. Justifiez votre réponse.

5. Expliquez comment la scène montre le fonctionnement d'une démocratie.

Auto-évaluation

Je me positionne sur une marche :

1.
- J'observe l'image.
- Je repère sa nature.

= Question 1

2.
- J'observe l'image.
- Je repère sa nature, **sa date et le sujet montré.**

= Questions 1 et 2

3.
- J'observe l'image.
- Je repère sa nature, sa date et le sujet montré.
- **J'identifie les lieux et personnages.**

= Questions 1, 2, 3 et 4

4.
- J'observe l'image.
- Je repère sa nature, sa date et le sujet montré.
- Je décris ce que j'observe.
- **J'interprète (je donne du sens).**

= Questions 1, 2, 3, 4 et 5

Pour progresser, j'analyse mes axes de progrès. Que devrais-je améliorer ?

Le combat d'Héraclès contre Géryon

 À l'aide de vos connaissances, rédigez le récit du 10ᵉ travail d'Héraclès à partir d'une carte mentale.

Travail préparatoire (au brouillon)

1. Analyser le sujet : « Le combat d'Héraclès contre Géryon »

Pourquoi ce combat ? Qui gagne ? Comment ?   Que sait-on sur ces personnages ?

2. Organiser ses idées en suivant une carte mentale :

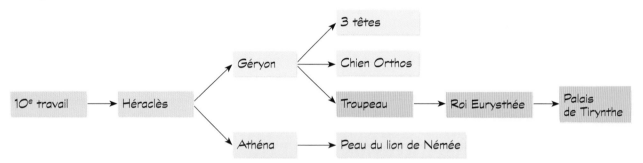

3. Vérifiez avec votre cahier et votre manuel (p. 64) que vous avez bien compris chacune des informations indiquées.

Travail de rédaction (au propre)

À vous de choisir votre niveau de difficulté et votre ceinture !

> Soignez la présentation de votre texte et votre écriture. Évitez les ratures. N'oubliez pas de relire et de vérifier vos accords.

 RAPPELS

Je rédige un texte **sans aide.**

Rédigez votre texte en vérifiant que :
- Vous avez cité toutes les informations de la carte mentale dans votre récit.

Je rédige un texte **avec un guide.**

Rédigez votre texte à l'aide des amorces de phrases suivantes correspondant aux trois couleurs de la carte mentale :
Pour son 10ᵉ travail, Héraclès combat…
Héraclès capture…
Héraclès a vaincu grâce à …

Je rédige un texte **en répondant à des questions.**

Commencez par présenter le combat :
- Qui Héraclès affronte-t-il ?
- Qui est Géryon ?

Présentez ensuite l'issue du combat :
- Que prend Héraclès à Géryon ?
- À qui et où Héraclès amène-t-il le butin ?

Terminez en précisant comment Héraclès a vaincu Géryon :
- Quelle déesse a aidé Héraclès ?
- Quelle arme a permis à Héraclès de vaincre ?

Enquêter Quelle divinité les Athéniens ont-ils choisie pour protéger leur cité ?

Indice n°1

Des divinités honorées à Athènes

Vue aérienne de l'Acropole, Athènes (Grèce).

❶ Temple d'Athéna
Déesse de la sagesse et de la guerre, elle guide les citoyens et les héros athéniens dans leurs combats.

❷ Temple d'Artémis
Déesse de la chasse et de la nature sauvage ; les filles athéniennes séjournent dans son temple pour se former à la vie de femme adulte.

❸ Théâtre de Dyonisos
Dieu du vin et des arts, il est le père de la tragédie et de la comédie, domaines d'excellence des auteurs athéniens.

Indice n°2

Une pièce à conviction

Pièce de monnaie athénienne, Vᵉ siècle av. J.-C.

Avez-vous pris connaissance des indices ?
Quelle est votre conviction ?
Quelle divinité les Athéniens ont-ils choisie pour protéger leur cité ?

Par équipe, complétez le carnet de l'enquêteur.
Nom des prétendants : …
Nom de la divinité choisie : …
Preuves relevées dans les indices : …
Faites part de vos conclusions aux autres équipes.

Le combat d'Achille contre Hector

➤ **Comment la céramique met-elle en scène la victoire d'Achille, le héros achéen, face à Hector, le Troyen ?**

700 av. J.-C. — Début de la céramique à figures noires
550 av. J.-C. — Début de la céramique à figures rouges

Nord
GRÈCE — MER ÉGÉE — **Troie** — ASIE MINEURE
Athènes
MER MÉDITERRANÉE
400 km

1 | Achille combattant Hector

Cratère (vase servant à mélanger le vin et l'eau), céramique à figures rouges, Athènes, vers 500-480 av. J.-C., British Museum, Londres (Royaume-Uni).

❶ Athéna, protectrice d'Achille   ❷ Achille, héros achéen
❸ Hector, prince de Troie, blessé deux fois   ❹ Apollon, protecteur de Troie et d'Hector

2 Le combat selon Homère

Homère raconte les exploits du héros Achille lors de la guerre de Troie, conflit légendaire opposant les Achéens (Grecs de Grèce continentale) aux Troyens (Grecs d'Asie mineure) vers 1230 av. J.-C.

Achille brandissant sa javeline, il la lance en avant. Mais l'illustre Hector la voit venir et l'évite. Athéna, aussitôt la saisit et la rend à Achille sans être vue d'Hector. Hector, brandissant sa longue javeline, il la lance en avant. Et il atteint Achille au milieu de son bouclier, sans faute. Mais la lance est rejetée bien loin de l'écu. Hector reste là, humilié ; il n'a plus de pique de frêne. Il appelle d'un grand cri Apollon, il demande une longue lance ; et Apollon n'est plus à ses côtés ! Hector en son cœur comprend et il dit : « Hélas ! Point de doute, les dieux m'appellent à la mort. »

D'après Homère, *Iliade*, chant XXII, VIIIᵉ siècle av. J.-C.

Qui est-il ?

Homère (VIIIᵉ siècle av. J.-C.)
Poète grec dont l'existence n'est pas prouvée. Il aurait compilé les chants retraçant l'épopée d'Achille (*Iliade*) et d'Ulysse (*Odyssée*).

Point art

Céramique grecque : objet en terre cuite.
Figure noire : céramique grecque où le motif est peint en noir sur un fond rouge (couleur naturelle de l'argile cuite). Elle est surtout produite au VIIᵉ siècle av. J.-C.
Figure rouge : céramique grecque dans laquelle le motif est peint en rouge sur un fond noir. Elle est surtout produite à la fin du VIᵉ siècle av. J.-C.

Présenter
1. DOC. 1 Relevez la nature de l'œuvre, le type de figure peinte et la date de sa réalisation.

Décrire et comprendre
2. DOC. 1 ET 2 Quels sont les deux camps en présence ?
3. DOC. 1 ET 2 Qui d'Achille ou d'Hector domine l'autre ? Justifiez avec au moins deux éléments de l'œuvre.

Conclure et exprimer sa sensibilité
4. DOC. 1 Cette peinture est-elle une représentation fidèle du texte d'Homère ?

Pour aller plus loin… Comparez cette céramique à celle d'Héraclès contre Géryon (p. 64). De quel côté sont toujours placés les vainqueurs sur une céramique grecque ?

Doit-on obliger les citoyens à voter ?

1 À Athènes dans l'Antiquité, encourager le citoyen à voter

Les citoyens athéniens ont été convoqués, mais la colline de la Pnyx, qui est le lieu où l'on vote, est vide. Dikaiopolis : « Ils sont tous restés à bavarder sur l'Agora. Ils essaient d'éviter la corde rouge[1] et se précipiteront sur les premiers bancs pour toucher le *misthos*[2] dès que les débats commenceront. »

D'après Aristophane, *Les Acharniens*, 425 av. J.-C.

1. Corde rouge : corde des rabatteurs chargés de diriger les retardataires vers la Pnyx. Enduite d'un colorant, elle marquait de rouge les citoyens en retard et les empêchait de toucher le misthos.
2. *Misthos* : salaire versé aux citoyens athéniens en échange de leur participation à la vie politique de la cité.

2 Jamel Debbouze à Clichy-sous-Bois

Avec d'autres artistes, Jamel Debbouze a incité les jeunes de Clichy-sous-Bois à s'inscrire sur les listes électorales et à « être acteurs » de leur futur : « Il faut aller voter, c'est à vous de pousser la France à progresser. »

D'après « Des artistes appellent les jeunes des quartiers populaires à s'inscrire sur les listes électorales », *LeMonde.fr*, 10/11/2011.

3 Obliger le citoyen à voter ? France-Belgique, deux législations différentes

• Selon l'approche française, le vote est un droit : tout citoyen jouissant de ses droits civiques est libre de participer à un scrutin comme de s'abstenir d'aller voter. Sauf que la montée continue du taux d'abstention (56 % aux dernières européennes, 38 % aux municipales, 43 % lors des législatives de 2012) fait régulièrement revenir la question du vote obligatoire.

• La Belgique est l'exemple le plus ancien, l'obligation de voter y ayant été mise en place en 1893. Au dernier scrutin européen, 90 % des Belges se sont déplacés aux urnes. Tout électeur s'abstenant de se rendre aux urnes est passible d'une amende de 30 à 60 euros la première fois ; jusqu'à 150 euros s'il recommence.

D'après M. Zerrouky,
« Le vote obligatoire changerait-il quelque chose ? »,
LeMonde.fr, 06/03/2015.

Vocabulaire

Abstention : fait de ne pas aller voter.

La sensibilité : soi et les autres

1. **DOC. 1** Que pensez-vous de la façon dont les Grecs encourageaient les citoyens à voter ?

2. **DOC. 3** Entre l'approche française et l'approche belge, laquelle préférez-vous ? Argumentez.

Le jugement : penser par soi-même et avec les autres

3. Participez au débat avec votre classe : pensez-vous qu'il faille obliger les gens à voter ?

Aide | *N'oubliez pas de prendre quelques minutes pour préparer vos idées au brouillon, levez la main pour demander la parole, écoutez vos camarades et exposez vos idées.*

4. Rédigez un texte de quelques lignes pour vous souvenir de ce qui a été dit lors du débat.

Rome, du mythe à l'histoire

Que savons-nous de l'histoire ancienne de Rome ? Quel récit les Romains faisaient-ils de leurs origines ?

Souvenez-vous !
Quel héros représente l'unité du monde grec ?

1 | Un **mythe** fondateur : Romulus et son jumeau allaités par la louve

Bronze du XIIIᵉ siècle (reproduction d'un modèle du Vᵉ siècle av. J.-C.), les enfants furent ajoutés au XVIᵉ siècle. Musées du Capitole, Rome (Italie).

1. DOC. 1 Décrivez la scène représentée.

Vocabulaire

Cité : collectivité humaine habitant une ville et la campagne alentour.

Mythe : récit fabuleux mettant en scène des dieux et des hommes.

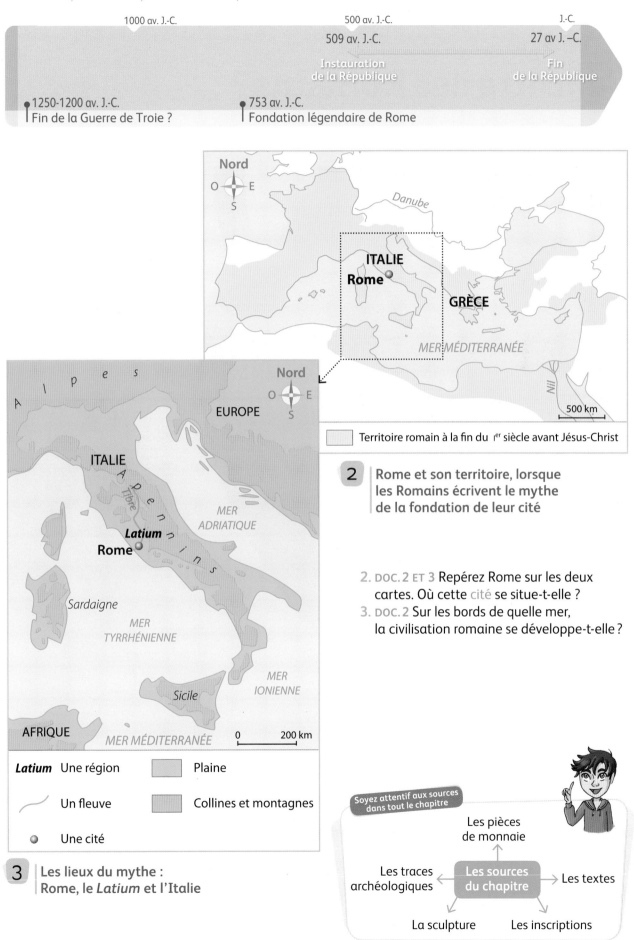

1000 av. J.-C.　　　　　500 av. J.-C.　　　　　J.-C.

509 av. J.-C.　　　　　27 av J. –C.

Instauration
de la République

Fin
de la République

● 1250-1200 av. J.-C.
Fin de la Guerre de Troie ?

● 753 av. J.-C.
Fondation légendaire de Rome

Territoire romain à la fin du Ier siècle avant Jésus-Christ

2 | Rome et son territoire, lorsque les Romains écrivent le mythe de la fondation de leur cité

2. **DOC. 2 ET 3** Repérez Rome sur les deux cartes. Où cette cité se situe-t-elle ?
3. **DOC. 2** Sur les bords de quelle mer, la civilisation romaine se développe-t-elle ?

Latium | Une région
∿ | Un fleuve
◉ | Une cité
▢ | Plaine
▨ | Collines et montagnes

3 | Les lieux du mythe : Rome, le *Latium* et l'Italie

Soyez attentif aux sources dans tout le chapitre

Les pièces de monnaie

Les traces archéologiques　　**Les sources du chapitre**　　Les textes

La sculpture　　Les inscriptions

Énée, l'ancêtre des Romains ?

> Quel récit les Romains faisaient-ils de leur origine ?

Vers 1250-1200 av. J.-C.

Fin de la guerre de Troie ?

Rome

LATIUM

Albe-la-Longue

Lavinium

20 km

1 | Énée qui survit à la destruction de Troie

Précédé par son fils ❶, Énée ❷ porte son père ❸ sur son épaule.
Ils fuient Troie dont les Grecs viennent de s'emparer.
Amphore à figures rouges, Vulci (Italie), Vᵉ siècle av. J.-C.,
Staatliche Antikensammlungen, Munich.

2 Énée, symbole du respect envers les dieux et la famille

Troie est dévorée par les flammes. Énée, protégé par sa mère Vénus, décide de fuir. Il organise le départ de sa famille.

Viens donc, père bien-aimé, prends place sur ma nuque, moi, je te supporterai sur mes épaules et tu ne me pèseras pas ; quoi qu'il advienne, un seul et même péril ou un seul salut nous attendra tous les deux. Le petit Iule m'accompagnera et ma femme suivra nos pas.

Virgile, *Énéide*, II, 207-211, Iᵉʳ siècle av. J.-C.

Fiche d'identité mythologique

Énée, héros troyen

Il est le fils de Vénus, déesse de l'amour et de la beauté, et du mortel, Anchise.

Statuette de Véies, première moitié du IVᵉ siècle avant Jésus-Christ, musée de la Villa Giulia, Rome, (Italie).

Vocabulaire

Épopée : récit qui chante la gloire d'un personnage ou d'une cité.

3 Énée, un héros troyen aux origines du peuple romain

Jupiter rassure Vénus sur le sort du Troyen et de son fils après leur fuite de Troie.

Énée mènera en Italie une grande guerre, brisera des peuples farouches et régnera sur le Latium. Son fils Ascagne[1], devenu Julius, exercera le pouvoir pendant trente longues années puis il transférera son siège de Lavinium à Albe la Longue. Durant trois fois cent longues années régnera la race d'Hector[2], jusqu'au jour où une prêtresse royale, Rhéa Silvia, enceinte de Mars, donnera naissance à des jumeaux, Romulus et Rémus. Ensuite, nourri par la louve nourrice, Romulus perpétuera la race, fondera les murailles de Mars et donnera son propre nom aux Romains.

Plus tard, il explique que Troyens et Latins vont s'unir. Énée épousera la fille du roi du Latium.

D'après Virgile, *Énéide*, I, 257-283, Ier siècle av. J.-C.

1. Autre nom donné à Iule.
2. Héros troyen tué par Achille (*Iliade*, chant XXII).

Qui est-il ?

Virgile (vers 70 – 19 av. J.-C.).

Poète latin, auteur de l'*Énéide*, épopée retraçant l'histoire d'Énée, de sa fuite de Troie à son arrivée en Italie.

- ● Principaux sites d'occupation humaine
- Influence étrusque
- Influence phénicienne
- Influence grecque
- ➤ Espace d'échanges avec le monde grec

4 L'Italie vers 1000 av. J.-C., un espace en relation avec le monde grec

D'après Th. Camous, *Le Roi et le fleuve*, Les Belles Lettres, 2004.

Activités

▶ Socle *Extraire des informations pertinentes*

1. DOC. 3 Quel est le lien entre Énée et Rome d'après Virgile ?
2. DOC. 3 Aux volontés de quel dieu Énée obéit-il ?
3. DOC. 1 ET 2 Quelle est la qualité d'Énée mise en valeur par la scène ?

▶ Socle *Construire une hypothèse et coopérer*

4. **Travail individuel :** Formulez une hypothèse en répondant à la question suivante :
Pourquoi les Romains racontaient-ils qu'ils descendaient des Troyens ?

   Aide | *Pistes possibles :*
   – les qualités d'Énée que vous venez de découvrir,
   – l'admiration que les Romains portent aux héros d'Homère,
   – et toute autre idée que vous justifiez...

5. **Travail de groupe :** Au sein de petits groupes, présentez votre hypothèse et écoutez celle des autres, pour élaborer une hypothèse commune et acceptée par tous les membres du groupe. Vous la présenterez à la classe.

Pour conclure

À l'aide des propositions faites par chaque groupe, rédigez votre réponse à la question et justifiez-la :

➤ **Pourquoi les Romains disaient-ils qu'ils descendaient des Troyens ?**

Mythe et archéologie

753 avant Jésus-Christ, la fondation de Rome ?

➤ **Vous êtes un historien et vous devez expliquer ce qu'on sait sur la fondation de Rome. Vous avez à votre disposition deux types d'informations.**

A. Les récits de la tradition

753 av. J.-C.
Fondation de Rome
d'après la tradition

Fiche d'identité mythologique

Rémus et Romulus

Fils de Mars et d'une prêtresse royale. Abandonnés à leur naissance sur le Tibre, ils sont allaités par une louve, puis élevés par un berger.

Bas-relief (détail),
IIe siècle ap. J.-C., Antikensammlung,
Berlin (Allemagne).

Source 1 — **La fondation de Rome par Romulus**

Numitor, descendant d'Énée et roi d'Albe, est chassé du trône par son frère. Ce dernier fait de sa fille, Rhéa Silvia, une prêtresse pour qu'elle n'ait pas d'enfants. Mais séduite par le dieu Mars, celle-ci met au monde deux jumeaux.

[Devenus adultes], Romulus et Rémus décidèrent de fonder une ville sur les lieux de leur enfance. Ils étaient jumeaux, la prérogative de l'âge ne pouvait décider entre eux. Alors, ils s'en remirent aux dieux protecteurs de ces lieux, et se retirèrent, Romulus sur le Palatin, Rémus sur l'Aventin, pour prendre les auspices.

C'est à Rémus le premier que, dit-on, se présenta le présage[1] de six vautours en vol ; à peine l'eut-il annoncé qu'un nombre double de vautours se montra à Romulus. Et chacun fut salué roi par les siens. Une querelle s'ensuivit. La colère monta, ils en vinrent aux mains et la bagarre tourna au massacre.

Dans la mêlée, Rémus fut mortellement blessé. Une autre version est souvent donnée. Pour narguer son frère, Rémus avait sauté par-dessus les remparts en construction. Romulus, en colère, l'injuria et le tua, en ajoutant : « Voilà le sort de quiconque voudra sauter au-dessus de mon rempart ! ».

Romulus, resté seul au pouvoir, donna son nom à la ville qu'il avait fondée. Le mont Palatin fut le premier lieu qu'il prit soin de fortifier, puis il offrit des sacrifices aux dieux.

D'après Tite-Live, *Histoire romaine*,
début du Ier siècle ap. J.-C.

1. Signe qui est censé annoncer l'avenir.

Source 2 — **Les historiens antiques le disent**

Arbre généalogique des fondateurs de Rome

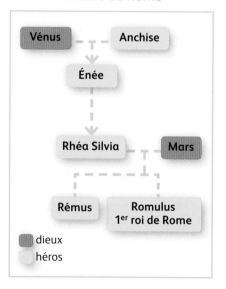

Vénus — Anchise
Énée
Rhéa Silvia — Mars
Rémus — Romulus 1er roi de Rome

■ dieux
□ héros

***Q*ui est-il ?**

Tite-Live (vers 60 av. J.-C. – 17 ap. J.-C.)
Historien romain, il a rédigé une histoire de Rome. Son projet était de « rappeler les hauts faits du premier peuple du monde ».

ⴱocabulaire

Auspices : signes envoyés par les dieux.

Fondation : acte politique et religieux qui marque la naissance d'une cité.

B. Les traces archéologiques sur le site de Rome

Source 3 Des cabanes du VIIIe siècle av. J.-C. sur le mont Palatin

a. Photographie des traces d'une cabane

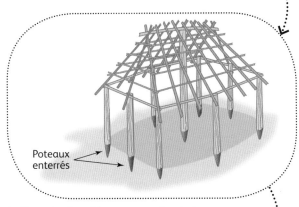

b. Dessin fondé sur un relevé de traces archéologiques
D'après F. Coarelli, *Roma*, Rome, 2001.

c. Reconstitution d'une cabane
Illustration d'après la reconstruction d'A. Davico, 1950, musée palatin, Rome (Italie).

Source 4 Un mur d'enceinte au pied du Palatin datant des années 750 av. J.-C.

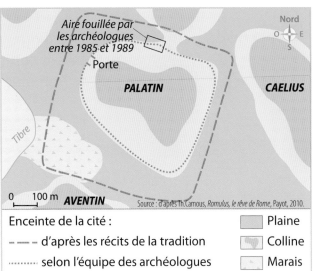

Source : d'après Th. Camous, *Romulus, le rêve de Rome*, Payot, 2010.

Enceinte de la cité :
- - - d'après les récits de la tradition
······· selon l'équipe des archéologues

☐ Plaine
☐ Colline
☐ Marais

La démarche de l'historien

Étape 1 ▸ Identifier et comprendre des sources

1. **SOURCE 1** Relevez la nature, l'auteur et la date de la source. Quelles informations apporte-t-elle sur la fondation de Rome ?

2. **SOURCES 3 ET 4** Indiquez ce que les fouilles archéologiques ont permis de révéler.

Étape 2 ▸ Confronter archéologie et récit littéraire

3. Quels points communs trouve-t-on entre les traces archéologiques et les récits de la tradition ?

4. L'archéologie prouve-t-elle que Rome a été fondée comme le raconte la tradition ? Justifiez votre réponse.

Pour conclure

Présentez à l'oral une réponse à la question suivante :

➥ **De quelles sources dispose-t-on pour raconter la fondation de Rome ?**

César et Auguste utilisent le mythe

100-44 av. J.-C.   63 av. J.-C.-19 ap. J.-C
César   Auguste

➤ À la fin du Iᵉʳ siècle av. J.-C., les dirigeants romains César puis Auguste se présentent comme les descendants d'Énée et de Romulus. Pourquoi ?

Point méthode

Identifier les documents sources
1. Quels sont les documents sources de l'ensemble documentaire ?
2. Quelle est la nature de chacun d'eux ?

Identifier leur point de vue
3. Montrez que leur auteur donne une image glorieuse de César et d'Auguste.

a. Le respect envers les dieux
Énée, s'enfuyant de Troie en flammes, avec son père et son fils. ....

b. Le courage
Romulus, portant la cuirasse et les armes prises à un ennemi vaincu. ....

1 Les **valeurs** de Rome incarnées par les héros lors des funérailles d'Auguste
Relief sculpté, Iᵉʳ siècle ap. J.-C., musée des Beaux-Arts, Budapest (Hongrie).

2 Auguste a organisé ses funérailles

Le convoi avançait. Après les images d'Auguste, venaient celles de ses ancêtres, à l'exception de César, parce qu'il avait été mis au rang des héros, et celles de tous les autres Romains qui, à commencer par Romulus lui-même, s'étaient distingués par un mérite quelconque.

Dion Cassius,
Histoire romaine, 56, 34,
IIᵉ siècle ap. J.-C.

Vocabulaire

Forum : place et lieu de réunion pour les citoyens romains.
Valeur : qualité à laquelle une société accorde de l'importance.

3 | Sur le forum d'Auguste : des dieux et héros mis à l'honneur

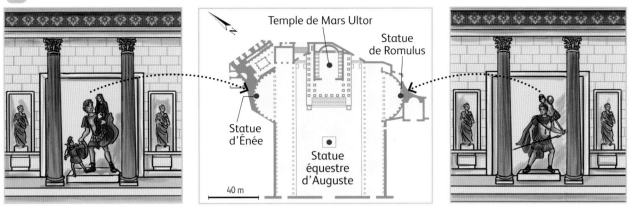

Temple de Mars Ultor
Statue de Romulus
Statue d'Énée
Statue équestre d'Auguste
40 m

4 | Les IVLII (*Julii*), une famille aux ancêtres prestigieux

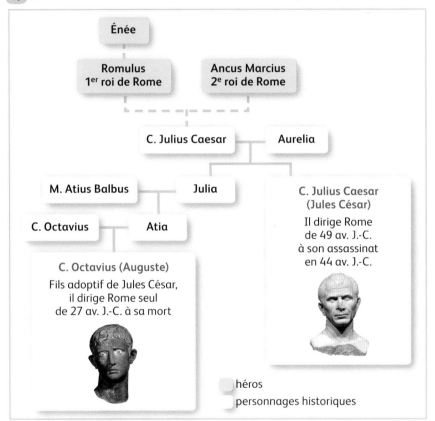

Énée

Romulus
1er roi de Rome

Ancus Marcius
2e roi de Rome

C. Julius Caesar — Aurelia

M. Atius Balbus — Julia

C. Octavius — Atia

C. Octavius (Auguste)
Fils adoptif de Jules César,
il dirige Rome seul
de 27 av. J.-C. à sa mort

**C. Julius Caesar
(Jules César)**
Il dirige Rome
de 49 av. J.-C.
à son assassinat
en 44 av. J.-C.

☐ héros
☐ personnages historiques

5 | La monnaie de César : le lien avec Énée

Denier émis par César,
vers 46-47 av. J.-C., Rome.
① Énée sauvant son père.
② Anchise, le père d'Énée.
③ Le palladium, statue
d'Athéna. Le mythe raconte
qu'elle a été apportée
en Italie par Énée.

Activités

▶ **Socle** *Extraire des informations pertinentes*

1. DOC. 5 Quel héros César met-il à l'honneur?
2. DOC. 1, 2 ET 3 Quels sont ceux choisis par Auguste?

▶ **Socle** *Comprendre le sens général d'un document*

3. DOC. 1 Décrivez comment Énée et Romulus sont représentés.
4. DOC. 1 Quelles sont leurs qualités mises en avant ?

▶ **Socle** *Formuler une hypothèse pour communiquer*

5. DOC. 1, 3 ET 5 Par groupe, formulez une hypothèse pour répondre à la question suivante : Pourquoi César et Auguste ont-ils choisi de mettre en avant ces deux héros ?

Aide
1. Rappelez les origines divines de Romulus et son lien avec Énée.
2. Utilisez vos réponses précédentes.

Pour conclure Répondez par une phrase à la question suivante :

➤ **Comment César puis Auguste montrent-ils leurs liens avec les héros fondateurs ?**

Leçon

Rome, du mythe à l'histoire

Que savons-nous de l'histoire ancienne de Rome ?
Quel récit les Romains faisaient-ils de leurs origines ?

I Rome, une cité aux origines légendaires

● **Les Romains racontent qu'ils descendent d'Énée.** Ce prince troyen, fils de Vénus, aurait échappé au massacre et au pillage de sa ville par les Achéens. Arrivé en Italie après un long périple, il fait alliance avec Latinus, roi du peuple local, dont il épouse la fille. À la mort de ce dernier, Énée devient roi des deux peuples réunis, désormais appelés Latins.

● **Rome aurait été** fondée **par Romulus**, descendant d'Énée et fils du dieu Mars, **en 753 avant Jésus-Christ**. Abandonnés et allaités par une louve puis élevés par un berger, Romulus et son jumeau Rémus décident de fonder une cité. Lors d'une querelle, Rémus est tué et Romulus devient roi. Après lui, **six rois se seraient succédé** avant que ne soit mise en place une République en 509 avant Jésus-Christ.

● Ces origines légendaires font de Rome la cité désignée par les dieux pour dominer le monde. À partir du Ier siècle avant Jésus-Christ, le mythe de la fondation de Rome par Romulus est utilisé par les dirigeants romains, comme Jules César ou Auguste, pour justifier leur pouvoir.

II Rome, une cité qui peu à peu entre dans l'histoire

● Des origines troyennes de Rome, nulle trace archéologique. On sait seulement que des relations existaient entre le monde grec et l'Italie à la fin du IIe millénaire avant Jésus-Christ.

● En revanche, les archéologues ont prouvé **une occupation ancienne du site de Rome.** Sur le Palatin, ils ont mis au jour des traces de cabanes et d'un mur datant du milieu du VIIIe siècle avant J.-C. Pour eux, c'est la preuve qu'une **cité a bien été fondée.** Mais ils ne peuvent cependant pas affirmer que le fondateur est Romulus.

● Par ailleurs, les historiens ont la preuve que des rois ont gouverné la cité à ses débuts. L'archéologie confirme même les récits de la tradition : **des rois** étrusques **ont dominé la cité jusqu'au VIe siècle avant Jésus-Christ. Rome se transforme alors profondément**. Des temples, maisons et palais se construisent tandis qu'une nouvelle enceinte entoure la cité. Puis, la **République s'installe au Ve siècle avant Jésus-Christ, remplaçant la** royauté.

Vocabulaire

Cité : une collectivité humaine qui partage une identité commune. Ces hommes habitent un même territoire, à l'origine la ville de Rome puis l'Empire romain.

Fondation : acte politique et religieux qui marque la naissance d'une cité.

Mythe : récit fabuleux mettant en scène des dieux et des hommes.

République : régime politique où le pouvoir est exercé par des personnes désignées par les citoyens.

Étrusques : nom d'un des peuples vivant dans l'Italie antique.

Royauté : régime politique où le pouvoir est exercé par un roi.

1000 av. J.-C.		500 av. J.-C.		J.-C.
Le temps d'avant la cité		Le temps de la royauté	Le temps de la République	
●1250-1200 av. J.-C. Fin de la Guerre de Troie ?	753 av. J.-C.● Fondation légendaire de Rome	●509 av. J.-C. Naissance de la République		27 av. J.-C.● Fin de la République

Je retiens l'essentiel

La tradition… …confrontée à l'archéologie

Les Romains, un peuple aux origines légendaires et glorieuses

Un premier mythe fondateur

- Les Romains sont les descendants des Troyens, qui, guidés par Énée, se sont installés dans le Latium

Une réalité

- Il n'a été trouvé aucune trace de fondation d'une colonie troyenne dans le Latium

Rome, une cité italienne à la fondation légendaire

Un second mythe fondateur

- En 753 av. J.-C., Romulus, fils du dieu Mars et descendant d'Énée, fonde la cité de Rome sur le Palatin. Il devient alors le premier roi de Rome

Une réalité

- Des traces de cabanes et d'un mur datant du VIIIe siècle avant J.-C. prouvent la fondation d'une cité sur le Palatin

Des récits mythiques utilisés par les dirigeants romains

- Jules César (101-44 av. J.-C.) puis Auguste (63 av. J.-C.-14 ap. J.-C) rappellent qu'ils descendent d'Énée et de Romulus pour justifier leur pouvoir

- Les Romains affirment descendre d'Énée, mais il n'y a aucune trace de la fondation d'une colonie troyenne dans le Latium.

- Rome aurait été fondée par Romulus sur le Palatin, en 753 av. J.-C. Si une cité a bien été fondée au milieu du VIIIe siècle av. J.-C., son fondateur est inconnu.

- Sept rois se seraient succédé avant que Rome ne devienne une République en 509 av. J.-C. La royauté à Rome a disparu au Ve siècle et la République l'a remplacée.

FICHE DE RÉVISION À TÉLÉCHARGER

Fiche **4**

Rome, du mythe à l'histoire

1. Construire sa fiche de révision : notez le titre de la leçon sur votre feuille

Je connais...

Objectif 1 ▶ Connaître les repères historiques

Reproduisez la frise chronologique ci-dessous et placez-y les repères suivants :
- Selon la tradition, l'année de la fondation de Rome est ... .
- Selon les dernières découvertes archéologiques, le siècle de la fondation de Rome est le ... .
- Selon la tradition, l'année de l'instauration de la République est ... .

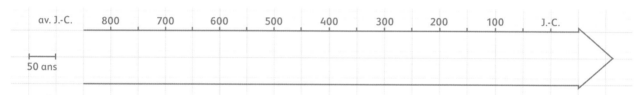

| av. J.-C. | 800 | 700 | 600 | 500 | 400 | 300 | 200 | 100 | J.-C. |

50 ans

Objectif 2 ▶ Connaître les repères géographiques

À l'aide de la carte, répondez aux questions suivantes :
- Sur les bords de quelle mer ❶, la civilisation romaine se développe-t-elle ?
- Quelle est la région ❷ où elle est née ?
- Sur la carte, Rome se situe-t-elle au niveau des points A, B ou C ?

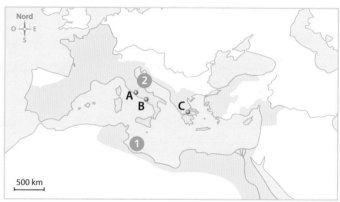

Rome et son territoire à la fin du I^e siècle av. J.-C.

Objectif 3 ▶ Connaître les mots-clés

Donnez la signification des mots-clés suivants :
- Cité – Fondation – Mythe.

Je suis capable de...

Pour chacun des objectifs suivants, construisez une réponse à la consigne :

Objectif 4 ▶ Raconter les origines mythiques du peuple romain

Aide *Présentez le héros dont les Romains disent descendre puis expliquez comment il a donné naissance au peuple romain d'après la tradition.*

Objectif 5 ▶ Raconter la naissance de Rémus et Romulus

Aide *Rappelez qui sont les parents de Romulus et Rémus et ce qui arrive aux enfants après leur naissance d'après la tradition.*

Objectif 6 ▶ Raconter la fondation légendaire de Rome

Aide *Rappelez comment se déroule cet événement d'après la tradition et ce que l'archéologie permet de prouver.*

Construire des repères

Héros 1

Héros 2

Copies des peintures murales de la maison du Foulon Ululitremulus, Pompéi (Italie).

Le mythe fondateur de Rome

1. Qui sont les deux héros ci-contre ?

   Aide | *Ils se retrouvent sur le forum d'Auguste, voir p. 85.*

2. Pour chacun d'eux, rédigez deux ou trois phrases pour les présenter et expliquez leurs rôles dans le récit des origines de Rome.

Comprendre un texte

Énée et les origines du peuple romain

Jupiter s'adresse à sa fille qui s'inquiète pour son fils.

Rassure-toi, Vénus ; le destin de tes protégés reste inchangé… Énée mènera en Italie une grande guerre, brisera des peuples farouches et régnera sur le Latium. Son fils Ascagne, devenu Julius, exercera le pouvoir pendant trente longues années puis il transférera son siège de Lavinium à Albe la Longue. Durant trois fois cent longues années régnera la race d'Hector, jusqu'au jour où une prêtresse royale, Rhéa Silvia, enceinte de Mars, donnera naissance à des jumeaux, Romulus et Rémus. Ensuite, nourri par la louve nourrice, Romulus perpétuera la race, fondera les murailles de Mars et donnera son propre nom aux Romains. Je n'impose de fin ni à leur puissance, ni à leur durée ; je leur ai accordé un empire sans fin. Voilà est ma volonté.

D'après Virgile, *Énéide*, I, 257-283, Iᵉʳ siècle av. J.-C.

1. Présentez le texte : auteur, nature, date de création, sujet traité.

2. Choisissez la proposition qui convient. Ce texte permet de :
   a. *Comprendre comment Rome a été fondée.*
   b. *Connaître le récit que faisaient les Romains de leurs origines.*

3. D'après le texte, quel dieu a décidé de l'existence de Rome ? Qui est-il pour les autres dieux ?

4. À l'aide de vos connaissances, expliquez le sens de la phrase soulignée.

5. **Émettez une hypothèse** : quelle était l'intention de l'auteur ?

Auto-évaluation

Je me positionne sur une marche :

1.	2.	3.	4.
• Je lis le texte. • Je repère sa nature, sa date et son auteur.	• Je lis le texte. • Je repère sa nature, **sa date et son auteur.** • **Je comprends son idée générale.**	• Je lis le texte. • Je repère sa nature, sa date et son auteur. • Je comprends son idée générale. • **Je sélectionne des informations pertinentes pour répondre.**	• Je lis le texte. • Je repère sa nature, sa date et son auteur. • Je comprends son idée générale. • Je sélectionne des informations pertinentes pour répondre. • **J'utilise mes connaissances pour expliquer.**
= Question **1**	= Questions **1** et **2**	= Questions **1, 2, 3** et **4**	= Questions **1, 2, 3, 4** et **5**

Pour progresser, j'analyse mes axes de progrès. Que devrais-je améliorer ?

La fondation de Rome

🖊 **À l'aide de vos connaissances, rédigez un texte qui explique comment Rome a été fondée.**

Travail préparatoire (au brouillon)

De quelles sources dispose-t-on ?

1. Comprenez bien le sujet : « la fondation de Rome »

Que signifie « fondation » ?

2. Notez toutes les informations qui vous viennent à l'esprit et qui évoquent la fondation légendaire de Rome, autour du « pense pas bête ».

3. Vérifiez avec votre cahier ou votre manuel que vous n'avez pas oublié d'informations essentielles.

Travail de rédaction (au propre)

À vous de choisir votre niveau de difficulté et votre ceinture !

> Soignez la présentation de votre texte et votre écriture. Évitez les ratures. N'oubliez pas de relire et de vérifier vos accords.

RAPPELS

Je rédige un texte sans aide.

Rédigez votre texte en vérifiant que :
- Vous commencez votre texte par un alinéa.
- Vous organisez vos idées en paragraphes.

Je rédige un texte avec un guide.

Rédigez votre texte en construisant deux paragraphes qui commencent par un alinéa :
La tradition raconte que … .
L'archéologie montre que … .

Je rédige un texte en répondant à des questions.

Rédigez votre texte en construisant deux paragraphes qui commencent par un alinéa et répondent à des questions.

Votre 1er paragraphe commence par *D'après la tradition*, puis il répond aux questions suivantes :
- Quand la fondation de Rome aurait-elle eu lieu ?
- Qui sont les fondateurs légendaires de Rome ?
- Où précisément cela se passe-t-il ?
- Comment la fondation se déroule-t-elle ?

Votre 2e paragraphe commence par *Selon les archéologues*, puis il répond aux questions suivantes :
- Quelles sont les traces trouvées par les archéologues ?
- Que permettent-elles de prouver ?
- Que ne prouvent-elles pas ?

Enquêter   Auguste, un homme ou un dieu pour les Romains ?

Indice n°1

Auguste en imperator, 20 av. J.-C.

Statue d'Auguste dite de la Prima Porta, marbre, 14 ap. J.-C, musée du Vatican, Rome.

Indice n°2

Quand l'héritier de César choisit son surnom

Au début, il souhaitait vivement se faire appeler Romulus mais il y renonça en voyant qu'on le soupçonnait de vouloir devenir roi. Il se fit appeler Auguste, comme pour signifier qu'il était plus qu'humain. Toutes les choses les plus estimées et les plus sacrées, en effet, sont dites « augustes ».

D'après Dion Cassius, *Histoire romaine*, 53, 16, IIe siècle ap. J.-C.

Indice n°3

Les présages de sa mort et de son *apothéose*

Tandis qu'Auguste était occupé au champ de Mars en présence d'une grande foule de peuple, un aigle vola plusieurs fois autour de lui, et, se dirigeant ensuite vers le temple voisin, se percha au-dessus de la lettre A. Vers le même temps, la foudre tomba sur l'inscription de sa statue, et enleva la première lettre de son nom.

D'après Suétone, *Vie d'Auguste*, XCVII, 2-3, IIe siècle ap. J.-C.

Indice n°4

L'autel de Narbonne (11 ap. J.-C.)

Face A

Face B (extraits)

Le peuple de Narbonne a dédié l'autel à la puissance divine d'Auguste [...] selon les lois qui ont été inscrites. Que les lois et inscriptions soient les mêmes que celle de Diane sur l'Aventin. Les habitants de la colonie de Narbonne se sont engagés à honorer sa puissance divine par un culte perpétuel.

CIL, XII, 4333 = ILS, 112.

Indice n°5

L'apothéose d'Auguste

Assis à côté de Rome ❷, Auguste ❶ entouré de dieux et déesses ❹ reçoit la couronne de lauriers des mains de la Terre ❸, un aigle à ses pieds ❺.

Gemma augustea, onyx, Ier siècle ap. J.-C., Kunsthistorisches Museum, Vienne (Autriche).

Avez-vous pris connaissance des indices ? Quelle est votre conviction : pour les Romains, Auguste était-il un dieu ou un homme ?

Par équipe, listez dans le carnet de l'enquêteur les arguments suivants :

1. Auguste est un homme : …
2. Auguste est considéré comme un dieu : …

Faites part de vos conclusions aux autres équipes.

Vocabulaire

Apothéose : dans l'Antiquité, moment où les héros deviennent des dieux après leur mort.

La naissance de Romulus et Rémus

1 **La naissance légendaire de Romulus et Rémus racontée par un** bas-relief

Autel ou base accueillant une statue, trouvé sur le mont Caelius à Rome.

Ara Casali, face arrière, IIe siècle ap. J.-C., musée du Vatican, Rome (Italie).

- ■ Mars
- Rémus et Romulus
- Les domestiques
- Rhéa Silvia
- ■ La louve
- Les bergers

Vocabulaire

Bas-relief : sculpture en relief léger.

2 **La naissance légendaire de Romulus et Rémus racontée par un historien**

Devenue mère de deux enfants, la vestale Rhéa Silvia attribue à Mars cette douteuse paternité. Mais ni les dieux ni les hommes ne peuvent protéger la mère et les enfants de la cruauté du roi : la prêtresse est mise en prison, et l'ordre est donné à des domestiques de jeter les enfants dans le fleuve. Par un signe éclatant de la protection divine, le Tibre laisse flotter le berceau qui porte les deux enfants : descendue des montagnes d'alentour, une louve accourt au bruit de leurs cris et leur présente la mamelle, oubliant sa férocité. Faustulus, berger du roi, la trouve caressant de la langue les nourrissons. Il emporte les enfants chez lui et les confie aux soins de sa femme.

D'après Tite-Live, *Histoire romaine*, Ier siècle ap. J.-C.

Présenter

1. DOC. 1 Relevez la nature exacte de l'œuvre, sa date de réalisation, son lieu de conservation et sa composition.

Décrire et comprendre

2. DOC. 1 ET 2 À l'aide du texte, décrivez chacune des quatre scènes racontées sur ce bas-relief.

Conclure et exprimer sa sensibilité

3. Observez plus précisément la dernière scène.
Quels points communs et différences relevez-vous avec la même scène présentée p. 78 ?

4. Quelle représentation préférez-vous ?

5. Que pensez-vous de la sculpture de l'Ara Casali ? Justifiez votre avis.

Comment les symboles véhiculent-ils les valeurs d'une société ?

1 | **Pièce de monnaie, 265 av. J.-C.**
Pièce en argent, museo nazionale romano, Rome (Italie).

2 | **Pièce de vingt centimes d'euro frappée par la France (1999)**
Pièce en laiton, 1999, Banque centrale européenne, Francfort (Allemagne).

3 Qui est Marianne ?

C'est une femme qui représente la République : Marianne. Mais pourquoi s'appelle-t-elle Marianne ? Les premières représentations d'une femme à bonnet phrygien, le bonnet que portaient les esclaves affranchis sous la Rome antique, apparaissent sous la Révolution française et symbolisent la liberté. À partir de juin 1848, le prénom « Marianne » commence à être donné de façon clandestine pour désigner la République. C'est une contraction de Marie et Anne, deux prénoms très populaires depuis le XVIIIe siècle. La République qui naît à ce moment-là se devait de porter un nom du peuple !

D'après *Junior.senat.fr*, 03/02/2016.

4 | **Une Marianne d'aujourd'hui**
Marianne, par Marko 93, Saint-Denis, 2007.

La sensibilité : soi et les autres

1. DOC. 1 Quel est le symbole de la République romaine antique ? Pourquoi ce symbole ?
2. DOC. 2 Quel est le symbole de la République française ?

Le jugement : penser par soi-même et avec les autres

3. DOC. 2 ET 3 Quelle valeur de la République est incarnée par Marianne ?
4. DOC. 4 Quelle autre valeur l'artiste a-t-il voulu mettre en avant ici ?
5. En quelques lignes, expliquez pourquoi Marianne est le symbole des valeurs de la République française.

Vocabulaire

Symbole : représentation.

Valeurs : qualités auxquelles une société accorde de l'importance, et qui permettent de vivre ensemble.

La naissance du monothéisme juif

🔍 **Dans quel contexte le premier monothéisme de l'histoire apparaît-il ?**

Souvenez-vous !
En quels dieux les Grecs croyaient-ils ?

1 | **Moïse et le passage de la mer Rouge**
① Moïse, représenté deux fois
② Armée de Pharaon engloutie par les eaux de la mer Rouge ③
④ Mains symbolisant Yahvé
Fresque (détail) de la synagogue de Doura Europos (Syrie), IIIe siècle ap. J.-C.,
Musée national de Damas.

1. **DOC. 1** Qui est le personnage au centre de l'image ? Comment permet-il aux Hébreux d'échapper aux troupes de Pharaon ?

Vocabulaire

Monothéisme : religion dans laquelle on ne croit qu'à un seul dieu, Yahvé chez les Hébreux.
Synagogue : lieu de culte juif.
Yahvé : nom donné à Dieu par les Hébreux.

XIIIe av. J.-C.   VIIIe av. J.-C.   IIe av. J.-C.   J.-C. Ier ap. J.-C.

Élaboration des textes de la Bible

● 1210 av. J.-C.
Première mention
d'Israël

● 587 av. J.-C.
Destruction du Temple de
Jérusalem et exil à Babylone

70 ●
Destruction du
second Temple

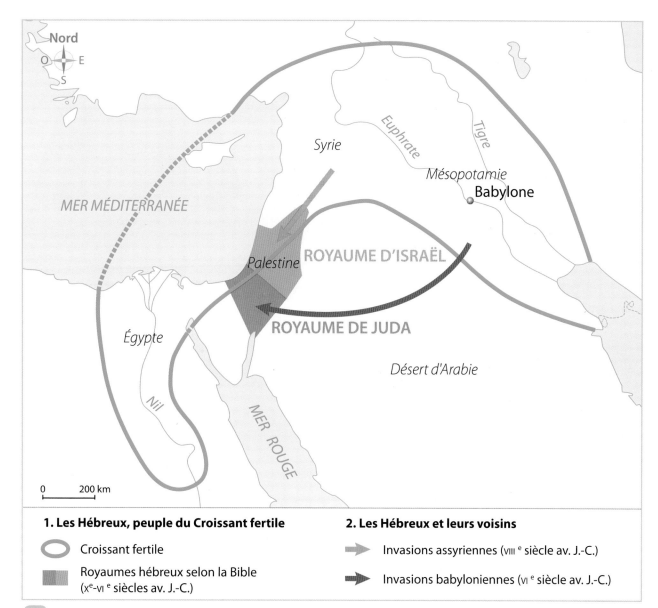

1. Les Hébreux, peuple du Croissant fertile

⬭ Croissant fertile

▮ Royaumes hébreux selon la Bible
(x^e-vi^e siècles av. J.-C.)

2. Les Hébreux et leurs voisins

➡ Invasions assyriennes (VIIIe siècle av. J.-C.)

➡ Invasions babyloniennes (VIe siècle av. J.-C.)

2 | **Les Hébreux, un peuple du Proche-Orient
au Ier millénaire av. J.-C.**

2. DOC. 2 D'après la carte, dans quelle
grande région est située la Palestine ?

3. DOC. 2 Quelles relations les Hébreux
entretiennent-ils avec leurs voisins
du Proche-Orient ?

Soyez attentif aux sources
dans tout le chapitre

le texte
biblique ⟷ **Les sources
du chapitre** ⟶ les traces
archéologiques
↓
les représentations artistiques des événements
bibliques (fresque, mosaïque, etc.)

Croyance et archéologie

Les Hébreux, un peuple de l'Orient ancien

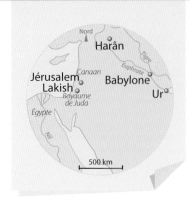

 Vous êtes un historien et vous cherchez à comprendre qui sont les Hébreux au Iᵉʳ millénaire avant J.-C.

A. Ce que raconte la Bible

Source 1 **Un peuple venu de Mésopotamie**

Dans la Bible, les Hébreux sont présentés comme des nomades venus de Mésopotamie qui s'installent en Terre promise après une alliance passée avec Yahvé.

[Abraham et sa famille] sortirent ensemble d'Ur, pour aller au pays de Canaan. Ils vinrent jusqu'à Harân, et ils y habitèrent. Puis Dieu dit à Abraham : « Va-t'en de ton pays, de ta patrie vers le pays que je te montrerai. Je ferai de toi une grande nation, et je te bénirai ». Abraham partit, comme l'Éternel le lui avait dit. Abraham était âgé de soixante-quinze ans lorsqu'il sortit de Harân. Abraham prit Sara, sa femme, et Lot, le fils de son frère, avec tous les biens qu'ils possédaient. Ils partirent pour aller dans le pays de Canaan, et ils arrivèrent au pays de Canaan.

D'après la Bible, *Genèse* 11, 31 et 12, 1-5.

Rouleau d'Isaïe (fac simile), Qumran (Palestine), IIIᵉ siècle av. J.-C-Iᵉʳ siècle ap. J.-C.

Un point sur la Bible hébraïque
Ensemble de textes écrits entre le VIIIᵉ et le IIᵉ siècle av. J.-C., elle se divise en trois parties :
- **La Torah :**
  La Genèse et *L'Exode* (création du monde et histoire des Hébreux).
  Le Lévitique, les *Nombres* et le *Deutéronome* (règles religieuses et morales).
- **Les Livres des Prophètes** (dont les chroniques)
- **Les Écrits**

Source 2 **Les royaumes hébreux face à leurs puissants voisins**

a. Les Hébreux face aux Assyriens
Sennachérib, roi d'Assyrie, vint envahir le royaume de Juda et assiégea les villes fortes afin de s'en emparer. Il était lui-même devant Lakish qu'il prit avec toutes ses forces.

D'après la Bible, *Livre des Chroniques* II, 9.

b. Les Judéens face aux Babyloniens
Nabuchodonosor, roi de Babylone, vint attaquer Jérusalem avec toute son armée. La ville fut assiégée pendant deux ans. Les troupes ennemies finirent par s'imposer et Nabuchodonosor fit son entrée à Jérusalem. Il incendia la maison du Seigneur et la maison du roi et il déporta[1] une partie du petit peuple.

D'après la Bible, *Livre de Jérémie* 52, 4-13.

1. Déporter : obliger un groupe de personnes à aller habiter dans un autre lieu.

Fiche d'identité biblique

Abraham
- Né vers 2000 av. J.-C. selon la Bible.
- Dans la Bible, il est celui avec qui Yahvé conclut l'alliance et qui conduit les Hébreux vers le pays de Canaan.

Vocabulaire

Hébreux : peuple qu'Abraham conduit vers Canaan.

Judéens : habitants du royaume de Juda jusqu'en 587 av. J.-C.

Pays de Canaan : Palestine actuelle, appelée aussi « Terre promise » dans la Bible hébraïque.

B. Ce qu'en dit l'archéologie

Source 3

Le peuple hébreu, mentionné par les Égyptiens au XIIIᵉ siècle av. J.-C.

Après sa victoire en pays de Canaan, Mérenptha, pharaon d'Égypte, fait réaliser cette stèle qui, pour la première fois, atteste de l'existence d'Israël.

Stèle dite d'Israël ou *stèle de Mérenptha*, granit, 3,18 m x 1,61 m, vers 1210 av. J.-C., musée du Caire (Égypte).

Mérenptha évoque Israël : « Canaan est asservi (dominé) [...] Israël est inconsolable, il n'a plus de postérité. »

Source 4

Le siège de la ville de Lakish (Royaume de Juda) par les Assyriens (701 av. J.-C.)

Bas-relief réalisé pour la salle du trône du roi Sennachérib, roi d'Assyrie, VIIIᵉ siècle av. J.-C., British Museum, Londres (Royaume-Uni).

❶ Archers hébreux.
❷ Soldats assyriens.
❸ Hébreux partant en exil.

Point méthode

La démarche de l'historien

Étape 1 ▶ **Identifier et comprendre les documents sources**

1. Pour chaque source, relevez sa nature, sa date, les personnes et lieux évoqués et indiquez quelle information elle apporte sur l'histoire des Hébreux.

2. SOURCES 3 et 4 En l'honneur de qui les sources archéologiques ont-elles été réalisées ?

Étape 2 ▶ **Confronter les différents documents sources**

3. SOURCES 2 et 4 Montrez que l'archéologie permet de prouver que certains faits racontés dans la Bible sont également des faits historiques.

4. SOURCES 1 et 3 Montrez que l'archéologie ne permet pas de confirmer que les Hébreux sont un peuple venu de Mésopotamie qui s'est installé au pays de Canaan.

Pour conclure

Présentez en quelques lignes ce que vous avez appris sur les Hébreux au Iᵉʳ millénaire av. J.-C.

Aide (*Vous pouvez utiliser les débuts de phrases suivantes : D'après les récits bibliques, les Hébreux… L'archéologie permet d'affirmer…*

Moïse, une grande figure du monothéisme juif

→ **Quel rôle la Bible donne-t-elle à Moïse ?**

Fiche d'identité biblique

Moïse
- Né au XIIIᵉ siècle av. J.-C. en Égypte. Il meurt à 120 ans d'après la Bible.
- Moïse est celui à qui Yahvé confie le soin de libérer son peuple.
- Il n'est pas possible de confirmer son existence historique et la véracité des récits le concernant.

1 | **Moïse et la sortie d'Égypte**

Selon le texte biblique, Moïse ❶, après avoir assuré la survie de son peuple ❷, fait se refermer les eaux de la mer Rouge sur les troupes de Pharaon ❸.
Peinture murale, Catacombe de la Via Latina (Italie), IVᵉ siècle ap. J.-C.

2 | **Moïse, l'envoyé de Yahvé pour sauver son peuple**

« Va, je t'envoie pour faire sortir mon peuple, les enfants d'Israël. Je serai avec toi. C'est moi qui t'ai envoyé : quand tu auras fait sortir le peuple d'Égypte, vous servirez Dieu. » Moïse dit à Dieu : « J'irai vers les enfants d'Israël. S'ils me demandent quel est ton nom, que leur répondrai-je ? » Et Dieu dit à Moïse : « Je suis celui qui est. » Et il ajouta : « J'ai vu ce qu'on vous fait en Égypte, et je vous ferai monter de l'Égypte, où l'on vous opprime, dans le pays de Canaan. Je sais que le roi d'Égypte ne vous permettra pas de partir. Je frapperai l'Égypte par toutes sortes de prodiges après quoi, il vous laissera aller. »

Pharaon laisse alors partir les Hébreux, mais il se ravise et envoie son armée les arrêter.

À son approche, les Hébreux furent saisis d'une grande peur. Yahvé dit à Moïse : « Lève ton bâton, étends ta main sur la mer et fends-la. » Les Hébreux traversèrent la mer à pied sec. Les Égyptiens les poursuivirent et pénétrèrent derrière eux. Yahvé dit à Moïse : « Étends ta main sur la mer, que les eaux recouvrent les Égyptiens. »

D'après la Bible, *Exode 3, 9-22 et 14, 23-26.*

Vocabulaire

Shabbat : jour consacré à Dieu, le samedi chez les Juifs.

Tables de la Loi : tablettes de pierre sur lesquelles Yahvé aurait gravé les Dix Commandements remis à Moïse sur le mont Sinaï.

3 | Moïse recevant les Tables de la Loi

Moïse ❶ recevant les Tables de la Loi ❷ des mains de Yahvé ❸.
Illustration (détail) du psautier d'Ingeburg de Danemark,
début du XIIIe siècle, musée de Condé, Chantilly.

5 | L'Égypte et le Proche-Orient dans le récit biblique

Source : d'après I. Finkelstein et N. A. Silberman, La Bible dévoilée, Gallimard, 2007, p. 105 et p. 136.

1. D'après la Bible
- → La sortie de l'Égypte
- ⤨ Passage en mer Rouge
- ▣ Moïse reçoit les Dix Commandements
- ● Lieux mentionnés par la Bible

2. D'après l'archéologie
- ▢ L'Empire égyptien au XIIIe siècle av. J.-C.
- ⋱ Sites archéologiques

4 Moïse reçoit de Yahvé les Tables de la Loi pour guider son peuple

C'est moi Yahvé, ton Dieu, qui t'ai fait sortir du pays d'Égypte, de la maison de servitude.

1. Tu n'auras pas d'autres dieux face à moi.

2. Tu ne te feras pas d'idole [...]. Tu ne te prosterneras pas devant ces dieux et tu ne les serviras pas, car c'est moi, Yahvé, ton Dieu, un Dieu jaloux.

3. Tu ne prononceras pas à tort le nom de Yahvé, ton Dieu, car Yahvé n'acquitte pas celui qui prononce son nom à tort.

4. Tu te souviendras du jour du shabbat pour le sanctifier.

5. Honore ton père et ta mère, afin que les jours se prolongent sur la Terre que te donne Yahvé ton Dieu.

6. Tu ne commettras pas de meurtre.

7. Tu ne commettras pas d'adultère[1].

8. Tu ne commettras pas de rapt[2].

9. Tu ne témoigneras pas faussement contre ton prochain.

10. Tu n'auras pas de visées sur la maison de ton prochain. Tu n'auras pas de visées sur la femme de ton prochain, [...], ni sur son bœuf, ni sur son âne, ni sur quoi que ce soit qui appartienne à ton prochain.

D'après la Bible, *Exode* 20, 1-17.

1. L'adultère est le fait de ne pas être fidèle à son conjoint dans le cadre du mariage.
2. Enlèvement.

Activités

▶ **Socle** *Extraire des informations pertinentes*

1. **DOC. 1 ET 2** De quel ennemi Moïse sauve-t-il les Hébreux ? Selon la Bible comment y parvient-il ?

2. **DOC. 2 ET 3** Montrez que Moïse est guidé par Dieu d'après la tradition biblique.

3. **DOC. 4** Montrez que les Dix Commandements mêlent des règles religieuses et des règles de vie en commun. Citez des passages du texte pour illustrer votre réponse.

4. **DOC. 5** Pourquoi les archéologues pensent-ils que, dans la réalité, la fuite d'Égypte vers Canaan ne peut pas permettre aux Hébreux d'échapper à Pharaon ?

Aide (*Qui domine Canaan au XIIIe siècle av. J.-C. ?*

Pour conclure Répondez à la question suivante sous la forme d'un texte :

⮞ Quel rôle la Bible donne-t-elle à Moïse ?

Aide | *Rappelez la source qui permet de connaître le personnage de Moïse.*
Précisez, à l'aide de deux exemples, le rôle que Moïse tient dans la Bible.
Expliquez pourquoi Moïse ne peut être considéré comme un personnage historique.

Les rites du premier monothéisme

→ **Comment les Hébreux pratiquaient-ils leur religion ?**

A. Un peuple devenu monothéiste

1 | L'Arche de l'Alliance **détruit les objets de culte** païens
Fresque, 24,1 cm x 16,9 cm, synagogue de Doura Europos (Syrie), IIIᵉ siècle ap. J.-C.

2 **Josias, roi de Juda (622-609 av. J.-C.), réaffirme le culte de Yahvé**

Et le roi monta au Temple de Yahvé avec tous les hommes de Juda et les habitants de Jérusalem. Il lut devant eux tout le contenu du livre de l'Alliance, trouvé dans le Temple de Yahvé. Le roi, debout sur l'estrade, conclut l'Alliance qui l'obligeait à suivre les commandements de Yahvé. Tout le peuple adhéra à l'Alliance.
Le roi ordonna au grand prêtre et aux gardiens du Temple de retirer du sanctuaire de Yahvé tous les objets de culte qui avaient été faits pour d'autres idoles. Ceux-ci furent brûlés.

D'après La Bible, *Deuxième Livre des Rois*, 23.

Vocabulaire

Arche de l'Alliance : coffre renfermant les Tables de la Loi, d'après la Bible.

Païen : polythéiste.

Rites : ensemble des pratiques et gestes religieux.

Synagogue : lieu de culte où les Juifs se rassemblent pour prier et lire la Torah.

Torah : cinq premiers livres de la Bible hébraïque constituant la Loi.

B. Une pratique religieuse originale pour le Proche-Orient

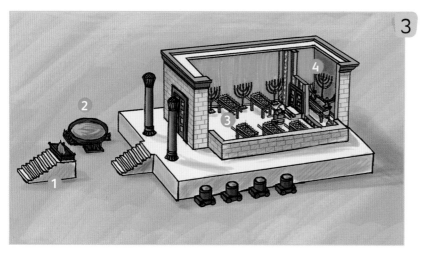

3 | **Un temple unique au VIIIe siècle av. J.-C. : le temple de Jérusalem**

À partir du VIIIe siècle av. J.-C., les temples locaux sont supprimés pour centraliser le culte à Jérusalem, la capitale royale. Selon la Bible hébraïque, le Temple s'organise de la façon suivante :

❶ Autel pour les sacrifices d'animaux.
❷ Bassin aux ablutions (pour les prêtres).
❸ Le Lieu Saint, où brûle l'encens chaque jour.
❹ Le Lieu très Saint où est conservée l'Arche de l'Alliance.

D'après T. Truschel, *La Bible et l'archéologie*, Faton, 2010.

 Rosh Hashana (le nouvel an)
On sonne le cor pour célébrer la création du monde.

 Yom Kippour (grand pardon)
On chasse un bouc hors de la ville car il est porteur des péchés.

 Soukkot (fête des tentes)
On construit une cabane pour rappeler l'errance dans le Sinaï.

 Hanouka (fête des lumières)
On allume la ménorah pour rappeler une victoire contre les Grecs.

 Pessah (la Pâque)
On sacrifie un agneau pour célébrer la sortie d'Égypte.

 Shavouot (Pentecôte)
Rappelle la remise des Dix Commandements à Moïse.

4 | **Des fêtes et rites qui célèbrent l'histoire des Hébreux**

La niche renfermant la Torah, orientée vers Jérusalem.

Passage de la mer Rouge p. 94

Temple de Salomon

Le mur, couvert de fresques racontant des épisodes bibliques.

5 | **La synagogue, nouveau lieu de culte après la destruction du Temple (587 av. J.-C.)**
Fresques (reconstitution), synagogue de Doura Europos, IIe-IIIe siècles ap. J.-C., musée national d'Alep (Syrie).

Activités

▶ **Socle** *Extraire des informations pertinentes*

1. **DOC. 2** D'après la Bible, qui rappelle aux Hébreux l'importance du culte unique ?
2. **DOC. 1 ET 2** Relevez les indices qui montrent que les Hébreux ont été polythéistes.
3. **DOC. 3 ET 4** Quel geste religieux sur les animaux, commun à toutes les religions antiques, est pratiqué par les prêtres de Jérusalem jusqu'au VIe siècle av. J.-C. ?
4. **DOC. 3** Quel est le lieu de culte des Hébreux ?
5. **DOC. 4** Montrez que les fêtes juives sont en lien avec l'histoire du peuple hébreu.
6. **DOC. 5** Où les Juifs peuvent-ils pratiquer leur culte après la destruction du Temple ?

Pour conclure Présentez à l'oral une réponse à la question suivante :

 Comment les Hébreux pratiquent-ils leur religion au Ier millénaire av. J.-C. ?

Jérusalem, capitale du monde juif au Iᵉʳ millénaire av. J.-C.

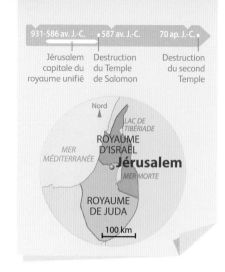

931-586 av. J.-C. • 587 av. J.-C. • 70 ap. J.-C.

Jérusalem capitale du royaume unifié | Destruction du Temple de Salomon | Destruction du second Temple

➤ **Quels éléments font de Jérusalem le centre religieux et politique des Hébreux ?**

1 Une capitale politique et religieuse

La Bible fait de Jérusalem la capitale politique et religieuse des Hébreux depuis le roi David.

1. Jérusalem, la capitale du roi David

David s'établit dans la forteresse ❶. Hiram, roi de Tyr, envoya à David des messagers, avec des bois de cèdre, des charpentiers et des tailleurs de pierre, qui bâtirent une maison à David.

Samuel 2, 5, 9-11.

2. Jérusalem, centre religieux

Salomon construisit la Maison pour le Seigneur ❷. [...] Le Saint des saints, Salomon l'établit pour qu'on y dépose l'Arche d'Alliance de Yahvé.

Rois 1, 6, 19.

3. Jérusalem, la capitale du roi Salomon

Quant à sa maison ❸, Salomon mit treize ans pour la construire et l'achever.

Rois 1, 7, 1.

Les relevés archéologiques montrent qu'avant le VIIIᵉ siècle av. J.-C., Jérusalem est une petite cité.

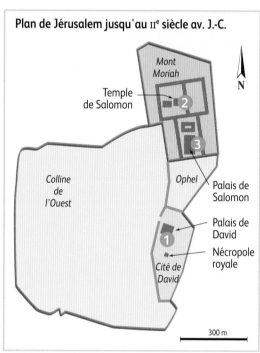

Plan de Jérusalem jusqu'au IIᵉ siècle av. J.-C.

2 Le palais de David retrouvé ?
a. Les vestiges d'un palais

Des fouilles ont mis au jour un palais datant des XIᵉ-Xᵉ siècles av. J.-C. Son architecture est typiquement phénicienne (de la ville de Tyr).

D'après T. Truschel, *La Bible et l'archéologie*, Faton, 2010.

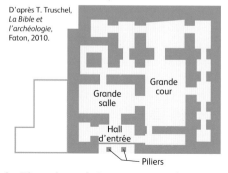

b. Plan du palais reconstitué après les fouilles

3 La prise de Jérusalem et la destruction du Temple de Salomon (587 av. J.-C.)

Nabuchodonosor, roi de Babylone, envahit Jérusalem. Tous les objets du Temple furent emportés et le temple brûlé. Les murailles furent abattues et on incendia les palais. Puis tous ceux qui avaient échappé aux massacres furent déportés à Babylone.

D'après la Bible, *Livre des Chroniques II,* 36, 17-20.

Captifs hébreux emmenés à Babylone
Campagne d'Élam, albâtre, VIIᵉ siècle av. J.-C., musée du Louvre, Paris.

4 La destruction du second Temple (70 ap. J.-C.)
Des soldats romains s'emparant des objets du Temple. Arc de Titus (détail), 81 ap. J.-C., Rome (Italie).

Activités

▸ **Socle** *Extraire des informations pertinentes et raisonner*

1. DOC. 1 D'après la Bible, quels rois ont fait de Jérusalem la capitale d'Israël ? Justifiez.
2. DOC. 2 ET 3 L'archéologie permet-elle de prouver ce que raconte la Bible ? Justifiez.
3. DOC. 3 ET 4 Que devient Jérusalem à chaque défaite des Hébreux ?
4. DOC. 3 ET 4 Rappelez ce que représente le Temple pour les Hébreux. Pourquoi cela peut-il expliquer ce que font les armées combattant les Hébreux quand elles prennent Jérusalem ?

Pour conclure En groupe, construisez un schéma simple qui réponde à la question suivante :

➤ **Pourquoi peut-on dire que Jérusalem est la capitale politique et religieuse du peuple hébreu ?**

Aide *Votre schéma doit mettre en évidence deux idées (Jérusalem, capitale politique et Jérusalem capitale religieuse). Relevez les éléments qui montrent qu'elle est la capitale des rois et qu'elle est le centre religieux des Hébreux.*

Leçon

La naissance du monothéisme juif

🔍 Dans quel contexte le premier monothéisme de l'histoire apparaît-il ?

I Les Hébreux : un peuple de l'Orient ancien

● **Peuple de l'Orient ancien, les Hébreux** seraient venus de Mésopotamie pour s'installer dans le pays de Canaan au XIIIe siècle av. J.-C. Du Xe au VIe siècle av. J.-C., ils vivent dans des royaumes indépendants autour de Jérusalem, capitale du monde juif. Après le VIIe siècle av. J.-C., les invasions perses, grecques et romaines provoquent **la disparition des royaumes** et l'apparition de la diaspora.

● La Bible est un récit en partie légendaire de l'histoire des Hébreux : les sources historiques ne peuvent rien confirmer avant le VIIIe-VIIe siècle av. J.-C.

● **Les textes de la Bible hébraïque semblent avoir été composés entre le VIIIe et le IIe siècle av. J.-C.**, quand les Hébreux étaient menacés par leurs voisins.

II Les Hébreux et le judaïsme

● **La Bible hébraïque fonde le premier** monothéisme. Elle relate l'Alliance des Hébreux avec Yahvé par l'intermédiaire des prophètes (Abraham, Moïse).

● **Elle définit des règles de vie et les Dix Commandements qui, gravés sur les Tables de la Loi, sont le fondement du judaïsme.**

● **Les Hébreux sont le peuple d'un livre (la Bible), d'une terre (Canaan) et d'un temple (le Temple de Salomon).** Les Tables de la Loi y auraient été conservées. Détruit en 587 av. J.-C., le temple est reconstruit puis détruit à nouveau par les Romains (70 ap. J.-C.).

III Le monothéisme juif à l'époque de la Diaspora

● À la fin des royaumes hébreux, au VIe siècle av. J.-C., **les départs des Juifs de Canaan sont nombreux** et se multiplient encore après l'interdiction faite aux Juifs de vivre à Jérusalem (70 ap. J.-C.).

● Hors de Palestine, les communautés se rassemblent et pratiquent le culte dans des synagogues sous l'autorité de chefs religieux, les rabbins, qui lisent et interprètent la Bible hébraïque.

● Les commentaires des grands rabbins font évoluer le culte et les rites et forment un ensemble de textes importants dans le monde juif : le Talmud.

Vocabulaire

Diaspora :
(dispersion en grec) : ensemble des Juifs vivant hors de Canaan après la destruction de Jérusalem et du Temple (587 av. J.-C.).

Monothéisme :
religion dans laquelle on ne croit qu'à un seul dieu.

Synagogue : lieu de culte juif qui se développe avec la dispersion du peuple juif.

Talmud :
commentaires des rabbins sur la Bible hébraïque.

Yahvé : nom donné à Dieu par les Hébreux.

| Xe | IXe | VIIIe av. J.-C. | | IIe av. J.-C. | J.-C. | Ier ap. J.-C. |

Royauté de la maison de David selon la Bible — Élaboration des textes de la Bible

| 1210 av. J.-C. Première mention d'Israël | 639-609 av. J.-C. Josias, roi de Juda | 587 av. J.-C. Destruction du Temple de Jérusalem et exil à Babylone | 70 Destruction du second Temple |

Je retiens l'essentiel

Les Hébreux, un peuple et son histoire

La Bible, un récit légendaire de l'histoire des Hébreux

- Venus de Mésopotamie, les Hébreux auraient été guidés par Abraham pour s'installer à Canaan.
Sous les règnes de David et de Salomon, ils vivent dans un royaume unifié autour de Jérusalem.

Les Hébreux, un peuple du Proche-Orient ancien

- La première mention du peuple hébreu date de 1210 av. J.-C.
Il est alors installé à Canaan, sous domination égyptienne.
À partir du VIIIe siècle av. J.-C., les Juifs subissent des invasions et l'exil.

Les Hébreux et le judaïsme

La Bible hébraïque fonde le judaïsme, le premier monothéisme

Des figures fondatrices

- Le judaïsme repose sur des figures fondatrices comme Moïse.

Un dieu unique et des rites

- Le judaïsme est fondé sur la croyance en un dieu unique et sur des rites.

Le Temple de Jérusalem

- Un lieu fondamental du judaïsme.

Le monothéisme juif à l'époque de la diaspora

Après la destruction du Temple, la pratique du judaïsme se poursuit dans le cadre de la diaspora

- La Bible hébraïque raconte l'histoire du peuple hébreu. Cette histoire est en grande partie légendaire et l'archéologie ne peut confirmer la réalité de nombreux personnages et événements.
- La Bible hébraïque est également le livre qui fonde le judaïsme qui est le premier monothéisme de l'histoire. Elle précise l'ensemble des rites et des pratiques que doivent respecter les Juifs.

FICHE DE RÉVISION À TÉLÉCHARGER
Fiche 5

La naissance du monothéisme juif

1. Construire sa fiche de révision : notez le titre de la leçon sur votre feuille

Je connais...

Objectif 1 ▶ Connaître les repères historiques

✎ **Reproduisez la frise chronologique ci-dessous afin d'y reporter les repères suivants :**
- La période d'écriture de la Bible hébraïque.
- Le siècle présenté dans la Bible comme celui de David et Salomon.
- La date de la destruction du Temple de Salomon dans la Bible.

2 000 av. J.-C.		1 000 av. J.-C.		J.-C.	
	1800-931 av. J.-C. Le temps des Patriarches		Le temps des Rois	587 av. J.-C. - 70 ap. J.-C. Le temps de la dispersion	100 ans

Objectif 2 ▶ Connaître les repères géographiques

✎ **À l'aide de la carte, répondez aux questions suivantes :**
- De quelle région (1) sont originaires les Hébreux selon la Bible ?
- Quelle est la grande puissance du Proche-Orient (2) qu'affronte Moïse dans le texte biblique ?
- Dans quelle région se situent les royaumes de Juda (3) et d'Israël (4) selon la Bible ?

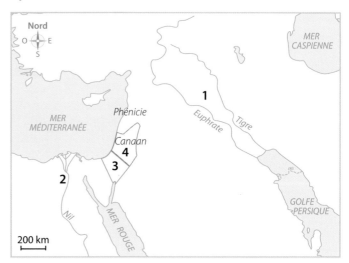

Je suis capable de...

✎ **Pour chacun des objectifs suivants, construisez une réponse à la consigne :**

Objectif 3 ▶ Présenter le contexte de naissance du judaïsme

(*Précisez ce dont il s'agit, quand et où cela se passe.*

Objectif 4 ▶ Présenter la croyance et la pratique religieuse des Hébreux au Ier millénaire av. J.-C

Aide (*Montrez que les Hébreux sont monothéistes et qu'ils respectent certains rites pour pratiquer leur religion.*

Objectif 5 ▶ Raconter un épisode de la Bible

Aide | *Quand Moïse aurait-il vécu ?*
Quelles actions extraordinaires aurait-il accomplies ?
Selon la Bible, quel rôle Yahvé donne-t-il à Moïse ?

1 Construire des repères

Les mythes fondateurs du judaïsme

1. Dans le film *Les Dix Commandements*, le réalisateur C. B. DeMille met en scène la vie de Moïse en s'inspirant du récit biblique.

   a. *Quels sont les deux événements représentés par ces images du film ?*

   b. *Expliquez en quelques phrases ce qui se passe lors de ces deux événements.*

2 Comprendre un texte

Le sacrifice d'Isaac, fils d'Abraham

Dieu mit Abraham à l'épreuve. Il lui dit : « Prends ton fils unique que tu chéris, Isaac, et va-t'en sur le mont Moriah ; là, offre-le en sacrifice. » Abraham se leva tôt et sella son âne. Il prit avec lui deux serviteurs et son fils Isaac puis se mit en route. Le troisième jour, il aperçut le Mont et il dit à ses serviteurs : « Restez ici avec l'âne. Je vais là-bas avec Isaac pour adorer Dieu et nous reviendrons. »

Abraham prit en main le feu et le couteau et ils s'en allèrent. Quand ils furent arrivés, Abraham construisit un autel, attacha Isaac et le mit sur l'autel par-dessus le bois. Puis il prit son couteau pour sacrifier son fils. Mais l'ange de Dieu l'appela du ciel et lui dit : « Ne fais aucun mal à cet enfant ! Je sais maintenant que tu crains Dieu, car tu ne m'as pas refusé ton fils unique. » Abraham vit alors un bélier, retenu par des cornes dans des branchages : il l'offrit en sacrifice à la place de son fils.

D'après la Bible, *Genèse*, 22.

Le sacrifice d'Isaac, sarcophage, IVe siècle, musée de la basilique Saint-Pierre, Rome (Italie).

Abraham ❶ prêt à sacrifier son fils Isaac ❷, comme le lui ordonne Dieu dont la main, aujourd'hui manquante sur la sculpture ❸, arrête le geste.

1. Présentez le texte : d'où est tiré ce récit ? Quel est le sujet traité ?

2. Choisissez la proposition qui convient. Ce texte permet de :

   a. *Comprendre l'histoire des Hébreux.*

   b. *Connaître un récit mythique de la religion juive.*

3. D'après ce récit, pour quelles raisons Dieu demande-t-il à Abraham de sacrifier son fils ?

4. Par quel animal Dieu remplace-t-il le fils d'Abraham ? Pourquoi ?

Auto-évaluation

Je me positionne sur une marche :

1.
- Je lis le texte.
- Je repère sa nature.

= Question 1

2.
- Je lis le texte.
- Je repère sa nature.
- **Je comprends son idée générale.**

= Questions 1 et 2

3.
- Je lis le texte.
- Je repère sa nature.
- Je comprends son idée générale.
- **Je sélectionne des informations pertinentes pour répondre.**

= Questions 1, 2, 3 et 4

4.
- Je lis le texte.
- Je repère sa nature.
- Je comprends son idée générale.
- **Je reformule les informations sélectionnées pour répondre.**

= Questions 1, 2, 3 et 4

Pour progresser, j'analyse mes axes de progrès. Que devrais-je améliorer ?

L'atelier d'écriture — Le passage de la mer Rouge

✏️ À l'aide de vos connaissances et des documents du dossier « Découvrir » p. 98-99, racontez un mythe fondateur de la Bible : le passage de la mer Rouge.

Travail préparatoire (au brouillon)

1. Comprendre le sujet : « Le passage de la mer Rouge ».

Quelle source permet de connaître ce récit ?
Quel est le personnage central du récit ?
Pourquoi cet événement est-il important pour le judaïsme ?

2. Reproduisez le schéma narratif ci-dessous, puis répondez aux questions afin de construire les étapes de votre récit. Vous pouvez répondre par des mots.

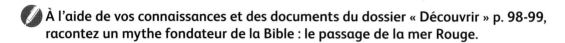

Situation initiale
1. Où les Hébreux vivent-ils ?

Élément modificateur
DOC. 2 p. 98
2. À qui Dieu donne-t-il pour mission de sortir le peuple hébreu d'Égypte ?
3. Pour quelle raison ?

Péripétie et résolution
DOC. 1 et 2 p. 98
4. Quelle est la réaction de Pharaon ?
5. Comment les Hébreux réussissent-ils à lui échapper ?

Situation finale
6. Où les Hébreux arrivent-ils ?

3. Vous pouvez compléter votre récit avec les informations du récit biblique en tapant dans un moteur de recherche « Exode, 14 ».

Travail de rédaction (au propre)

À vous de choisir votre niveau de difficulté et votre ceinture !

Soignez la présentation de votre texte et votre écriture. Évitez les ratures. N'oubliez pas de relire et de vérifier vos accords.

Je rédige un texte **sans aide**.

Rédigez votre texte en vérifiant que :
- Vous commencez votre texte par une phrase qui présente la source qui permet de connaître ce récit.
- Vous terminez par une phrase de conclusion qui précise l'importance de cette histoire pour le judaïsme.

RAPPELS

Je rédige un texte **avec un guide léger**.

Rédigez votre récit en suivant le plan suivant :
- Phrase d'introduction : rappelez la seule source qui permet de connaître ce récit.
- Récit : rédigez votre récit en suivant le schéma narratif.
- Phrase de conclusion : expliquez l'importance de cette histoire pour le judaïsme.

Je rédige un texte **en suivant des consignes précises**.

Rédigez votre récit en suivant le plan suivant :
- Phrase d'introduction : rappelez que seule la Bible permet de connaître ce récit.
- Récit : reprenez les réponses aux questions du schéma narratif.
  Rédigez au moins une phrase par question et utilisez des mots de liaison entre les phrases.
- Phrase de conclusion : expliquez l'importance de cette histoire pour le judaïsme.

 Aide (*Rappelez comment le récit montre le lien entre le peuple juif et son dieu. Indiquez la fête religieuse juive qui continue de célébrer ce moment.*

Enquêter — Qui a écrit la Bible ?

La Bible hébraïque est composée de 39 livres qui racontent 2 000 ans d'histoire du peuple hébreu et de ses croyances.

Menez l'enquête

Qui a rédigé la Bible ?

Afin de réaliser votre enquête, prenez connaissance des différentes pièces du dossier provenant de la Bible et des recherches archéologiques.

Rouleau d'Isaïe (fac simile), Qumran (Palestine), IIIe siècle av. J.-C - Ier siècle ap. J.-C.

Les indices

Indice n°1

Yahvé dit : « Moïse, mets par écrit ces paroles car, avec celles-ci, je conclus une alliance avec ton peuple. »

Exode 34, 27.

Heures à l'usage d'Autun, manuscrit de la fin du XVe siècle, Bibliothèque Sainte-Geneviève, Paris.

Indice n°2

Le roi Josias (639-609 av. J.-C.) convoqua les anciens et il ordonna aux prêtres de débarrasser le Temple de tous les objets liés aux idoles. Il n'y avait pas eu avant lui de roi aussi attaché à Yahvé.

Deuxième Livre des Rois, 23.

Indice n°3

Certains pensent, sans le démontrer, que les événements bibliques ont d'abord été, pendant des générations, transmis oralement.

D'après P. Gibert, Le Monde de la Bible, hors-série, automne 2012.

Indice n°4

La Bible est le fruit d'un long processus d'accumulation de traces et de récits de diverses origines.

D'après J.-C. Attias et E. Benbassa, Encyclopédie des religions, Hachette, 2012.

Indice n°5

La découverte de Qumran qui a mis au jour des textes datant du IIIe siècle av. J.-C. conforte l'idée de la diversité du texte biblique. Il y aurait eu la version du Temple et des versions locales, babylonienne et égyptienne entre autres.

D'après J. Koulagna, Salomon, de l'histoire deutéronomiste à Flavius Josèphe, Publibook, 2009.

Manuscrits de la mer Morte, Ier siècle av. J.-C., Qumran. Découverts entre 1947 et 1956 dans les ruines de Qumran, ce sont les plus anciens manuscrits de la Bible connus à ce jour.

Avez-vous pris connaissance des indices ?
Quelle est votre conviction : qui a écrit la Bible ?

Par équipe, complétez le carnet de l'enquêteur :
Les versions de la Bible : …
Les rédacteurs de la Bible d'après la Bible : …
Les hypothèses des historiens sur les rédacteurs de la Bible : …
Présentez le résultat de votre enquête aux autres équipes.

Histoire des Arts

Le mythe de la Tour de Babel

Contexte de réalisation de l'œuvre :

Les artistes des XVe et XVIe siècles s'inspirent fortement de scènes antiques et bibliques.

Ainsi Bruegel s'inspire-t-il pour sa *Tour de Babel* (*Bab* : « porte » ; *el* : « dieu ») du Colisée (Rome) et des descriptions de Babylone par Hérodote, le célèbre historien grec.

1 Un mythe biblique : la *Tour de Babel*

Bruegel l'Ancien, huile sur panneau de bois, 155 cm x 114 cm, vers 1563, Kunsthistorisches Museum, Vienne (Autriche).

Qui est-il ?
Pieter Bruegel l'Ancien (vers 1525-1569)
Peintre flamand du XVIe siècle.

2 Le récit biblique

Tout le monde se servait d'une même langue et des mêmes mots. Comme les hommes se déplaçaient vers l'Est, ils s'installèrent dans la vallée de Shinéar[1]. Ils se dirent : « Allons ! Bâtissons-nous une ville et une tour pour atteindre le ciel et Dieu. » Yahvé descendit et dit : « Voici que tous font un seul peuple et parlent une seule langue. Rien ne sera irréalisable pour eux. Rendons confus leur langage pour qu'ils ne s'entendent plus les uns les autres. » Yahvé les dispersa sur toute la face de la terre et ils cessèrent de bâtir la ville. Aussi la nomma-t-on Babel, car c'est là que Yahvé confondit le langage de tous les habitants de la Terre et c'est de là qu'il les dispersa sur toute la face de la Terre.

D'après la Bible, Genèse 11, 1-9.

1. En Mésopotamie, l'actuel Irak.

Présenter

1. **DOC. 1** Relevez la nature de l'œuvre, son titre, sa date de réalisation et le nom du peintre.

Décrire

2. **DOC. 1** Décrivez le paysage et les personnages représentés. Comment pouvez-vous décrire la tour (nombre d'étages, forme, etc.) ?

3. **DOC. 1** Quels éléments montrent que le chantier n'est pas achevé dans cette représentation ?

Comprendre

4. **DOC. 2** Selon la Bible, pour quelles raisons les hommes voulaient-ils construire une tour ?

5. **DOC. 1 ET 2** Quelle est la réaction de Yahvé ? Cela est-il représenté sur le tableau ?

Exprimer sa sensibilité et conclure

6. **DOC. 1 ET 2** Selon vous, Bruegel représente-t-il fidèlement ce récit biblique ? Justifiez votre réponse.

Histoire des Arts

La Bible, une source d'inspiration pour les artistes

Contexte de réalisation de l'œuvre :
Depuis des siècles, la Bible accompagne l'imaginaire des croyants mais aussi des artistes. Ceux-ci s'inspirent des multiples récits bibliques qu'ils interprètent et mettent en images. Ces représentations, notamment celles concernant la réception des Tables de la Loi par Moïse, se sont peu à peu gravées dans la mémoire collective.

1 | La réception des Tables de la Loi
M. Chagall, *Moïse recevant les Tables de la Loi*, huile sur toile, 2,37 m x 2,33 m, 1960-1966, musée national Marc Chagall, Nice.

Qui est-il ?
Marc Chagall (1887-1985)
Peintre et graveur français dont l'œuvre est fortement inspirée par la tradition juive.

2 | Moïse recevant les Tables de la Loi
M. Niklaus, *Moïse reçoit les Tables de la loi*, 1516-1520 (copie d'A. Kauw datant du XVIIe siècle), Bernisches Historisches Museum, Berne (Suisse).

Présenter

1. DOC. 1 ET 2 Relevez la nature des œuvres présentées ainsi que leurs titres, dates de réalisation et auteurs.

Décrire

2. DOC. 1 ET 2 Quel personnage biblique est commun aux deux œuvres ? Décrivez-le (corps, gestes, couleurs utilisées, etc.).

3. DOC. 1 ET 2 Comment les peintres représentent-ils la présence et l'intervention de Yahvé ? Faites-en une description (couleurs utilisées, gestes, etc.).

Comprendre

4. DOC. 1 ET 2 Selon la Bible, quelle est l'importance de cet épisode pour les Hébreux ?

5. DOC. 1 ET 2 Selon vous, les artistes ont-ils représenté fidèlement le texte biblique ?

Exprimer sa sensibilité et conclure

6. DOC. 1 ET 2 Lequel des deux tableaux préférez-vous ? Justifiez votre point de vue.

L'Empire romain (conquêtes, romanisation) et les autres mondes anciens

Comment l'Empire romain est-il parvenu à intégrer les peuples conquis ? Quelles relations entretenait-il avec les autres mondes anciens ?

Souvenez-vous !
De quels héros les Romains disent-ils descendre d'après la tradition ?

1 | Arles, cité gauloise devenue colonie romaine par la volonté de Jules César en 46 av. J.-C.
- ❶ Amphithéâtre
- ❷ Théâtre
- ❸ Rhône

1. DOC. 1 Dans quelle région de l'Empire se situait Arles ?
2. DOC. 1 Quels monuments montrent qu'Arles est une ville romaine ?

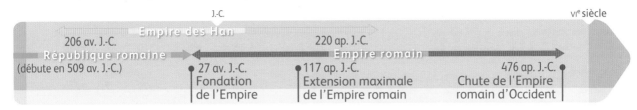

J.-C.
Empire des Han
VIᵉ siècle

206 av. J.-C.
République romaine
(débute en 509 av. J.-C.)

27 av. J.-C.
Fondation
de l'Empire

220 ap. J.-C.
Empire romain

117 ap. J.-C.
Extension maximale
de l'Empire romain

476 ap. J.-C.
Chute de l'Empire
romain d'Occident

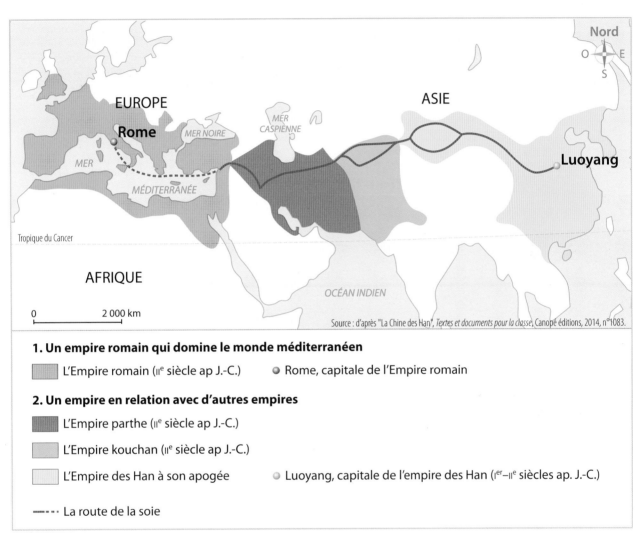

Source : d'après "La Chine des Han", *Textes et documents pour la classe*, Canopé éditions, 2014, n°1083.

1. Un empire romain qui domine le monde méditerranéen

☐ L'Empire romain (IIᵉ siècle ap J.-C.)   ● Rome, capitale de l'Empire romain

2. Un empire en relation avec d'autres empires

☐ L'Empire parthe (IIᵉ siècle ap J.-C.)

☐ L'Empire kouchan (IIᵉ siècle ap J.-C.)

☐ L'Empire des Han à son apogée   ● Luoyang, capitale de l'empire des Han (Iᵉʳ–IIᵉ siècles ap. J.-C.)

----- La route de la soie

---

2 | De l'Empire romain à l'Empire chinois des Han

3. DOC. 2 Sur combien de continents l'Empire romain s'étend-il ?
   Précisez lesquels.

4. DOC. 2 Quels autres grands Empires existent à cette époque ?

Soyez attentif aux sources
dans tout le chapitre

Les textes

Les traces
archéologiques   **Les sources
du chapitre**   Les pièces
de monnaie

Les céramiques   La sculpture

𝒱ocabulaire

Empire romain : ensemble des territoires
dominés par les Romains, mais aussi régime
politique né après la fin de la République
et qui s'apparente à une monarchie.

La conquête de l'Empire romain

➤ Comment la cité romaine est-elle parvenue à s'étendre et à dominer le monde méditerranéen ?

Point méthode

Identifier les documents sources
1. Quels sont les documents sources de l'ensemble documentaire ?
2. Quelle est la nature de chacun d'eux ?

Identifier leur point de vue
3. L'image qu'ils donnent de l'empereur et de l'armée romaine est-elle positive ou négative ? Justifiez.

1 | Une armée qui intègre les peuples soumis

Suivant l'empereur ❶ à la bataille, les auxiliaires ❷ germains, reconnaissables à leur torse nu, précèdent les légionnaires ❸.

Bas-relief, colonne Trajane (détail), IIe siècle ap. J.-C., Rome (Italie).

3 | La tortue

En formation serrée dite de la « tortue », les légionnaires romains avancent malgré les projectiles protégés par leurs boucliers.

Bas-relief, colonne Trajane (détail), IIe siècle ap. J.-C., Rome (Italie).

2 | Le légionnaire romain, un soldat bien équipé au Ier siècle ap. J.-C.

❶ Glaive ❷ Bouclier recouvert de cuir
❸ Bosse en fer ❹ Tunique rouge
❺ Sandales de cuir cloutées
❻ Casque en fer
❼ Cuirasse

Vocabulaire

Auxiliaire : membre d'une troupe alliée combattant aux côtés des Romains.

Colonie : cité munie d'une garnison destinée à contrôler un territoire récemment conquis par Rome.

Imperator : nom donné à un général romain victorieux.

Légion : unité de l'armée romaine.

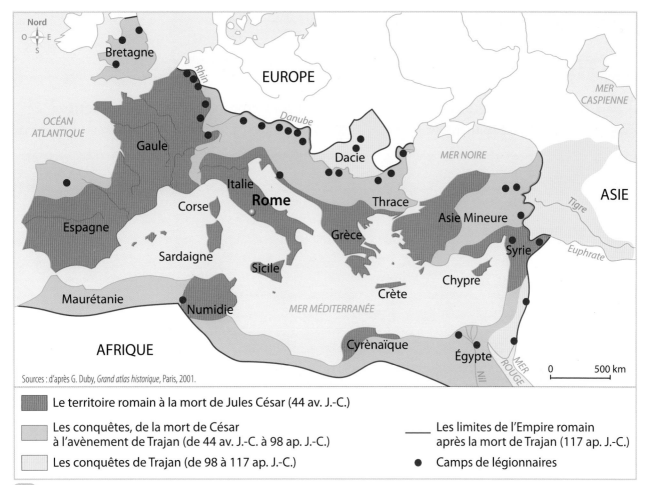

Nord
O ← ✦ → E
S

Bretagne

EUROPE

MER CASPIENNE

Rhin

Danube

OCÉAN ATLANTIQUE

Gaule

Dacie

MER NOIRE

ASIE

Italie

Rome

Thrace

Asie Mineure

Tigre

Corse

Espagne

Grèce

Syrie

Euphrate

Sardaigne

Sicile

Chypre

Maurétanie

Numidie

Crète

MER MÉDITERRANÉE

Égypte

0   500 km

AFRIQUE

Cyrénaïque

MER ROUGE

Nil

Sources : d'après G. Duby, *Grand atlas historique*, Paris, 2001.

▇ Le territoire romain à la mort de Jules César (44 av. J.-C.)

▇ Les conquêtes, de la mort de César
à l'avènement de Trajan (de 44 av. J.-C. à 98 ap. J.-C.)

▔ Les conquêtes de Trajan (de 98 à 117 ap. J.-C.)

—— Les limites de l'Empire romain
après la mort de Trajan (117 ap. J.-C.)

● Camps de légionnaires

4 | Rome, une cité conquérante

Rappel de CM1

Quel est le nom de l'*imperator* qui a conquis la Gaule ?

5 Des conquêtes qui enrichissent Rome

Menant la guerre avec plus de prudence et de sûreté que d'ardeur, Trajan, avec le temps et non sans peine, vainquit les Daces. Il fit preuve d'ingéniosité comme *imperator* et comme homme. Ses soldats affrontèrent maint danger. Décébale[1], comme sa résidence royale et son royaume tout entier étaient au pouvoir des vainqueurs, se donna la mort, et sa tête fut portée à Rome. C'est ainsi que la Dacie fut réduite sous l'obéissance des Romains, et Trajan y colonisa plusieurs villes. Les trésors de Décébale furent trouvés, bien que cachés sous le fleuve qui baigne la résidence royale.

D'après Dion Cassius, 68-14, *Histoire romaine*,
IIe-IIIe siècle ap. J.-C.

1. Roi des Daces.

Qui est-il ?

Dion Cassius (150-235 ap. J.-C.)
Historien romain de langue grecque.

Activités

▸ **Socle** *Extraire des informations pertinentes*

1. DOC. 4 Quels sont les territoires conquis par les Romains et intégrés à leur Empire ?
2. DOC. 1, 2 ET 3 Qui compose les rangs de l'armée romaine ?
3. DOC. 5 Quelle est la conséquence économique des conquêtes ?

Pour conclure Construisez un schéma pour répondre à la question suivante :

➤ **Comment Rome a-t-elle conquis son Empire et quelles en sont les conséquences?**

Aide *Vous pouvez utiliser les propositions suivantes :
Efficacité de l'armée romaine,
Conquête d'un immense territoire,
Victoires, Enrichissement de Rome ,
Peuples différents dans un seul empire.*

Rome, capitale de l'Empire

➜ **Comment Rome reflète-t-elle la puissance de l'Empire ? Quels monuments font de l'*Urbs* le modèle pour toutes les villes de l'Empire ?**

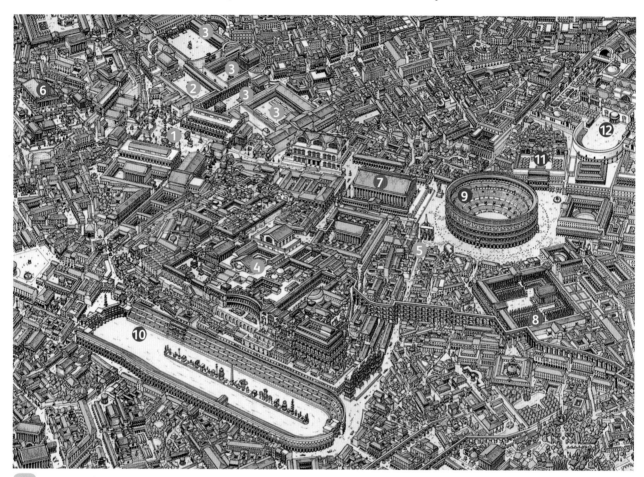

1 | **Le centre de Rome au IIᵉ siècle ap. J.-C., cœur du pouvoir et modèle pour le reste de l'Empire (reconstitution)**
J. Martin, G. Chaillet, *Les Voyages d'Alix : Rome*, Casterman, 2000.

Édifices à fonction politique
❶ Forum républicain
❷ Forum de César
❸ Forums des empereurs
(de bas en haut :
forums de la Paix, de Nerva,
d'Auguste, de Trajan)
❹ Palais impérial (Palatin)
❺ Arc de Constantin

Édifices à fonction religieuse
❻ Temple de Jupiter (Capitole)
❼ Temple de Vénus et de Rome
❽ Temple du divin empereur Claude

Édifices destinés aux loisirs
❾ Colisée (amphithéâtre)
❿ *Circus Maximus* (hippodrome)
⓫ Thermes de Titus
⓬ Thermes de Trajan

Vocabulaire

Amphithéâtre : édifice public de forme circulaire où se déroulaient les combats de gladiateurs.

Forum : place publique où se concentrent les activités judiciaires, politiques, religieuses et économiques.

Hippodrome : circuit destiné aux courses de chevaux.

Thermes : bains publics gratuits.

Triomphe : cérémonie au cours de laquelle l'empereur défile dans Rome à la tête de ses troupes.

Urbs : terme utilisé par les Romains pour désigner Rome, la Ville par excellence.

2 L'empereur Constance II découvre Rome

Régnant depuis la partie orientale de l'Empire, Constance II ne se rend à Rome qu'en 357.

Arrivé au forum républicain si représentatif de l'ancienne puissance romaine, il est ébloui par le nombre de chefs-d'œuvre. Après s'être adressé au sénat et au peuple, il se rend au palais puis assiste aux courses de chars. Il parcourt aussi les quartiers des sept collines, croyant toujours que le dernier édifice vu est le plus beau : le temple de Jupiter Tarpéien qui domine la ville comme le ciel domine la terre ; les thermes, grands comme des provinces ; la masse de l'amphithéâtre du Colisée en pierre de Tibur et sa hauteur vertigineuse ; le Panthéon et son audacieuse coupole ; le temple de la déesse Rome, le forum de la Paix, le théâtre de Pompée, l'Odéon, le stade, et tant d'autres merveilles. Parvenu au forum de Trajan, construction unique au monde, il s'arrête stupéfait devant ses proportions colossales.

D'après A. Marcellin, *Histoires,* 26, IVe siècle.

Qui est-il ?
Ammien Marcellin (330-395)
Historien romain de langue latine.

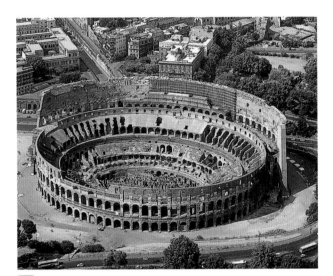

3 | Le Colisée ❾ et sa hauteur vertigineuse
Inauguré par l'empereur Titus en 80, il peut accueillir 45 000 spectateurs, 70-80 ap. J.-C., Rome (Italie).

4 | L'Arc de Constantin ❺, témoignage de l'entrée triomphale de l'empereur en 315
L'empereur construit cet arc pour défiler dessous avec ses troupes lors de son triomphe, 315 ap. J.-C., Rome (Italie).

5 Un empereur bâtisseur pour le peuple de Rome

[Trajan] dépensait beaucoup pour la guerre, beaucoup aussi pour des travaux pendant la paix ; mais les dépenses les plus nombreuses et les plus nécessaires étaient la réparation des routes, des ports et des édifices publics. Ayant reconstruit le *Circus Maximus*, plus beau et plus magnifique, il y mit une inscription indiquant qu'il l'avait rebâti pour accueillir tout le peuple de Rome. Il souhaitait ainsi (plutôt) se faire aimer (qu'être honoré).

D'après Dion Cassius, *Trajan,* 58, 7, IIe siècle ap. J.-C.

Activités

▸ **Socle** *Extraire des informations pertinentes*

1. **DOC. 2** Quelle impression sa visite de Rome laisse-t-elle à Constance II ?
2. **DOC. 1 ET 2** Retrouvez son parcours à partir de la reconstitution : relevez les numéros des lieux visités par l'empereur.
3. **DOC. 3, 4 ET 5** Quels bâtiments les empereurs font-ils construire à Rome ? Trouvez au moins deux raisons à ces constructions.

Pour conclure Répondez par quelques phrases à la question suivante :

➜ **Comment la ville de Rome reflète-t-elle la puissance de l'Empire ?**

Aide | *Vous pouvez évoquer les bâtiments qui traduisent la richesse de Rome et ceux qui font de Rome la capitale politique de l'Empire.*

Vivre dans une ville gallo-romaine : Vienne

➜ **Comment la ville de Vienne et ses habitants ont-ils été romanisés ?**

1 | Vêtu de la toge, un membre de l'élite locale

Statue de Caius Julius Pacatianus érigée sur une place publique de Vienne, sa ville natale. Bronze, IIe-IIIe siècles, grandeur nature, musée de Vienne, Vienne.

2 La carrière exemplaire de Caius Julius Pacatianus

Dédicace de la colonie d'Aelia Augusta Italica (Andalousie) qui a commandité la statue pour honorer son bienfaiteur.

À Caius Julius Pacatianus, honorable personne, procurateur[1] de nos empereurs, officier militaire, procurateur de la province d'Osrohène[2], procurateur des Alpes Cottiennes[3], admis parmi les proches conseillers de nos trois empereurs [Septime Sévère, Géta et Caracalla], procurateur de la Maurétanie Tingitane.

Dédicace figurant sur la statue de Caius Julius Pacatianus, Vienne.

1. Gouverneur.
2. Province romaine qui se situe dans le sud-est de l'Asie Mineure (nord-ouest de l'ancienne Mésopotamie).
3. Province romaine dans le sud des Alpes. Elle est à cheval entre le sud de la France actuelle et le nord de l'Italie contemporaine.

3 | Temple d'Auguste et Livie

Ce temple dédié au culte impérial est situé sur le forum.
Temple d'Auguste et Livie (sa femme), Ier siècle ap. J.-C., Vienne.

Vocabulaire

Culte impérial : pratiques religieuses pour honorer un empereur mort déclaré divin par le sénat.

Élite : petit groupe de personnes qui domine une société.

Romanisation : influence de la culture romaine sur le mode de vie des autres peuples de l'Empire.

Toge : vêtement masculin formé d'un drap qui se porte au-dessus d'une tunique.

4 | La ville de Vienne à l'époque impériale

J. Martin, B. Helly, G. Bouchard, *Les Voyages d'Alix : Vienna*, Casterman, 2015.

❶ Entrepôts
❷ Enceinte de la ville
❸ Forum
❹ Théâtre
❺ Sanctuaire de la colline du Pipet

5 | Reconstitution d'une barque et sa cargaison

« On emporte de la Gaule viennoise un vin que les Romains estiment beaucoup » écrit l'auteur grec Plutarque (*Propos de table*, Ier-IIe siècle ap. J.-C.).

Reconstitution d'une barque en bois, musée gallo-romain de Saint-Romain-en-Gal.

Activités

▶ **Socle** *Réaliser une production graphique*

À l'aide des documents, reproduisez et complétez la carte mentale ci-dessous en répondant aux questions.

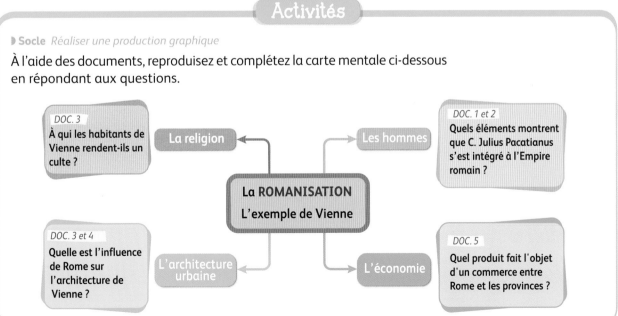

DOC. 3
À qui les habitants de Vienne rendent-ils un culte ?

La religion

Les hommes

DOC. 1 et 2
Quels éléments montrent que C. Julius Pacatianus s'est intégré à l'Empire romain ?

La ROMANISATION
L'exemple de Vienne

DOC. 3 et 4
Quelle est l'influence de Rome sur l'architecture de Vienne ?

L'architecture urbaine

L'économie

DOC. 5
Quel produit fait l'objet d'un commerce entre Rome et les provinces ?

L'atelier de l'archéologue

Interpréter des traces archéologiques

Un domaine agricole gallo-romain

→ **Vous êtes un archéologue et vous voulez expliquer ce qu'est une villa gallo-romaine.**

J.-C.

Fin du Iᵉ siècle av. J.-C.

Fin du IIIᵉ siècle ap. J.-C., le site de Richebourg est détruit

Nord

Richebourg
LA GAULE
Saint-Romain-en-Gal
Villas d'Ausone
200 km

A. Ce que le site archéologique révèle

Source 1 Le site archéologique de la villa de Richebourg

a. Site découvert en 1978 dans le département des Yvelines.

Les fouilles archéologiques ont lieu de 1994 à 1999.

P. Laforest et G. Cavalli, Service archéologique départemental des Yvelines.

1 Entrée
2 Bâtiment résidentiel
3 Thermes avec chauffage au sol
4 Écuries
5 Jardin d'agrément
6 Cellier avec cave
7 Bâtiment destiné à l'activité agricole
8 Grange pour entreposer le matériel agricole et le foin

b. Maquette de la villa de Richebourg à la fin du Iᵉʳ siècle ap. J.-C.

Maquette réalisée à partir des fouilles archéologiques.

P. Laforest et G. Cavalli, Service archéologique départemental des Yvelines.

c. Les traces de l'activité agricole du domaine

Un archéologue explique

Les analyses des grains de pollen trouvés indiquent un paysage de prairies, et donc de l'élevage mais pas de traces de céréales.

D'après Y. Barat, « La villa gallo-romaine de Richebourg », *Revue archéologique du centre de France*, 1999.

Vocabulaire

Villa : vaste domaine agricole au centre duquel se trouve une grande maison appartenant au maître.

B. Ce que d'autres sites ont révélé

Un propriétaire aquitain témoigne

[Sur le] petit héritage, royaume de mes ancêtres, que mon père a cultivé, je cultive 200 arpents[1] en terre labourable : j'ai 100 arpents en vignes, moitié en prés, et en bois ; pour la culture de mon champ, je n'ai ni trop ni trop peu d'ouvriers. À côté, une source, un puits peu profond, et un fleuve limpide et navigable. Je conserve toujours des fruits pour deux ans : qui ne fait pas de longues provisions sent vite la famine. Ma campagne n'est située ni trop loin ni trop près de la ville ; j'échappe ainsi aux importuns, et je suis maître de mon bonheur.

D'après Ausone, *Idylles*, IVe siècle ap. J.-C.

1. Deux cents arpents de terre : 50,36 hectares.

Qui est-il ?

Ausone (vers 310-395)
Poète latin né en Aquitaine, il est aussi un grand propriétaire terrien.

Source 3

Un calendrier agricole pour la villa de Saint-Romain-en-Gal, près de Vienne
Mosaïques en pierre, marbre, verre, IIIe siècle ap. J.-C., musée d'archéologie nationale, Saint-Germain en Laye.

Labours et semailles

Vendanges

La démarche de l'archéologue

Étape 1 ▶ **Identifier et comprendre une source archéologique**

1. **SOURCE 1** Recopiez et complétez la fiche du site fouillé :

> **SOURCE 1 La villa de Richebourg**
> - Localisation : …
> - Espaces de travail : …
> - Espaces de vie : ….
> - Productions agricoles : …

2. **SOURCE 1** Comment les archéologues connaissent-ils l'activité agricole d'une villa ?

Étape 2 ▶ **Confronter les découvertes archéologiques du site de Richebourg à d'autres sources**

3. Quelles sont les informations complémentaires apportées par les autres sources ?

Aide | *SOURCE 2 Que produit la villa d'Ausone en Aquitaine ? Comment les productions sont-elles transportées ?*

SOURCE 3 Quelles sont les activités agricoles de la villa de Saint-Romain-en-Gal ?

Pour conclure

Rédigez quelques phrases qui présentent une villa gallo-romaine.

Aide | *Rappelez les sources dont vous disposez. Évoquez les bâtiments, les activités et les productions agricoles.*

Découvrir

L'empereur Hadrien : voyager pour gouverner

 Comment Hadrien fait-il régner la paix romaine **dans un empire formé d'une multitude de peuples ?**

Avers (côté face)
« Hadrien, Auguste (élu des dieux), Consul pour la 3e fois, Père de la patrie ». Ce type de portrait illustre le côté face de la plupart des pièces.

Revers 2 (côté pile)
L'Afrique fait une offrande pour accueillir Hadrien.

Revers 1 (côté pile)
« Hadrien relève et restaure la Grèce ».

27 av J.-C.
Fondation de l'Empire romain par Auguste

117 à 138 ap. J.-C.
Règne d'Hadrien

Biographie
Hadrien (76-138)
Adopté par l'empereur Trajan, il lui succède en 117 ap. J.-C. Il stoppe la politique de conquêtes et réorganise l'administration de l'Empire.

1 | **Les voyages d'Hadrien : le point de vue des monnaies**
Trois pièces d'or d'Hadrien illustrent ses déplacements dans l'Empire, IIe siècle ap. J.-C.
British Museum, Londres (Royaume-Uni).

2 | **Un empereur voyageur**

Il part pour les Gaules et partout sa générosité secourt ceux qui en ont besoin. Il va en Germanie, et, quoiqu'il préfère la paix à la guerre, il exerce les soldats, comme si la guerre était proche. Il passe en Bretagne, où il fait de nombreuses réformes. Il se rend en Espagne et passe l'hiver à Tarragone. Là, il construit à ses frais le temple d'Auguste.

Hadrien fait alors en Espagne ce qu'il pratique à d'autres époques en beaucoup d'autres lieux où les Romains ne sont séparés des barbares que par de simples limites et non par des fleuves : il établit le long des frontières une espèce de mur. Traversant l'Asie, il revient en Grèce où il comble de bienfaits les Athéniens et préside leurs jeux.

D'après A. Spartianus (auteur présumé), *Histoire Auguste, Vie d'Hadrien*, IVe siècle.

Point méthode

Étudier des pièces de monnaie

Décrire une pièce
1. **Qui est représenté sur l'avers de la monnaie ?**
2. **Comment les provinces sont-elles représentées sur les revers des pièces ?**
3. **Sur le revers 1, quel geste de l'empereur montre qu'il est le protecteur de la Grèce ?**
4. **Sur le revers 2, comment l'empereur est-il accueilli par l'Afrique ?**

Interpréter la pièce
5. **Quelle relation l'empereur souhaite-t-il instaurer entre Rome et les provinces ?**

Vocabulaire

Limes : zone de défense des frontières associant des routes, des forts et parfois un mur de défense.

Paix romaine : longue période de paix s'étendant du Ier au IIe siècle ap. J.-C. imposée par les Romains à l'intérieur de leur Empire.

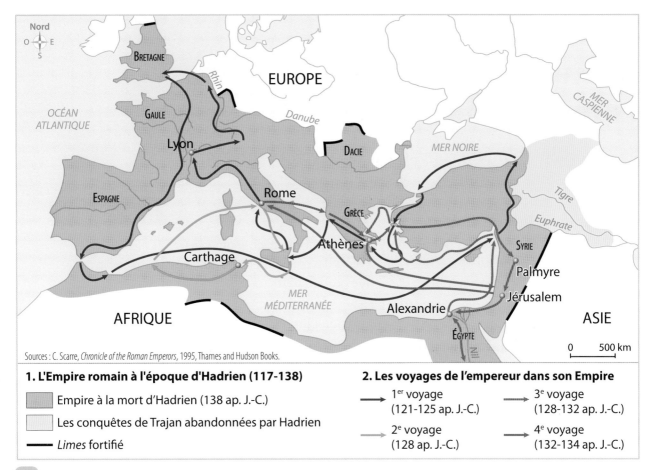

Sources : C. Scarre, *Chronicle of the Roman Emperors*, 1995, Thames and Hudson Books.

1. L'Empire romain à l'époque d'Hadrien (117-138)

Empire à la mort d'Hadrien (138 ap. J.-C.)

Les conquêtes de Trajan abandonnées par Hadrien

— *Limes* fortifié

2. Les voyages de l'empereur dans son Empire

→ 1er voyage (121-125 ap. J.-C.)

→ 2e voyage (128 ap. J.-C.)

→ 3e voyage (128-132 ap. J.-C.)

→ 4e voyage (132-134 ap. J.-C.)

3 | Les itinéraires de l'empereur Hadrien

4 | Le mur d'Hadrien : un *limes* fortifié

Vue aérienne des vestiges du camp romain de Housesteads (Royaume-Uni) sur le mur d'Hadrien. Construit à sa demande, le mur d'Hadrien fait 128 km de longueur et comporte 16 grands forts.

❶ Mur ❷ Fort ❸ Route d'accès

Activités

▸ **Socle** *Extraire des informations pertinentes*

1. DOC. 3 Calculez, puis comparez la durée du règne d'Hadrien et celle de ses voyages dans l'Empire.
2. DOC. 3 Ces déplacements représentent-ils un effort important pour l'empereur ?
3. DOC. 2 ET 4 Quels sont les objectifs militaires poursuivis par Hadrien lors de ses voyages ?
4. DOC. 2 Que fait-il également lors de ses déplacements ?

Pour conclure

Construisez une réponse courte pour l'exposer à l'oral.

↘ **Comment l'empereur Hadrien assure-t-il la paix à l'intérieur de l'Empire ?**

Leçon

L'Empire romain, conquêtes, romanisation

🔍 Comment l'Empire romain est-il parvenu à intégrer les peuples conquis ?

I La conquête d'un empire

- **Après avoir imposé sa domination à l'Italie, Rome a poursuivi ses conquêtes jusqu'au IIe siècle.** L'Empire, alors devenu immense, s'étend autour de la mer Méditerranée et sur une grande partie de l'Europe.

- C'est grâce à une armée disciplinée, bien équipée et capable d'intégrer les peuples soumis que Rome a imposé sa domination.

- **Grâce aux conquêtes, Rome s'enrichit** et la ville ne cesse de s'embellir. Les empereurs font construire des monuments gigantesques et offrent des spectacles grandioses qui montrent la supériorité de la cité.

II La paix romaine s'impose

- Au IIe siècle, l'empereur Hadrien fortifie la frontière (*limes*) pour protéger l'Empire et l'isoler des nations considérées comme « barbares ». L'armée est chargée d'assurer l'ordre à l'intérieur de l'Empire.

- Ainsi **aux Ier et IIe siècles ap. J.-C., l'Empire vit une période de paix** qui favorise la prospérité économique. Les échanges commerciaux se développent entre les différentes provinces et Rome. Les marchandises circulent par voies fluviales et maritimes ainsi que sur des routes construites par les Romains.

III La romanisation progressive de l'Empire

- Partout dans l'Empire, Rome diffuse sa langue, ses lois et sa religion.

- **Les villes des provinces**, comme Vienne en Gaule, **se construisent sur le modèle de Rome**. On y bâtit des forums, des thermes ou des temples dédiés au culte impérial. Dans les campagnes, la romanisation se marque par l'apparition de villas. Cependant, les différentes populations de l'Empire conservent une grande partie de leurs coutumes et langues locales.

- **Pour intégrer les peuples conquis, les empereurs accordent progressivement la citoyenneté romaine.** En 212, l'édit de Caracalla accorde en effet la citoyenneté romaine à tous les hommes libres de l'Empire.

Vocabulaire

Empire romain : ensemble des territoires dominés par les Romains. Le mot désigne aussi le régime politique qui remplace la République.

Paix romaine : période de paix imposée par les Romains à l'intérieur de leur Empire. Elle s'étend du Ier au IIe siècle ap. J.-C.

Romanisation : influence de la culture romaine sur le mode de vie des autres peuples de l'Empire.

Culte impérial : pratiques religieuses en l'honneur d'un empereur mort que le Sénat romain a désigné comme divin.

Villa : vaste domaine agricole au centre duquel se trouve une grande maison appartenant au maître.

J.-C.   VIe siècle

Empire romain

27 av J. –C.
Fondation de l'Empire

117 ap. J.-C. ⟷ 138 ap. J.-C.
Règne de l'empereur Hadrien

212 ap. J.-C.
Édit de Caracalla

476 ap. J.-C.
Chute de l'Empire romain d'Occident

Je retiens l'essentiel

L'Empire romain, conquêtes, paix romaine, romanisation

Conquêtes

- L'armée romaine fait la conquête d'un immense Empire

Paix romaine

- Hadrien met fin aux conquêtes et fortifie le *limes* pour protéger l'Empire. Cette période de paix se traduit par une prospérité économique

Romanisation

- La culture romaine se diffuse chez les peuples conquis. En 212, tous les hommes libres deviennent citoyens romains

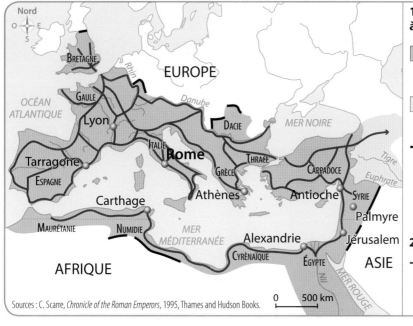

1. L'Empire romain à l'époque d'Hadrien

- Empire après la mort d'Hadrien (138 ap. J.-C.)
- Les conquêtes de Trajan abandonnées par Hadrien
- *Limes* fortifié
- Rome, capitale de l'Empire
- Autres cités importantes

2. Les voies romaines

- Routes

Sources : C. Scarre, *Chronicle of the Roman Emperors*, 1995, Thames and Hudson Books.

L'essentiel en texte

- Grâce à leurs armées, les Romains font la conquête d'un immense empire.
- Au IIe siècle, l'empereur Hadrien met fin aux conquêtes et consolide les frontières. Cette paix facilite la diffusion du mode de vie romain au sein d'un Empire comprenant de multiples peuples aux cultures différentes.

La route de la soie, lien entre Rome et la Chine

➤ **Quelles sont les relations de l'Empire romain avec l'Orient ?**

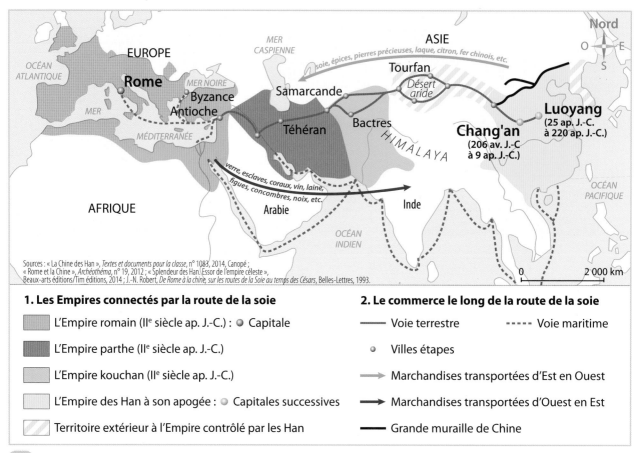

Sources : « La Chine des Han », *Textes et documents pour la classe*, n° 1083, 2014, Canopé ; « Rome et la Chine », *Archéothéma*, n° 19, 2012 ; « Splendeur des Han. Essor de l'empire céleste », Beaux-arts éditions/Tim éditions, 2014 ; J.-N. Robert, *De Rome à la chine, sur les routes de la Soie au temps des Césars*, Belles-Lettres, 1993.

1. Les Empires connectés par la route de la soie

- L'Empire romain (IIe siècle ap. J.-C.) : ○ Capitale
- L'Empire parthe (IIe siècle ap. J.-C.)
- L'Empire kouchan (IIe siècle ap. J.-C.)
- L'Empire des Han à son apogée : ○ Capitales successives
- Territoire extérieur à l'Empire contrôlé par les Han

2. Le commerce le long de la route de la soie

- ——— Voie terrestre
- - - - - Voie maritime
- ○ Villes étapes
- ➡ Marchandises transportées d'Est en Ouest
- ➡ Marchandises transportées d'Ouest en Est
- ——— Grande muraille de Chine

1 | La route de la soie à l'époque des Han

2 Prise de contact

Le roi de ce pays [l'Empire romain] a toujours voulu envoyer des émissaires aux Han, mais les An-shii [Parthes], désireux de contrôler le commerce des soieries chinoises multicolores, ont bloqué la route pour les empêcher de passer en Chine.

Dans la neuvième année de Yanxi [166 ap. J.-C.], pendant le règne de l'empereur Huan, le roi de Da Qin [l'Empire romain], An-tun [Marc Aurèle], a envoyé des émissaires d'au-delà les frontières à travers Rinan [région dominée par les Chinois sur la côte vietnamienne]. Ils offrent des défenses d'éléphant, de la corne de rhinocéros et de la carapace de tortue. Ce fut la première fois qu'il y avait une communication [directe] [entre les deux pays].

D'après Fan-Ye, *Hou Hanshou* ou *livre des Han postérieurs*, Ve siècle.

Le saviez-vous ?

La route de la soie relie, depuis le IIe siècle av. J.-C., la Chine à la Méditerranée. Si le commerce de la soie a donné son nom à cet itinéraire, de nombreux autres produits y circulent également.

Vocabulaire

Caravane : groupe de marchands traversant ensemble le désert avec des dromadaires ou des chameaux.

3 | La route de la soie à l'époque des Han

Personnage féminin dansant en habit de soie.

Fresque de Pompéi, Ier siècle ap. J.-C., musée archéologique de Naples (Italie).

····Centaure, créature de la mythologie gréco-romaine.

4 | Des motifs romains en Chine

Tissu découvert à Shanpula (Chine).

Fragment de textile (sans doute d'un pantalon), laine, 48 cm x 116 cm , IIe siècle av. J.-C.-IIe siècle ap. J.-C., Xinjiang Uygur Autonomous Region Museum, Urumqui (Chine).

5 | Un marchand ambulant sur la route de la soie

Un caravanier sogdien (peuple de la région de Samarcande) sur son chameau. Ces caravanes de marchands circulent sur la route de la soie et transportent les marchandises.

Terre cuite chinoise, époque Tang (VIIe-Xe siècles), musée Cernuschi, Paris.

Activités

▶ **Socle** *Extraire des informations pertinentes*

1. DOC. 1 Quelles sont les régions traversées par la route de la soie ? Quels sont les obstacles naturels rencontrés ?

2. DOC. 2 Quel autre type d'obstacle perturbe la route de la soie ?

3. DOC. 1, 2, 3 ET 4 Quelles sont les marchandises transportées entre le monde chinois et Rome ?

4. DOC. 2 ET 5 Quel rôle certains peuples d'Asie centrale jouent-ils dans ce transport ?

Pour conclure À l'aide des documents étudiés, justifiez l'affirmation suivante :

➤ **La route de la soie est un lien commercial entre l'Empire romain et d'autres mondes anciens.**

L'Empire de Chine

➤ **Quelle civilisation se met en place en Chine sous la dynastie des Han ?**

206 av. J-C.	Chine des Han	220 ap. J.-C.
	27 av. J.C.	166 ap. J.-C.
	Début de l'Empire romain	Première ambassade romaine en Chine

1 Les armées de l'empereur Wudi (156-87 av. J.-C.), symboles de sa puissance

Cavaliers miniatures, bronze, 55 cm x 33 cm, musée de la province du Gansu, Lanzhu (Chine).

2 La pensée de Confucius

La philosophie de Confucius devient sous l'empereur Wudi (IIe siècle av. J.-C.) la pensée officielle de l'Empire. Elle est enseignée aux futurs fonctionnaires lors de leurs études au sein de l'université impériale.

Servez votre père avec l'affection que vous avez pour votre mère, et vous l'aimerez également ; servez votre père avec la vénération que vous avez pour votre Prince, et vous le respecterez également. Vous servirez le Prince par piété filiale, et serez un sujet fidèle ; vous obéirez à ceux qui sont au-dessus de vous par respect filial, et vous serez un citoyen soumis : or, la fidélité et la soumission préviennent toutes les fautes vis-à-vis des supérieurs.

D'après Confucius, *Hiao King, Le Livre de la piété filiale* (traduit par P.-M. Cibot, 1779).

Vocabulaire

Fonctionnaire : personne travaillant pour l'administration impériale.

Sismomètre : instrument qui capte les mouvements du sol liés aux tremblements de terre.

3 | Une civilisation de l'écrit

Séchage des feuilles de papier nouvellement fabriquées.

Gouache réalisée en Chine au XVIIIᵉ siècle, probablement envoyée par un missionnaire jésuite au géographe L. Brion de La Tour.
Gouache, XVIIIᵉ siècle, BNF, Paris.

Le saviez-vous ?

Le papier est inventé par les Chinois vers 120 av. J.-C. Sa méthode de fabrication fait encore l'admiration des visiteurs européens au XVIIIᵉ siècle.

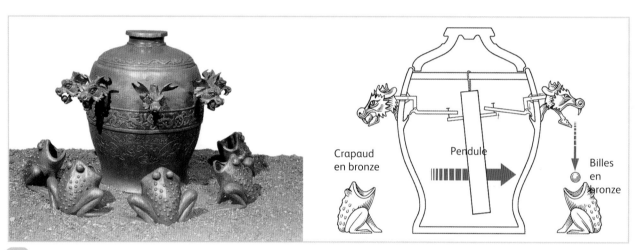

Crapaud en bronze — Pendule — Billes en bronze

4 | De nombreuses découvertes scientifiques : le sismomètre

Copie du sismomètre inventé par Zhang Heng en 132 ap. J.-C et offert à l'empereur.
Science Museum, Londres (Royaume-Uni).

Activités

▶ **Socle** *Comprendre le sens général d'un document*

1. DOC. 1 Sur quelle force militaire l'empereur Wudi s'appuie-t-il pour combattre ses ennemis ?
2. DOC. 2 Quelle utilité l'empereur peut-il trouver à soutenir les idées de Confucius ?
3. DOC. 3 Quelle invention a permis de diffuser l'écriture sous les Han ?
4. DOC. 4 Comment ce mécanisme alerte-t-il des séismes ? Comment indique-t-il leur direction ?

Pour conclure — Sélectionnez les documents permettant de répondre à la question suivante :

➥ **Pourquoi la civilisation chinoise à l'époque des Han est-elle brillante ?**

Vous pouvez présenter votre réponse sous la forme de votre choix (texte, schéma, liste...).

Aide | *Vous pouvez compléter votre réponse en faisant une recherche Internet.*
1) Tapez les mots-clés suivants : Cernuschi, Han.
2) Cliquez sur Dynastie des Han – Musée Cernuschi – Ville de Paris.
3) Choisissez un des objets photographiés et expliquez pourquoi cet objet est un exemple du raffinement de la civilisation des Han.

Leçon

L'Empire romain et les autres mondes anciens

Quelles relations Rome entretenait-elle avec les autres mondes anciens ?

I La route de la soie, trait d'union entre les civilisations

- La **route de la soie** est un ensemble de trajets mettant en contact l'Empire romain à l'Ouest et la Chine à l'Est. Les marchands qui l'empruntent transportent de la soie, des fourrures, de l'ivoire, des épices, du papier, du cuir...

- Partant d'Antioche et débouchant à Luoyang, capitale de la Chine au IIe siècle, cette voie terrestre suit un tracé sinueux qui évite les déserts ou les hautes montagnes de l'Himalaya. **Les villes-étapes se succèdent** dans lesquelles les caravaniers peuvent se reposer et vendre une partie des marchandises. Des peuples d'Asie centrale vivent de ce commerce en faisant le lien entre les différentes parties de la route.

II Les contacts entre civilisations

- **Les routes de la soie permettent les échanges entre les civilisations qu'elles traversent.** Ainsi les Romains, malgré la présence hostile des Parthes à l'est de leur territoire, connaissent l'existence de la civilisation chinoise où la soie, dont ils sont amateurs, est produite. Cependant les connaissances à Rome sur les peuples vivant au-delà des déserts de l'Asie centrale sont peu précises.

- Les Chinois ont, quant à eux, une connaissance assez précise de l'Empire romain. Une source chinoise évoque même une ambassade romaine qui aurait été envoyée par l'empereur Marc Aurèle en 166.

III L'Empire des Han (206 av. J.-C.-220 ap. J.-C.)

- En Chine, sous l'impulsion des Han le territoire de l'Empire s'agrandit grâce à de nombreuses conquêtes dont certaines sécurisent à l'ouest la route de la soie. Certains tronçons de la Grande Muraille sont construits pour protéger l'Empire des attaques en provenance du Nord.

- **Une civilisation brillante et techniquement très avancée** se développe alors grâce à de nombreuses inventions comme le papier. L'État chinois se perfectionne grâce à des fonctionnaires. Ils apprennent les idées du philosophe Confucius qui encourage l'obéissance.

Vocabulaire

Fonctionnaire : personne travaillant pour l'administration impériale.

Caravane : groupe de marchands ambulants réunis pour traverser des régions difficiles à dos de chameaux ou dromadaires.

J.-C.

Empire des Han

206 av J.-C.	220 ap. J.-C.
Début de la dynastie des Han	**Fin de la dynastie des Han**

IIe siècle av. J.-C.
Invention du papier

166 ap. J.-C.
Ambassade romaine en Chine

Je retiens l'essentiel

L'essentiel en schéma

Empire romain	Empire parthe	Empire kushan	Empire de Chine

Soie, épices, pierres précieuses… vers Rome

- La soie chinoise à Rome

Verre, fruits, esclaves… vers la Chine

- Un motif gréco-romain sur un tissu chinois

Rome

Luoyang

Des caravanes de marchandises

- Des caravaniers d'Asie centrale servent d'intermédiaires et s'arrêtent dans des villes-étapes

- Sous les Han se développe en Chine une civilisation brillante

Villes étapes

Route de la soie parcourue par des caravanes

L'essentiel en texte

- Par la route de la soie, un commerce régulier existe entre l'Empire de Chine et l'Empire romain.
- Il faut cependant attendre le IIe siècle pour que les deux Empires entrent directement en contact.
- L'État chinois dirigé par les Han se renforce et l'Empire s'agrandit grâce à des conquêtes militaires. La Chine est aussi le lieu de nombreuses inventions.

FICHE DE RÉVISION À TÉLÉCHARGER

Fiche 6

L'Empire romain et les autres mondes anciens

1. Construire sa fiche de révision : notez le titre de la leçon sur votre feuille

Je connais...

Objectif 1 ▸ Connaître les repères historiques

🖊 **Reproduisez la frise chronologique ci-dessous et placez-y les repères suivants :**
- La date de la fondation de l'Empire.
- L'édit de Caracalla. Vous indiquerez ce qu'il accorde.
- La date de la disparition de la partie occidentale de l'Empire.

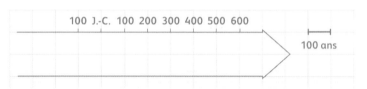

100 J.-C. 100 200 300 400 500 600

100 ans

Objectif 2 ▸ Connaître les repères géographiques

🖊 **À l'aide de la carte, répondez aux questions suivantes :**
- Quelle mer (A) est devenue un « lac romain » ?
- Sur quels continents (a), (b) et (c), l'Empire romain s'étend-il ?
- Nommez les régions (1), (2) et (3) conquises par Rome.

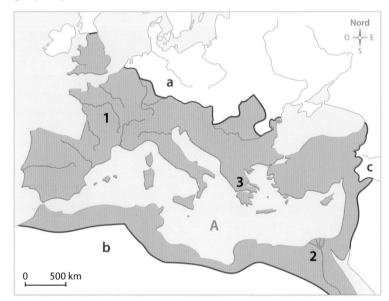

Objectif 3 ▸ Connaître les mots-clés

🖊 **Notez la définition des mots-clés ci-dessous :**
- Empire romain – Paix romaine – Romanisation – Culte impérial – Villa.

Je suis capable de...

🖊 **Pour chacun des objectifs suivants, construisez une réponse à la consigne :**

Objectif 4 ▸ Décrire la romanisation au travers de l'exemple de la Gaule

Aide (*Montrez comment les Gallo-Romains vivaient en décrivant la vie dans les campagnes et la vie dans les villes.*

Objectif 5 ▸ Décrire la paix romaine

Aide (*Indiquez les moyens utilisés pour garantir la paix et rappelez ses bienfaits sur l'économie.*

Objectif 6 ▸ Expliquer comment la route de la soie met en relation l'Empire romain et les autres mondes anciens

Aide (*Décrivez le trajet et les marchandises transportées.*

1 Comprendre un mot-clé

La romanisation

1. Présentez le document et localisez le lieu où il a été trouvé.
2. Pourquoi ce document permet-il d'affirmer que l'Espagne est un territoire romanisé au IIIe siècle ?

 Relevez les éléments qui font de cette mosaïque une œuvre romaine.

Cette mosaïque a été retrouvée dans la province d'Hispanie (Espagne). Course de chars à l'hippodrome, mosaïque, IIIe siècle, musée archéologique de Catalogne, Barcelone (Espagne).

2 Comprendre un texte

La conquête de la Bretagne

Voici comment Agricola[1] dispose les soldats : 8 000 auxiliaires renforcent le centre tandis que 3 000 cavaliers sont répartis sur les côtés. Les légions attendent en arrière : le prestige serait énorme si on triomphe sans répandre le sang romain ; elles restent aussi en réserve en cas d'échec.

Adroits, les Bretons dévient les projectiles lancés par nos soldats et tirent eux-mêmes de nombreux traits. Agricola engage alors trois cohortes de Bataves et deux de Tongres[2] dans un corps-à-corps à l'arme blanche, combat familier à ces guerriers expérimentés tandis que les ennemis y sont inaptes : dépourvus de pointe, leurs glaives ne leur servent pas dans un face-à-face. Vainqueurs, les Bataves portent le combat sur les collines. Des Bretons tentent alors de les prendre à revers. Agricola leur oppose quatre corps de cavalerie tenus en réserve pour intervenir en urgence. Les assaillants sont chassés. Ils se regroupent mais voyant les nôtres les poursuivre en formation bien serrée, ils fuient.

D'après Tacite, *Vie d'Agricola*, 35-37, 98 ap. J.-C.

1. Le général Agricola est le beau-père de Tacite.
2. Peuples gaulois soumis par les Romains.

1. Présentez le texte : auteur, nature, date de création, sujet traité.
2. Quel est le lien de parenté entre l'auteur du texte et Agricola ?
3. Qui combat aux côtés des Romains dans leur armée ? Pourquoi ?
4. Comment la victoire des Romains s'explique-t-elle ?
5. Comment le personnage d'Agricola est-il présenté ? Pourquoi ?

Auto-évaluation

Je me positionne sur une marche :

1.
- Je lis le texte.
- Je repère sa nature, sa date et son auteur.

= **Question 1**

2.
- Je lis le texte.
- Je repère sa nature, sa date et son auteur.
- **Je comprends son idée générale.**

= **Questions 1 et 2**

3.
- Je lis le texte.
- Je repère sa nature, sa date et son auteur.
- Je comprends son idée générale.
- **Je sélectionne des informations pertinentes pour répondre.**

= **Questions 1, 2, 3, 4 et 5**

4.
- Je lis le texte.
- Je repère sa nature, sa date et son auteur.
- Je comprends son idée générale.
- **Je reformule les informations sélectionnées pour répondre.**
- **J'utilise mes connaissances pour expliquer.**

= **Questions 1, 2, 3, 4 et 5**

Pour progresser, j'analyse mes axes de progrès. Que devrais-je améliorer ?

L'atelier d'écriture

Comment vivait-on en Gaule romaine ?

✏️ **À partir de vos connaissances et en vous aidant des pages « Découvrir » sur Vienne (p. 118-119) et de celles sur les villas gallo-romaines (p. 120-121), rédigez un texte qui explique comment on vivait en Gaule romaine.**

Travail préparatoire (au brouillon)

1. Comprenez votre sujet : « Comment vivait-on en Gaule romaine ? ».

Quel sens du verbe « vivre » doit-on retenir pour répondre ?

Depuis quand la Gaule est-elle romaine ?

2. Notez toutes les informations qui vous viennent à l'esprit et qui se rapportent au thème de la vie quotidienne autour du « pense pas bête » :

3. Vérifiez avec votre cahier ou votre manuel que vous n'avez pas oublié d'informations essentielles.

Travail de rédaction (au propre)

À vous de choisir votre niveau de difficulté et votre ceinture !

Je rédige un texte sans aide.

Rédigez votre texte en vérifiant que :
- Vous commencez par un alinéa.
- Vous organisez vos idées en paragraphes.

> Soignez la présentation de votre texte et votre écriture. Évitez les ratures. N'oubliez pas de relire et de vérifier vos accords.
>
> **RAPPELS**

Je rédige un texte avec un guide.

Rédigez votre texte en construisant des paragraphes qui commencent par un alinéa :
- *Le premier paragraphe présente les villes de Gaule romaine telles que Vienne.*
- *Le deuxième paragraphe présente le cas des campagnes gauloises à partir de l'exemple des villas gallo-romaines.*

Je rédige un texte en répondant à des questions.

Rédigez votre texte en construisant des paragraphes qui commencent par un alinéa et qui répondent aux questions suivantes :

- **1er paragraphe sur les villes de Gaule romaine :**
À quoi ressemblent ces villes ?
Quelle carrière s'offre à leurs habitants ?
Quelle activité commerciale y pratique-t-on ?

- **2e paragraphe sur les campagnes gauloises :**
À quoi ressemblent ces domaines ?
À quelle activité économique se livrent leurs habitants ? Comment la pratiquent-ils ?

Enquêter L'édit de Caracalla et ses mobiles cachés

➜ **Quelles sont les véritables raisons de l'Édit de Caracalla en 212 ap. J.-C. ?**

En 212, l'empereur Caracalla prend une décision historique, mais son interprétation pose problème. Une enquête est lancée pour en savoir plus et des témoins sont interrogés.

Observez l'enquête qui a été faite

Les faits

Tous ceux qui habitent dans le monde romain[1] sont établis citoyens romains en vertu de la Constitution antonine [édit de Caracalla].

D'après *Digeste*, I, 5, 17.

1. L'édit s'adresse aux hommes libres.

La déposition du suspect

L'empereur Caracalla déclare : « Il faut chercher comment je peux manifester ma gratitude envers les dieux immortels [de Rome] de m'avoir gardé sain et sauf par une telle victoire. C'est pourquoi je considère pouvoir ainsi magnifiquement les honorer en faisant participer avec moi au culte des dieux tous mes sujets. C'est pourquoi, je donne à tous les hommes libres qui sont sur la Terre la citoyenneté romaine. Car il est légitime que le plus grand nombre ne soit pas seulement contraint aux charges mais soit aussi associé à ma victoire. »

D'après *Papyrus Giessen*, 40, 1, 7-9.

Témoin n°1

Si Rome eût fait dès le début ce que l'on fit ensuite d'une manière tout à fait gratuite et très humaine, elle aurait donné la citoyenneté romaine à tous les peuples de l'Empire, et étendu ainsi à tous un avantage qui n'était accordé auparavant qu'à un petit nombre.

D'après Augustin, *La Cité de Dieu*, V-17.

Témoin n°2

[Caracalla] déclara tous les habitants de l'empire citoyens romains ; en parole, il s'agissait de les honorer ; en réalité, c'était pour percevoir de plus grandes sommes au niveau des impôts [impôt sur les successions payé par les seuls Romains], car les non-citoyens ne payaient pas certaines taxes.

D'après Dion Cassius, *Histoire romaine*, LXXVII.

Empereur Caracalla, buste en marbre, IIIe siècle, musée du Louvre.

D'après les différents éléments présentés, quelle est votre conviction ?
Quelles sont les véritables raisons de l'édit de Caracalla en 212 ap. J.-C. ?

Par équipe, complétez le carnet de l'enquêteur.
Mobiles avoués de Caracalla : …
Mobiles cachés de Caracalla : …
Conclusion de l'enquête à rédiger en quelques lignes : …

Une mosaïque en Afrique

1 | **Bacchus en Afrique romaine**

Cette mosaïque décorait le sol d'une pièce de réception dans une riche demeure. Bacchus ❶ conduit le char accompagné d'une Victoire ailée.
Triomphe de Bacchus, IIIᵉ siècle, 4 m x 4,5 m, musée archéologique de Sousse (Tunisie).

Chaque petit carré est une tesselle apposée sur un mortier.

Un dessin préparatoire a permis de tracer les principaux contours.

············· En jouant sur les couleurs des tesselles, le mosaïste restitue les jeux d'ombres et de lumières.

2 | **Triomphe de Bacchus (détail)**

Vocabulaire

Mortier : sorte de ciment composé de chaux, de sable et d'eau. Il sert à lier ensemble les éléments d'une construction.

Tesselles : petits cubes de pierre, de terre cuite ou de marbre taillés pour composer les mosaïques.

Présenter l'œuvre

1. DOC. 1 ET 2 Présentez la mosaïque : nom de l'œuvre, date de réalisation, lieu de création originel, lieu de conservation.

Décrire

2. DOC. 1 Décrivez comment Bacchus, dieu romain de la vigne, est représenté.
3. DOC. 1 Quels animaux l'accompagnent ?
4. DOC. 1 Cette œuvre présente-t-elle une scène réaliste ? Justifiez votre réponse.

Conclure et exprimer sa sensibilité

5. DOC. 1 Formulez une opinion personnelle : qu'appréciez-vous dans cette mosaïque ? Justifiez votre réponse.

Quels droits obtient-on en devenant citoyen ?

1 | Les droits des différents habitants de l'Empire romain en 210 ap. J.-C.

Contrairement aux cités grecques, Rome a donné la citoyenneté à de nombreux habitants des provinces conquises, dans le but de les intégrer à l'Empire.

Citoyens romains ▸
Ils peuvent :
– épouser une Romaine,
– demander à être jugés par un magistrat romain, et échapper à des peines cruelles comme la crucifixion.
Ils font :
– un service militaire plus court et mieux payé dans la légion.

Pérégrins (habitants des provinces et affranchis) ▸
Ils peuvent :
– se marier, mais pas avec une citoyenne romaine.
– servir dans les troupes auxiliaires et grâce à cela obtenir la citoyenneté.

Esclaves ▸
Ils n'ont aucun droit et appartiennent à leur maître.

2 | Un héros français

Lassana Bathily est d'origine malienne. Il a obtenu la nationalité française après avoir sauvé plusieurs personnes lors d'une prise d'otages par des terroristes en janvier 2015, à Paris.

3 | Ils expliquent pourquoi ils ont demandé la nationalité française

• Krystina L., 34 ans, Ploemeur. « Je suis originaire de Biélorussie, et vis en France depuis douze ans. Ma fille Ambre, de sept ans, est née ici, donc française. Pour moi, c'était naturel de demander la nationalité. Et puis ça va faciliter les voyages de la famille : je n'aurai plus à demander un visa pour me déplacer en Europe ! »

• Taoufik Y., 37 ans, Lanester. « Cela fait cinq ans que je vis en France. Je suis venu ici pour vivre avec ma femme. Il me semblait important de demander la nationalité puisque c'est là qu'est ma vie. Je suis cuisinier, et si je veux travailler dans la fonction publique, il me faut la nationalité. Et j'aurai le droit de vote, cette année ! C'est un moment important pour nous. »

D'après « Pourquoi avoir demandé la naturalisation ? », *Télégramme.fr*, le 26/01/2012.

Vocabulaire

Fonction publique : ensemble des fonctionnaires qui travaillent pour l'État.

La sensibilité : soi et les autres

1. **DOC. 1** Observez les droits du citoyen romain, du pérégrin et de l'esclave. Quel est votre sentiment ?
2. **DOC. 1** Comment pouvait-on devenir citoyen romain ?
3. **DOC. 2** Pourquoi Lassana a-t-il obtenu la citoyenneté française ?

Le droit et la règle : des principes pour vivre avec les autres

4. **DOC. 3** Pour quelles raisons Krystina et Taoufik ont-ils demandé la nationalité française ?
5. **DOC. 3** Quels droits a-t-on en tant que citoyen français?

Des chrétiens dans l'Empire

🔍 Dans quel contexte le christianisme est-il apparu ? Comment l'Empire romain est-il devenu chrétien ?

Souvenez-vous !
Pouvez-vous donner le nom de deux grandes figures du judaïsme ?

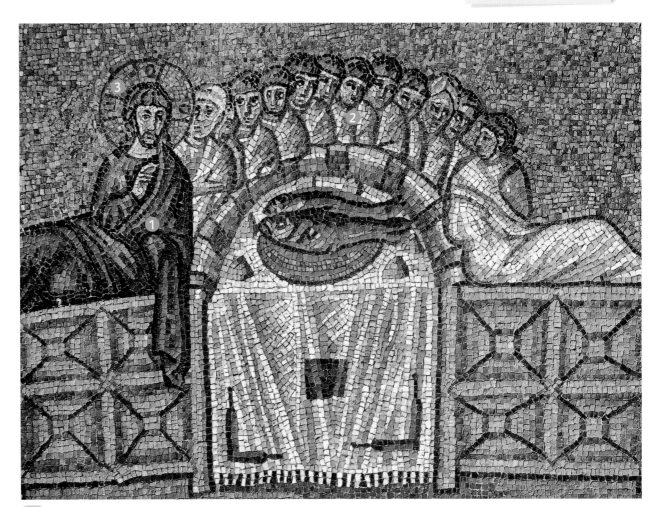

1 | **Le dernier repas de Jésus et de ses compagnons (la Cène)**

Jésus ①, qui bénit les poissons, partage un repas avec les douze apôtres ② réunis pour la Pâque juive. Il est représenté en Christ comme l'atteste l'auréole ③.
Mosaïque de Saint-Apollinaire le Neuf, Ravenne (Italie), VIe siècle.

1. DOC. 1 Décrivez la scène représentée et expliquez à quoi on reconnaît Jésus-Christ.

Vocabulaire

Christ : mot grec désignant le Messie, « envoyé de Dieu » en hébreu.

Christianisme : religion apparue au Ier siècle ap. J.-C. en Palestine. Elle repose sur la croyance en la résurrection du Christ et la mise en œuvre de son enseignement.

Évangiles (« Bonne Nouvelle » en grec) : livres relatant la vie, l'enseignement et la résurrection de Jésus-Christ. Ils forment l'essentiel du Nouveau Testament de la Bible chrétienne. Celle-ci intègre aussi la Bible hébraïque (Ancien Testament).

J.-C.	Iᵉ	IIᵉ	IIIᵉ	IVᵉ	Vᵉ	VIᵉ siècle

Des chrétiens ponctuellement persécutés — Des chrétiens tolérés — Des chrétiens reconnus

Jésus
Élaboration
des *Évangiles*

6-4 av. J.-C./
vers 30 ap. J.-C.

313
Édit de Milan
Christianisme autorisé
dans l'Empire romain

391
Édit de Théodose
Christianisme : religion officielle
de l'Empire romain

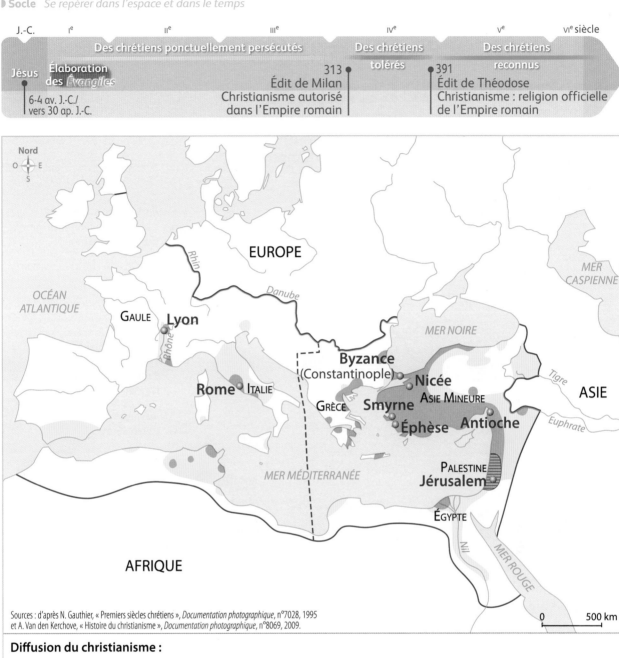

Sources : d'après N. Gauthier, « Premiers siècles chrétiens », *Documentation photographique*, n°7028, 1995
et A. Van den Kerchove, « Histoire du christianisme », *Documentation photographique*, n°8069, 2009.

0   500 km

Diffusion du christianisme :

■ au IIᵉ siècle

▤ Berceau du christianisme

── Limites de l'Empire romain
au IVᵉ siècle

□ à la fin du IVᵉ siècle

• Importantes communautés
chrétiennes

- - - Partage des Empires d'Orient
et d'Occident en 395 ap. J.-C.

2 | La diffusion progressive du christianisme
dans l'Empire

2. DOC. 2 Localisez la Palestine au sein
de l'Empire romain.

3. DOC. 2 Montrez que le christianisme
se diffuse dans l'Empire romain
entre le Iᵉʳ et le IVᵉ siècle ap. J.-C.

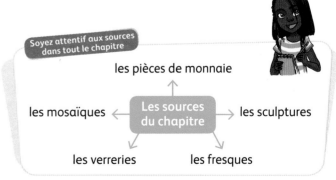

Soyez attentif aux sources
dans tout le chapitre

les pièces de monnaie
↑
les mosaïques ← **Les sources
du chapitre** → les sculptures
↓   ↓
les verreries   les fresques

Les premières communautés chrétiennes de l'Empire

➤ **Qui sont les premiers chrétiens ?**
Comment vivent-ils leur foi au sein de l'Empire ?

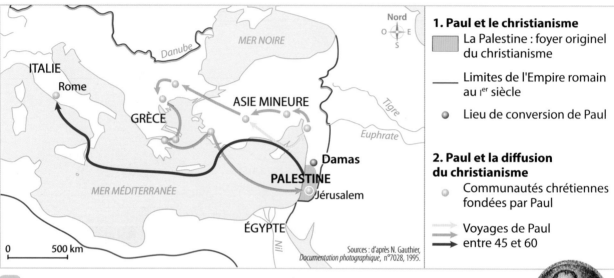

4-6 - vers 30 | vers 45-60
Vie de Jésus | Voyages de Paul

1. Paul et le christianisme

La Palestine : foyer originel du christianisme

Limites de l'Empire romain au Iᵉʳ siècle

● Lieu de conversion de Paul

2. Paul et la diffusion du christianisme

● Communautés chrétiennes fondées par Paul

⟹ Voyages de Paul entre 45 et 60

0 — 500 km

Sources : d'après N. Gauthier, *Documentation photographique*, n°7028, 1995.

1 | **Paul : la naissance et l'essor du christianisme**

2 **La vie en communautés des premiers chrétiens**

Ils s'appliquaient fidèlement à écouter l'enseignement que donnaient les apôtres, à vivre dans la fraternité, à prendre part aux repas communs et à participer aux prières. Tous les croyants étaient unis et partageaient entre eux ce qu'ils possédaient. Ils vendaient leurs propriétés et leurs biens et répartissaient l'argent ainsi obtenu entre tous, en tenant compte des besoins de chacun. Chaque jour, ils se réunissaient dans le temple, ils prenaient leur repas ensemble dans leurs maisons et mangeaient leur nourriture avec joie et simplicité de cœur. Ils louaient Dieu et ils étaient estimés par tout le monde.

D'après Luc, *Actes des Apôtres 2, 42-47*,
Nouveau Testament, fin du Iᵉʳ siècle ap. J.-C.

Qui est-il ?

Luc (Iᵉʳ siècle ap. J.-C.)

Disciple de Paul de Tarse, il est l'un des auteurs des quatre Évangiles écrits dans la seconde moitié du Iᵉʳ siècle ap. J.-C. On lui attribue aussi les Actes des Apôtres, datés des années 80-90.

Biographie

Paul de Tarse
(v. 10-v. 65 ap. J.-C.)

Citoyen romain originaire de Tarse (Asie mineure) et de religion juive, il se convertit au christianisme vers 37-40. Il diffuse le christianisme dans l'Empire par ses lettres et ses voyages.

Point méthode

Identifier un document source DOC. 2
1. Quelle est la nature de la source ?
2. Que sait-on de son auteur ?

Identifier son point de vue DOC. 2
3. Relevez deux extraits du texte qui montrent que l'auteur veut donner une image positive des premiers chrétiens.

Vocabulaire

Baptême : rite par lequel on devient chrétien.

Chrétien : personne qui adhère au message de Jésus-Christ à partir du Iᵉʳ siècle ap. J.-C.

Résurrection : retour de la mort à la vie, fait de ressusciter.

3 | Le baptême, un rite d'entrée dans la communauté chrétienne

Selon le *Nouveau Testament*, Jésus ❶ est baptisé par Jean le Baptiste ❷ dans le Jourdain ❸. Par ce geste, le chrétien reçoit l'Esprit saint ❹, souffle de Dieu.

Mosaïque du Baptistère des Ariens, Ravenne (Italie), Ve siècle ap. J.-C.

5 Les problèmes rencontrés par les premiers chrétiens

À Éphèse, riche port commercial du Ier siècle ap. J.-C, Paul et les chrétiens sont très critiqués par la population.

À cette époque se produisirent de graves troubles à Éphèse. Un bijoutier, nommé Démétrius, vivait de la fabrique de copies en argent du temple de la déesse Artémis[1]. Il réunit ses amis et leur dit : « Vous savez que notre prospérité est due à ce travail. Mais vous voyez et entendez ce que fait cet homme, Paul. Pour lui, il ne peut y avoir qu'un Dieu unique, et il réussit à convaincre beaucoup de monde. Cela risque de causer du tort à notre métier. » L'agitation se répandit en ville. Les gens entraînèrent avec eux deux compagnons de Paul et se précipitèrent en masse au théâtre pour les juger et les condamner.

D'après le Nouveau Testament, *Actes des Apôtres* 19, 23-41, fin du Ier siècle ap. J.-C.

1. Déesse grecque vénérée aussi à Rome sous le nom de Diane.

4 | Le poisson et la croix, deux symboles de la foi chrétienne

La croix symbolise la croyance en la résurrection de Jésus après sa mort. Le poisson (ICHTUS en grec) désigne Jésus-Christ (Iesus CHristos Theou Uios Soter Jésus Christ fils de Dieu sauveur).

Sculpture sur pierre, Égypte, Ve siècle, musée du Louvre, Paris.

Activités

▶ **Socle** *Extraire des informations pertinentes*

1. DOC. 1 Quelles sont les régions de l'Empire parcourues par Paul ? Quel but poursuit-il au travers de ses voyages ?

2. DOC. 2 Montrez que les premiers chrétiens vivent en communauté.

3. DOC. 2 Quels sont les temps forts de leur journée ?

4. DOC. 5 Quels reproches les habitants d'Éphèse font-ils aux chrétiens de la cité ?

5. DOC. 3 Pourquoi le baptême est-il important pour les chrétiens ?

6. DOC. 4 Que représentent ces symboles chrétiens ?

Pour conclure

Reproduisez et complétez le schéma ci-dessous :

- Où et comment vivent-ils ?
- Quelles sont leurs croyances ?

Être chrétien au Ier siècle

- Quels sont leurs symboles ?
- Quels rites font d'eux des chrétiens ?

Découvrir

Jésus-Christ, un modèle pour les chrétiens

Pourquoi la vie et le message de Jésus sont-ils à l'origine d'un nouveau monothéisme ?

> **Biographie**
> **Jésus (vers 4-6-vers 30 ap. J.-C.)**
> Juif de Galilée, il parcourt la Palestine romaine pour y enseigner la « Bonne Nouvelle », l'annonce de la vie éternelle.

1 La naissance de Jésus, un enfant juif dans l'Empire romain

Un édit de l'empereur Auguste ordonna le recensement des habitants de l'Empire. Parti de Nazareth (Galilée), Joseph se rendit à Bethléem en Judée, la ville de David. Il se fit inscrire avec Marie, son épouse, qui était enceinte. Or arrivèrent les jours où elle devait enfanter. Elle mit au monde son fils.

[…] Quand vint le huitième jour, où l'on devait circoncire l'enfant, on lui donna le nom de Jésus. Puis ses parents l'amenèrent à Jérusalem pour le présenter au Seigneur, selon ce qui est écrit dans la Loi de Moïse.

D'après l'Évangile de Luc, 2, 1-23, fin du Ier siècle ap. J.-C.

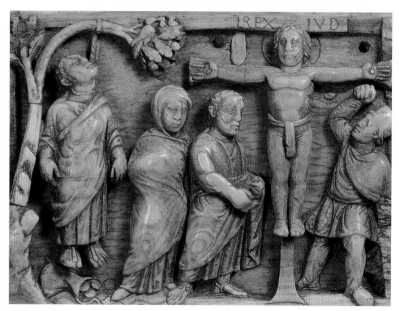

2 Jésus condamné à mort sur la croix
Détail d'un coffre en ivoire, probablement fabriqué à Rome, vers 420-430 ap. J.-C., British Museum, Londres (Royaume-Uni).

3 Jésus, le Messie annoncé dans la religion juive ?

À cette époque vécut Jésus, un homme exceptionnel qui accomplissait des choses prodigieuses. Il se gagna beaucoup de monde parmi les Juifs et jusque parmi les Grecs. C'était le Christ. Et lorsque, sur dénonciation, Pilate[1] l'eut condamné à la croix, ceux qui lui avaient donné leur affection au début ne cessèrent pas de l'aimer, parce qu'il leur était apparu le troisième jour, de nouveau vivant, comme les divins prophètes[2] l'avaient annoncé.

D'après Flavius Josèphe, Antiquités juives, XVIII, 63-64, fin du Ier siècle ap. J.-C.

1. Préfet de la province de Judée à l'époque de Jésus.
2. Référence aux prophètes de la Bible hébraïque.

Qui est-il ?
Flavius Josèphe (vers 37-vers 100 ap. J.-C.).
Historien d'origine juive.

> **Vocabulaire**
>
> **Bonne Nouvelle :** pour les chrétiens, message de Jésus-Christ annonçant le royaume de Dieu aux fidèles baptisés.
>
> **Messie :** terme hébreu utilisé pour annoncer l'« envoyé de dieu » chez les juifs (*Christ* en grec).
>
> **Monothéisme :** religion dans laquelle on ne croit qu'à un seul dieu.
>
> **Résurrection :** voir p. 140

Fresque, *Guérison d'une femme malade*, IIIe siècle ap. J.-C., catacombe de Saint-Marcellin, Rome (Italie).

4 Les miracles de Jésus, un fondement de la croyance chrétienne

Il parcourait toute la Galilée, enseignant et proclamant la Bonne Nouvelle, guérissant toute maladie parmi le peuple. Sa renommée gagna et on lui amena tous les malheureux atteints de maladies et de tourments divers […] ; il les guérit. De grandes foules se mirent à le suivre, venues de la Galilée, de Jérusalem, de la Judée et d'au-delà du Jourdain.

D'après *L'Évangile de Matthieu*, 4, 23-25, fin du Ier siècle ap. J.-C.

5 Résurrection et ascension de Jésus

Dans les Évangiles, Jésus ressuscité apparaît à ses apôtres.

« Je vais envoyer sur vous l'Esprit Saint promis par mon Père. » Puis il les emmena dehors et les bénit. Tandis qu'il les bénissait, il se sépara d'eux. Il était enlevé au ciel.

D'après *L'Évangile de Luc*, 23, 49-51, fin du Ier siècle ap. J.-C.

❶ Le tombeau de Jésus.
❷ Ange annonçant la résurrection de Jésus.
❸ Ascension du Christ vers le royaume de Dieu.

Plaque de reliquaire en ivoire dite de Reider, IVe-Ve siècles, Bayerisches Nationalmuseum, Munich (Allemagne).

Activités

▶ **Socle** *Extraire des informations pertinentes*

1. Reproduisez et complétez le schéma suivant :

| DOC. 1, 2 ET 3 **Que savons-nous de Jésus, personnage historique ?** | ◀ Jésus ▶ | DOC. 3, 4 ET 5 **Quels actes peuvent faire de lui le Messie qu'annonçaient les prophètes juifs ?** |

Pour conclure À l'aide du schéma, expliquez l'affirmation suivante :

➥ **Jésus est à l'origine d'une nouvelle religion.**

Aide | *Construisez un premier paragraphe qui présente le contexte dans lequel Jésus vit (occupation romaine - voir carte 2 p. 139 -, attente du Messie par le peuple juif). Montrez dans un second paragraphe que les Évangiles font de Jésus l'envoyé de Dieu.*

L'atelier de l'historien

64	250-305
Première persécution impériale (Néron)	Édits de persécution de Déce, Valérien et Dioclétien

Les chrétiens persécutés dans l'Empire

➤ **De quelles sources disposez-vous en tant qu'historien pour comprendre les persécutions des chrétiens dans l'Empire ?**

A. Les persécutions vues par les chrétiens

Source 1

La prière face aux lions

Daniel dans la fosse aux lions, peinture murale, Iᵉʳ-IIIᵉ siècles ap. J.-C., Catacombe de la Via Latina, Rome (Italie).

Source 2

Des chrétiens face aux Romains

Les Écrits des Pères apostoliques sont rédigés au IIᵉ siècle ap. J.-C. Ils constituent le troisième ensemble de textes fondateurs du christianisme, après l'Ancien Testament et le Nouveau Testament.

L'un d'entre eux prit peur en voyant les bêtes et accepta d'honorer les dieux romains. Quant à Polycarpe, on le fit entrer dans le stade. Le proconsul romain cherchait à lui faire admettre d'abandonner sa religion : « Jure sur l'empereur que tu rejettes les chrétiens et crie : "À bas les chrétiens". » L'évêque Polycarpe répondit : « Il y a quatre-vingt-six ans que je sers le Christ, et il ne m'a fait aucun mal ; comment pourrais-je renoncer à celui qui m'a sauvé ? » Devant cette réponse, la foule cria : « Que Polycarpe soit brûlé vif ! ». Les hommes allumèrent un grand feu. Polycarpe était au milieu.

D'après *Les écrits des Pères apostoliques*, Sagesses chrétiennes, Cerf, 2001.

Source 3

Les saints, des modèles pour les chrétiens

Tesson de verre doré, IVᵉ siècle, British Museum, Londres (Royaume-Uni).

À partir du IIᵉ siècle, les chrétiens rendent hommage aux martyrs. Paul ❶ et Pierre ❷ sont ici représentés face à face en train d'être sanctifiés, c'est-à-dire d'être transformés en saints après leur mort, par le Christ ❸.

Vocabulaire

Martyr : personne violentée pour ses croyances et ses engagements.

Persécution : actes cruels et violents.

Saint : femme ou homme dont le comportement ou les actes sont des modèles pour les croyants.

B. Les persécutions vues par les Romains

Les Romains face aux chrétiens

Proconsul en Bithynie vers 111-112, Pline demande à l'empereur Trajan quelle conduite il doit tenir vis-à-vis des chrétiens.

Lettre de Pline : « Seigneur, contre les chrétiens, j'ai suivi la conduite que voici. Je les ai interrogés moi-même pour savoir s'ils étaient chrétiens. Lorsqu'ils avouaient, je les ai interrogés plusieurs fois les menaçant du supplice ; ceux qui persévéraient, j'ordonnai de les y conduire. Ceux qui niaient être chrétiens, rendaient culte aux dieux et maudissaient le Christ, je jugeai qu'il fallait les libérer. »

Lettre de Trajan : « Tu as fait, mon cher Pline, ce que tu devais avec ceux qui se nomment chrétiens. Il ne faut pas les rechercher ; s'ils avouent, il faut les punir, de telle façon cependant que celui qui aura nié être chrétien et aura invoqué nos dieux, obtienne le pardon. »

D'après Pline le Jeune, *Correspondance*, X, 96-97, IIe siècle ap. J.-C.

Source 5 **Exemple de supplice subi par les chrétiens**

Mosaïque romaine, IIe siècle, musée archéologique d'El Djem (Tunisie).

Point méthode

La démarche de l'historien

 Étape 1 ▶ **Identifier et comprendre les documents sources**

1. SOURCES 1, 2 ET 3 : les sources chrétiennes
   a. SOURCES 1 ET 2 : Pour quelles raisons les chrétiens sont-ils persécutés ?
   b. SOURCES 1 ET 2 : Comment les chrétiens sont-ils persécutés ?
   c. SOURCE 3 : Que pensent les premiers chrétiens de ceux qui ont été persécutés ?

2. SOURCES 4 ET 5 : les sources romaines
   a. SOURCE 5 : Comment les chrétiens sont-ils persécutés ?
   b. SOURCE 4 : Que pouvaient faire les chrétiens pour échapper aux persécutions ?
   Aide (*Observez les représentations des chrétiens : peuvent-ils échapper à la mort ?*

Étape 2 ▶ **Confronter les documents sources**

3. Quels sont les points communs entre les sources chrétiennes et les sources romaines lorsqu'elles décrivent le sort des chrétiens ?

Pour conclure Vous êtes un historien et vous souhaitez expliquer les persécutions des chrétiens du Ier au IIIe siècle. À l'aide des sources dont vous disposez, rédigez un texte qui présente les points de vue romain et chrétien.

Aide (*Point de vue chrétien : reprenez les éléments de votre réponse à la question 1.*
Point de vue romain : reprenez les éléments de votre réponse à la question 2.

Constantin, un empereur chrétien

➤ **Quel rôle l'empereur Constantin a-t-il joué dans la reconnaissance du christianisme dans l'Empire ?**

J.-C.		313	380
Vie de Jésus	Persécutions chrétiennes	Édit de Milan	Édit de Thessalonique

Biographie

Constantin (272 - 337 ap. J.-C.)

Seul maître de l'Empire de 312 à 337 ap. J.-C., il met un terme aux persécutions chrétiennes et favorise le christianisme dans l'Empire.

X et P = deux premières lettres du Christ en grec

1 | **Constantin, le premier empereur chrétien**
Pièce d'argent frappée, 315 ap. J.-C., Staatliche Graphische Sammlung, Munich (Allemagne).

La croix = référence à la crucifixion

2 La conversion de Constantin

À la veille de la bataille décisive du pont Milvius, à proximité de Rome, contre son adversaire Maxence (312), Constantin se serait converti au christianisme.

Constantin reçoit en rêve l'ordre de marquer sur les boucliers l'emblème de la croix et le nom de Dieu, et d'engager ensuite le combat. Il obéit, et fait former sur chaque bouclier le nom du Christ, au moyen de la lettre X placée transversalement et recourbée à sa partie supérieure. Une fois munis de ce signe, ses soldats prennent les armes.

D'après Lactance, *De la mort des persécuteurs*, XL, vers 320 ap. J.-C.

***Qui* est-il ?**
Lactance (250 ap. J.-C.-325 ap. J.-C.)
Citoyen romain converti, il est un historien et un penseur des premiers temps du christianisme.

3 L'édit de Milan (313)

Ayant en vue tout ce qui intéresse l'utilité de la sécurité publique, nous pensons que, parmi les autres décisions profitables à la plupart des hommes, il faut en premier lieu placer celles qui concernent le respect dû à la divinité et ainsi donner, aux chrétiens comme à tous, la liberté de pouvoir suivre la religion que chacun voudrait.

D'après Lactance, *De la mort des persécuteurs*, XLVIII, vers 320 ap. J.-C.

Vocabulaire

Conversion : fait de changer de religion.

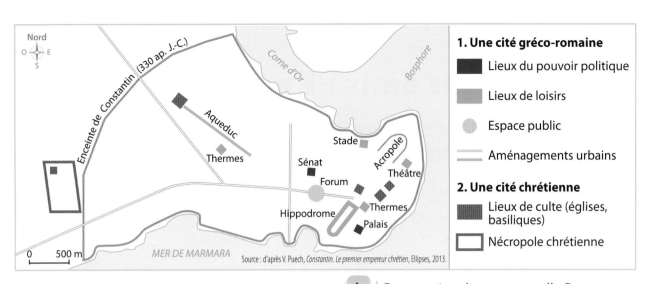

Nord

Enceinte de Constantin (330 ap. J.-C.)

Corne d'Or

Bosphore

Aqueduc

Thermes

Stade

Sénat

Forum

Acropole

Théâtre

Hippodrome

Thermes

Palais

MER DE MARMARA

0   500 m

Source : d'après V. Puech, *Constantin. Le premier empereur chrétien*, Ellipses, 2013.

1. Une cité gréco-romaine

Lieux du pouvoir politique

Lieux de loisirs

Espace public

Aménagements urbains

2. Une cité chrétienne

Lieux de culte (églises, basiliques)

Nécropole chrétienne

4 | Constantinople, une nouvelle Rome chrétienne

Sur le site de la cité grecque de Byzance, Constantin décide la construction d'une nouvelle capitale. Bâtie sur le modèle de Rome, elle est inaugurée en 330. Constantin décide de n'y voir construits que des lieux de culte chrétien.

5 | Constantin : le pouvoir impérial et la religion chrétienne

Mosaïque (détail), Basilique Sainte-Sophie, Xᵉ siècle ap. J.-C., Constantinople (Turquie).

❶ La Vierge Marie et l'enfant Jésus.
❷ Constantin amenant Constantinople.

Activités

▶ **Socle** *Comprendre le sens général d'un document*

1. DOC. 1 Sur cette pièce de monnaie, relevez deux éléments qui font de Constantin un empereur chrétien.
2. DOC. 2 Selon Lactance, comment la conversion de Constantin s'explique-t-elle ?
3. DOC. 3 ET 4 Quelle conséquence cette conversion a-t-elle pour l'Empire ?
4. DOC. 5 Que change cette conversion dans la relation entre le pouvoir impérial et la religion chrétienne ?

Aide (*Observez la position de Constantin par rapport à la Vierge Marie et l'enfant Jésus.*

Pour conclure Répondez à la question suivante par une ou deux phrases :

➤ **Quel rôle l'empereur Constantin a-t-il joué dans la reconnaissance du christianisme dans l'Empire ?**

Leçon

Des chrétiens dans l'Empire

Dans quel contexte le christianisme est-il apparu ?
Comment l'Empire romain est-il devenu chrétien ?

I Aux origines d'une religion nouvelle dans l'Empire

- **Au début du Ier siècle, Jésus**, Juif de Galilée, **parcourt la Palestine romaine** où l'attente du Messie et de la libération de l'occupation romaine d'Israël est forte.

- **Sa vie et son enseignement sont racontés dans les textes du** Nouveau Testament, **écrits après sa mort**. Jésus est celui qui annonce la « Bonne Nouvelle » : la vie éternelle auprès de Dieu. Ses disciples voient en lui le Messie, d'autres le dénoncent aux Romains.

- **Jésus est arrêté, jugé et crucifié.** Après sa mort, l'annonce de sa résurrection fait de lui le Christ pour les chrétiens.

II Être chrétien dans l'Empire à partir du Ier siècle

- Dès lors, **les premières communautés chrétiennes apparaissent** en Palestine. Elles respectent des règles de vie et des pratiques (le baptême, la communion) fondées sur les textes du Nouveau Testament.

- Vers 40, des disciples de Jésus et des convertis, comme Paul, facilitent la diffusion du christianisme avec la **création de nombreuses communautés en Grèce, en Asie mineure, à Rome.**

- Dès le Ier siècle, le refus du culte impérial par les chrétiens explique qu'ils soient persécutés à l'initiative des empereurs ou des populations. Toutefois, le christianisme poursuit sa diffusion et les conversions sont nombreuses.

III La lente affirmation du christianisme dans l'Empire

- **Constantin (306-337), premier empereur chrétien**, autorise et favorise le christianisme (313). Il fonde une nouvelle capitale chrétienne, Constantinople.

- À la fin du IVe siècle, **le christianisme est la seule religion autorisée** (édit de Thessalonique, 380) puis **la religion officielle de l'Empire (391)**.

- Depuis le IIIe siècle, les communautés chrétiennes sont dirigées par un évêque. À partir du IVe siècle, le soutien des empereurs permet au christianisme de **s'organiser** autour de lieux de culte (basiliques, églises, etc.) et ses croyances sont définies. **Au Ve siècle, le nombre de chrétiens est croissant dans les villes de l'Empire.**

Vocabulaire

Christ : mot grec désignant le Messie, « envoyé de Dieu », en hébreu.

Monothéisme : religion dans laquelle on ne croit qu'à un seul dieu.

Nouveau Testament : ensemble des écrits relatifs à la vie de Jésus , à l'annonce de sa résurrection et à l'enseignement de ses premiers disciples. Avec les textes de la Bible hébraïque, il forme la Bible chrétienne.

Conversion : acte de changer de religion.

Évêque : chef d'une communauté chrétienne.

Persécutions : actes cruels et violents.

J.-C.	I[e]	IIe	IIIe	IVe	V[e]	VIe siècle

Temps des persécutions — Christianisme toléré dans l'Empire — Christianisme religion officielle

Jésus

Rédaction du Nouveau Testament

177 • Persécution à Lugdunum

313 • Conversion de Constantin

391 • Christianisme seule religion autorisée dans l'Empire romain

Je retiens l'essentiel

Aux origines d'une religion nouvelle

Après sa mort, l'annonce de la résurrection de Jésus-Christ est à l'origine des premières communautés chrétiennes dans l'Empire

La vie de Jésus

- Elle est au cœur du message chrétien

La résurrection

- Elle fait de Jésus le Christ des chrétiens

La diffusion du christianisme

- Paul en est un acteur important au Iᵉʳ siècle

Être chrétien dans l'Empire à partir du Iᵉʳ siècle

Durant les trois premiers siècles du christianisme, la nouvelle religion s'organise et se diffuse malgré les persécutions

De nombreuses communautés chrétiennes

- Elles apparaissent après l'annonce de la résurrection

Des persécutions

- Du Iᵉʳ au IIIᵉ siècle, les chrétiens sont ponctuellement persécutés

La lente affirmation du christianisme dans l'Empire

Constantin, premier empereur chrétien au IVᵉ siècle

- À la fin du IVᵉ siècle, le christianisme est la religion officielle de l'Empire

- La diffusion de l'annonce de la résurrection de Jésus-Christ est à l'origine des premières communautés chrétiennes dans l'Empire.
- Jusqu'au début du IVᵉ siècle ap. J.-C., la nouvelle religion s'organise et se diffuse malgré les persécutions.
- D'abord autorisé après la conversion de Constantin, le christianisme devient religion officielle de l'Empire à la fin du IVᵉ siècle.

FICHE DE RÉVISION
À TÉLÉCHARGER
Fiche **7**

Des chrétiens dans l'Empire

1. Construire sa fiche de révision : notez le titre de la leçon sur votre feuille

Je connais...

Objectif 1 ▶ Connaître les repères historiques

✎ **Reproduisez la frise chronologique ci-dessous et placez-y les repères suivants :**
- La période de la vie de Jésus.
- La conversion de l'empereur Constantin au christianisme.
- Le christianisme, seule religion autorisée dans l'Empire.

| | J.-C. | 100 | 200 | 300 | 400 | 500 | | 100 ans |

Objectif 2 ▶ Connaître les repères géographiques

✎ **À l'aide de la carte, répondez aux questions suivantes :**
- Quelles sont les grandes villes (A, B et C) associées aux débuts du christianisme ?
- Quel est le nom du berceau du christianisme délimité en rouge sur la carte ?
- Quel est le nom des régions (1 et 2) en partie christianisées dès le Iᵉʳ siècle ?

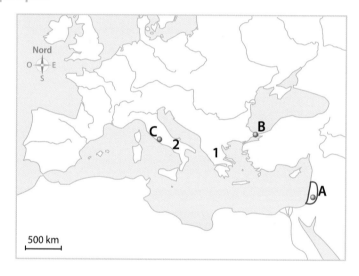

Objectif 3 ▶ Connaître les mots-clés

✎ **Notez la définition des mots-clés ci-dessous :**
- Christ – Évangiles – Conversion – Persécutions.

Je suis capable de...

✎ **Pour chacun des objectifs suivants, construisez une réponse à la consigne :**

Objectif 4 ▶ Expliquer pourquoi la vie de Jésus est à l'origine d'une croyance nouvelle après sa mort

Aide (*Montrez quel sens les chrétiens donnent à son enseignement et à l'annonce de la résurrection.*

Objectif 5 ▶ Décrire et expliquer les persécutions des chrétiens par les Romains

Aide (*Expliquez ce qu'est une persécution et montrez comment et pourquoi les Romains persécutent les chrétiens.*

Objectif 6 ▶ Raconter comment l'Empire devient chrétien

Aide ⎰ *Rappelez le rôle de Constantin et montrez ensuite quels sont les impacts de sa conversion dans l'Empire au IVᵉ siècle.*

1 Construire des repères

Les mythes fondateurs du christianisme

Voici deux scènes de la vie du Christ sur deux œuvres du XVIᵉ siècle.

1. Associez chacune d'elles à l'événement raconté dans les Évangiles : résurrection de Jésus-Christ – naissance de Jésus.

2. Associez chacun de ces événements à la fête chrétienne qui lui correspond : Noël – Pâques.

S. Botticelli, vers 1500-1501, National Gallery, Londres (Royaume-Uni).

B. di Tommaso da Foligno, musée du Louvre, Paris.

2 S'informer dans le monde numérique

Découvrir les symboles des premiers chrétiens

1. Dans un moteur de recherche, tapez « catacombe rome » et allez sur le site : www.catacombe.roma.it/fr/catacombe.php et cliquez sur « symbolique ».

2. Identifiez les personnages ci-contre ⓐ et ⓑ.

3. Pour quelle raison les premiers chrétiens utilisent-ils l'alphabet grec ?

4. Pourquoi le phénix est-il représentatif de la croyance chrétienne ?

5. Quels symboles montrent que, pour les chrétiens, le message du Christ est un message d'espoir et de paix ?

Catacombe de Saint-Callixte, Rome (Italie).

Catacombe du Bon Pasteur , Rome (Italie).

Auto-évaluation

Je me positionne sur une marche :

1.
- Je vais sur la page demandée.

= Question 1

2.
- Je vais sur la page demandée.
- **Je lis l'article et m'y déplace.**
- Je trouve des informations.

= Questions 1 et 2

3.
- Je vais sur la page demandée.
- Je lis l'article et m'y déplace.
- **Je trouve et sélectionne des informations pour répondre aux consignes.**

= Questions 1, 2 et 3

4.
- Je vais sur la page demandée.
- Je lis l'article et m'y déplace.
- Je trouve et sélectionne des informations pour répondre aux consignes.
- **J'utilise mes connaissances pour les interpréter.**

= Questions 1, 2, 3, 4 et 5

Pour progresser, j'analyse mes axes de progrès. Que devrais-je améliorer ?

Les Romains, des chrétiens au IVe siècle

Vers la tâche complexe

À l'aide des connaissances acquises dans ce chapitre, expliquez comment l'Empire romain est devenu chrétien au IVe siècle.

Travail préparatoire (au brouillon)

1. Comprendre le sujet « L'Empire romain, un empire devenu chrétien au IVe siècle », c'est le transformer en plusieurs questions simples :

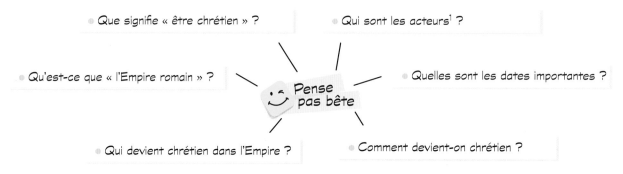

- Que signifie « être chrétien » ?
- Qui sont les acteurs[1] ?
- Qu'est-ce que « l'Empire romain » ?
- Quelles sont les dates importantes ?

Pense pas bête

- Qui devient chrétien dans l'Empire ?
- Comment devient-on chrétien ?

1. les personnages qui ont joué un rôle.

2. Répondez aux questions du pense pas bête en mobilisant vos connaissances (repères, mots-clés).

3. Vérifiez avec votre cahier ou votre manuel que vous n'avez pas oublié d'informations importantes.

Travail de rédaction (au propre)

À vous de choisir votre niveau de difficulté et votre ceinture !

Soignez la présentation de votre texte et votre écriture. Évitez les ratures. N'oubliez pas de relire et de vérifier vos accords.

Je rédige un texte **sans aide**.

Rédigez votre texte en vérifiant que :
- Vous organisez vos idées en paragraphes ;
- Vous rédigez chaque paragraphe autour d'une idée et d'un exemple.
- Vous commencez par une phrase d'introduction qui présente le sujet (Quoi ? Quand ? Où ?).

RAPPELS

Je rédige un texte **avec un guide léger**.

Rédigez votre texte en construisant deux paragraphes marqués par un alinéa, après avoir rédigé une phrase d'introduction.
- Phrase d'introduction : présentez le sujet en rappelant ce qu'est le christianisme et quels ont été les rapports entre cette religion et l'Empire romain du Ier au IVe siècle.
- 1er paragraphe : expliquez le rôle de Constantin et de sa conversion.
- 2e paragraphe : expliquez comment le christianisme s'impose peu à peu après le règne de Constantin.

Je rédige un texte **en suivant des consignes précises**.

Construisez deux paragraphes marqués par un alinéa, après avoir rédigé une phrase d'introduction.
- Phrase d'introduction : le christianisme est une religion née au Ier siècle. Rappelez la croyance chrétienne et montrez que cette religion n'a pas toujours été bien acceptée dans l'Empire romain.
- 1er paragraphe : En 313, un homme important change de religion. Présentez cet homme et expliquez sa conversion.
- 2e paragraphe : Au IVe siècle, la religion chrétienne s'impose peu à peu dans l'Empire. Expliquez comment.

Enquêter **La mort de Jésus**

Menez l'enquête

*Un fait selon les Évangiles :
la crucifixion de Jésus*

Portail (détail), basilique Sainte-Sabine,
Ve siècle, Rome (Italie).

Les indices

Indice n° 1

Judas, l'un des douze apôtres, se rendit chez les grands prêtres et leur dit : « Que voulez-vous me donner, si je vous livre Jésus ? » Ils lui remirent trente pièces d'argent.

D'après l'*Évangile de Matthieu* 26, 14-15,
fin du Ier siècle ap. J.-C.

Mosaïque de Saint-Apollinaire le Neuf,
VIe siècle, Ravenne (Italie).

Indice n° 2

Jésus dit à ceux qui étaient venus l'arrêter, grands prêtres, anciens et chefs des gardes du Temple : « Suis-je donc un bandit pour que vous soyez venus avec des épées et des bâtons ? » S'étant saisis de Jésus, ils l'emmenèrent et le firent entrer dans la résidence du grand prêtre.

D'après l'*Évangile de Luc* 22, 52-54,
fin du Ier siècle ap. J.-C.

Indice n° 3

Les autorités juives de Jérusalem convoquèrent le Conseil suprême. Ils emmenèrent et livrèrent Jésus au gouverneur romain, Pilate. Celui-ci l'interrogea selon les accusations des grands prêtres : « Es-tu le roi des Juifs ? » Jésus ne répondit rien.

D'après l'*Évangile de Marc* 15, 1-5,
fin du Ier siècle ap. J.-C.

Indice n° 4

Jésus était un homme sage tant ses œuvres étaient admirables. Il fut arrêté et livré aux Romains qui le firent crucifier.

D'après Flavius Josèphe, *Antiquités juives* 18, 3-3,
fin du Ier siècle ap. J.-C.

Avez-vous pris connaissance des indices ? Quelle est votre conviction : qui est responsable de la mort de Jésus ?

Par équipe, complétez le carnet de l'enquêteur :

Les différents suspects évoqués par les indices : …

Les raisons qui les animent : …

Un coupable ? Plusieurs coupables ? : …

Conclusion : à l'aide des éléments en votre possession, rédigez en quelques lignes votre rapport d'enquête. Reconstituez les différentes étapes qui mènent Jésus à la mort, de la dénonciation à la crucifixion.

Les catacombes : lieux de culte des chrétiens

Pendant les persécutions, les catacombes sont des cimetières. Elles sont également des lieux de réunion où les chrétiens honorent leurs morts et pratiquent leur culte. Leur décor chargé de symboles renseigne sur l'histoire des premiers chrétiens.

1 | **Catacombe de la Via Latina, Rome, IIe siècle**
❶ Loges funéraires

Vocabulaire

Fresque : peinture murale réalisée sur un enduit encore humide. Il permet une meilleure pénétration des couleurs et donc leur conservation.

Symbole : signe concret ou figure qui rappelle une idée ou une réalité spirituelle.

2 | **Des fresques qui racontent la foi et l'histoire des premiers chrétiens**

a. La prière
Catacombe de San Gennaro, Ve-VIe siècle ap. J.-C., Naples (Italie).

b. Martyr attaqué par un lion
Samson combattant le lion, Catacombe de la Via Latina, IVe siècle ap. J.-C., Rome (Italie).

Présenter

1. DOC. 1 ET 2 Relevez les éléments utiles à la présentation des œuvres (nature, date, lieu de conservation).

Décrire et comprendre

2. DOC. 1 Décrivez le lieu présenté. À quoi servent les catacombes ?

3. DOC. 2 Décrivez les deux scènes représentées. Pourquoi avoir représenté de telles scènes ?

4. DOC. 1 ET 2 **Formulez une hypothèse** pour répondre à la question suivante : pourquoi les chrétiens pratiquaient-ils leur culte dans des lieux souterrains ?

Exprimer sa sensibilité et conclure

5. Quelle impression les catacombes vous donnent-elles ? Justifiez votre avis.

Comment la tolérance religieuse permet-elle de mieux vivre ensemble ?

1 L'Empereur Constantin explique la publication de l'édit de Milan en 313

Nous avons résolu d'accorder aux chrétiens et à tous les autres la liberté de pratiquer la religion qu'ils préfèrent, afin que la divinité qui réside dans le ciel soit propice et favorable aussi bien à nous qu'à tous ceux qui vivent sous notre domination. Il nous a paru que c'était un système très bon et très raisonnable de ne refuser à aucun de nos sujets, qu'il soit chrétien ou qu'il appartienne à un autre culte, le droit de suivre la religion qui lui convient le mieux.

D'après Eusèbe, Vie de Constantin, *IVe siècle.*

2 Que dit la loi aujourd'hui ?

Article 10
Nul ne doit être inquiété pour ses opinions, même religieuses, pourvu que leur manifestation ne trouble pas l'ordre public établi par la Loi.

La Déclaration des droits de l'homme et du citoyen, 1789.

Article 1
La République assure la liberté de conscience. Elle garantit le libre exercice des cultes sous les seules restrictions édictées ci-après dans l'intérêt de l'ordre public.

Loi du 9 décembre 1905 concernant la séparation des Églises et de l'État.

3 **Des religions qui coexistent[1]**
Graph de Combo fait dans le quartier de la Porte Dorée (Paris).
1. Coexister : vivre ensemble.

Qui est-il ?
Combo
Street artiste français.
Artiste engagé, il a travaillé comme publicitaire.

Le droit et la règle

1. DOC. 1 Qui obtient le droit de pratiquer sa religion en 313 ap. J.-C. ?
2. DOC. 3 Pourquoi l'artiste Combo a-t-il écrit COEXIST de cette façon ?
3. DOC. 2 Montrez que le message de l'artiste va dans le même sens que la loi française.

Le jugement

4. Par groupe, trouvez plusieurs arguments pour expliquer l'importance de la tolérance religieuse pour nous permettre de vivre ensemble malgré nos différences.
5. Mettez ensuite en commun toutes les idées de la classe.
   Quel est l'argument le plus convaincant ?

La Terre, continents et océans

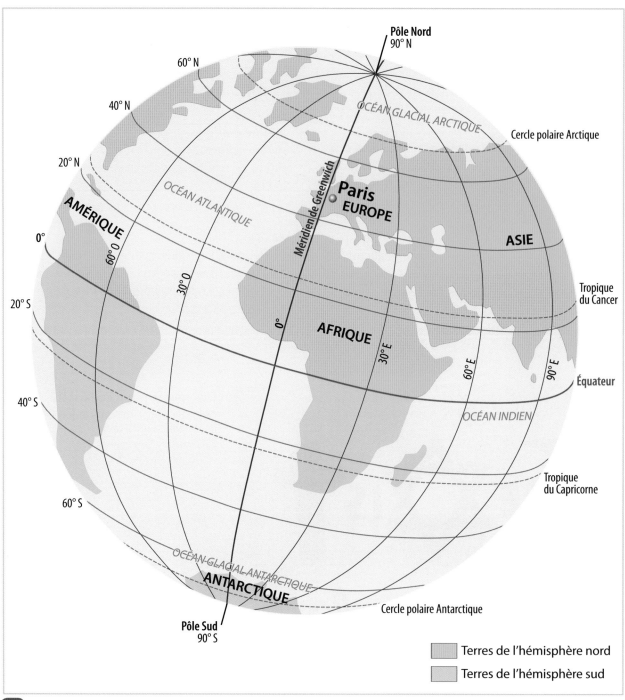

1 | La Terre, un globe

Vocabulaire

Continent : vaste étendue de terres entourée par des océans ou des mers.

Équateur : ligne imaginaire qui partage la Terre en deux hémisphères. Elle est située à égale distance des deux pôles.

Méridien : ligne imaginaire qui joint les deux pôles.

Océan : vaste étendue d'eau salée.

Parallèle : ligne imaginaire parallèle à l'Équateur.

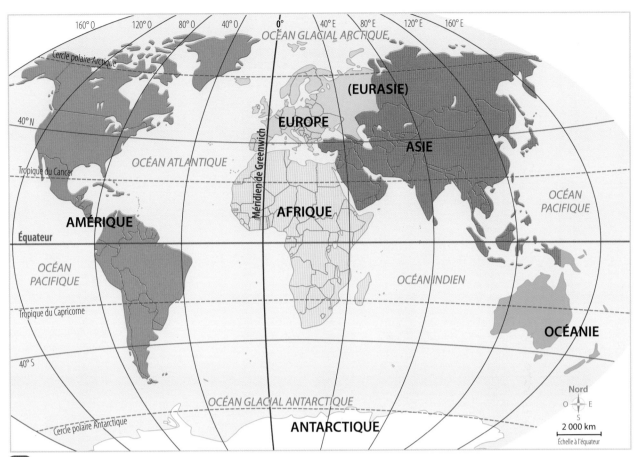

2 | La Terre, les continents et les océans (projection cylindrique)

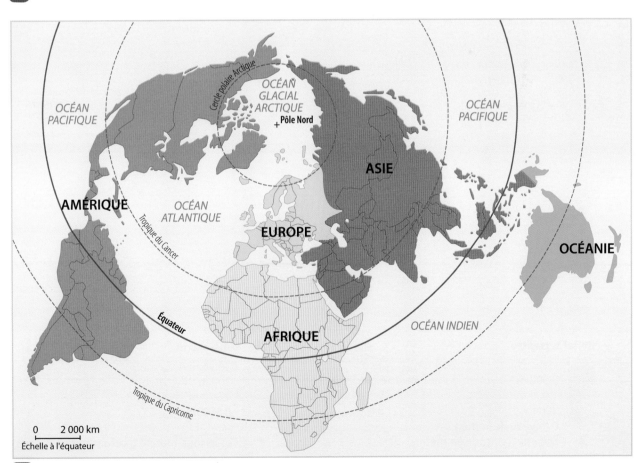

3 | La Terre en projection semi-polaire

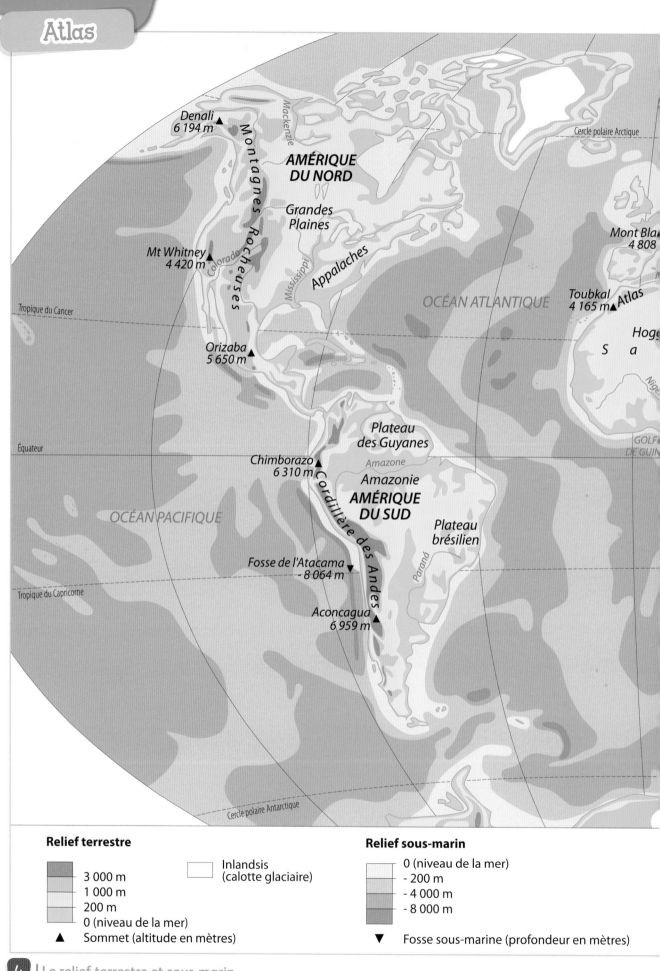

Denali
6 194 m ▲

Mackenzie

Cercle polaire Arctique

**AMÉRIQUE
DU NORD**

Grandes
Plaines

Mont Bla
4 808

Montagnes Rocheuses

Mt Whitney
4 420 m ▲

Colorado

Mississippi

Appalaches

OCÉAN ATLANTIQUE

Toubkal
4 165 m ▲ Atlas

Tropique du Cancer

Hogg
S a

Orizaba
5 650 m ▲

Niger

Équateur

Plateau
des Guyanes

GOLF
DE GUIN

Amazone

Chimborazo
6 310 m ▲

Amazonie
**AMÉRIQUE
DU SUD**

OCÉAN PACIFIQUE

Cordillère des Andes

Plateau
brésilien

Fosse de l'Atacama
- 8 064 m ▼

Parana

Tropique du Capricorne

Aconcagua
6 959 m ▲

Cercle polaire Antarctique

Relief terrestre

- 3 000 m
- 1 000 m
- 200 m
- 0 (niveau de la mer)
▲ Sommet (altitude en mètres)

Inlandsis
(calotte glaciaire)

Relief sous-marin

- 0 (niveau de la mer)
- - 200 m
- - 4 000 m
- - 8 000 m
▼ Fosse sous-marine (profondeur en mètres)

4 | Le relief terrestre et sous-marin

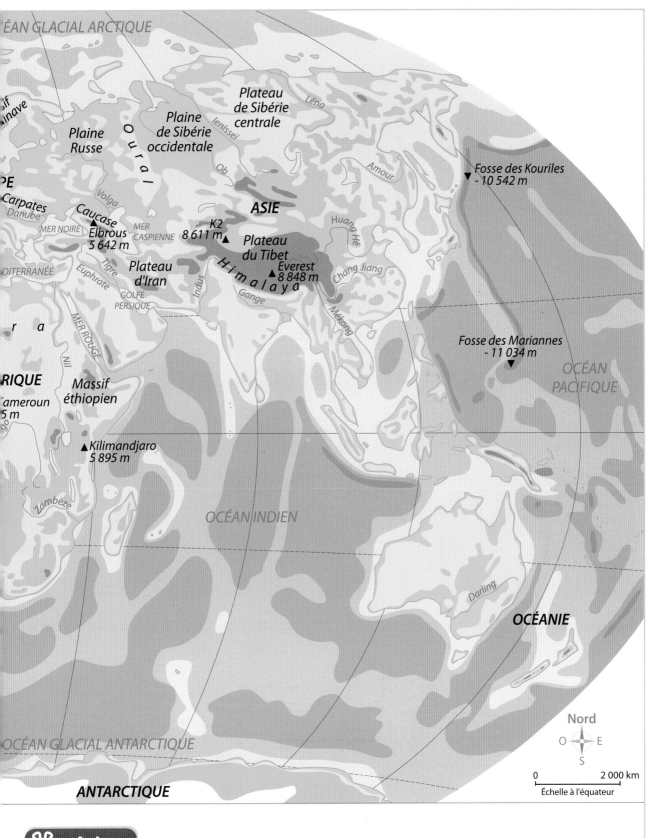

ÉAN GLACIAL ARCTIQUE

Plateau
de Sibérie
centrale

Léna

Plaine
de Sibérie
occidentale

Plaine
Russe

O
u
r
a
l

Ienisseï

Ob

Amour

Fosse des Kouriles
- 10 542 m

sif
inave

PE

Carpates
Danube

Volga

Caucase
▲ Elbrous
5 642 m

MER NOIRE

MER
CASPIENNE

K2
8 611 m ▲

ASIE

Huang Hé

Plateau
du Tibet

Everest
▲ 8 848 m

Chang Jiang

DITERRANÉE

Euphrate

Tigre

Plateau
d'Iran

H
i
m
a
l
a
y
a

Indus

Gange

Mékong

Fosse des Mariannes
- 11 034 m
▼

OCÉAN
PACIFIQUE

GOLFE
PERSIQUE

r
a

Nil

MER ROUGE

RIQUE

ameroun
5 m

Massif
éthiopien

go

▲ Kilimandjaro
5 895 m

Zambèze

OCÉAN INDIEN

Darling

OCÉANIE

Nord

O ◆ E

S

0   2 000 km

Échelle à l'équateur

OCÉAN GLACIAL ANTARCTIQUE

ANTARCTIQUE

Vocabulaire

Plaine : étendue plane dans laquelle les cours d'eau n'ont pas creusé de vallées marquées. Elles sont souvent peu élevées.

Plateau : étendue plane dans laquelle les cours d'eau ont creusé des vallées aux versants abrupts. Ils peuvent être élevés.

Montagne : relief qui se caractérise par des altitudes élevées et de fortes pentes.

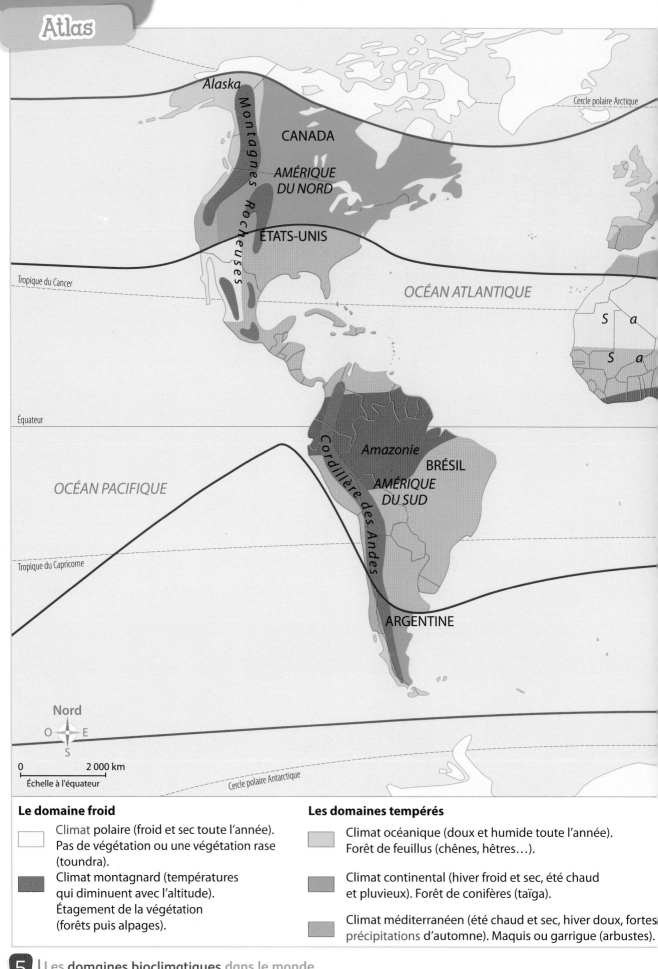

Le domaine froid

Climat polaire (froid et sec toute l'année). Pas de végétation ou une végétation rase (toundra).

Climat montagnard (températures qui diminuent avec l'altitude). Étagement de la végétation (forêts puis alpages).

Les domaines tempérés

Climat océanique (doux et humide toute l'année). Forêt de feuillus (chênes, hêtres…).

Climat continental (hiver froid et sec, été chaud et pluvieux). Forêt de conifères (taïga).

Climat méditerranéen (été chaud et sec, hiver doux, fortes précipitations d'automne). Maquis ou garrigue (arbustes).

5 | **Les domaines bioclimatiques** dans le monde

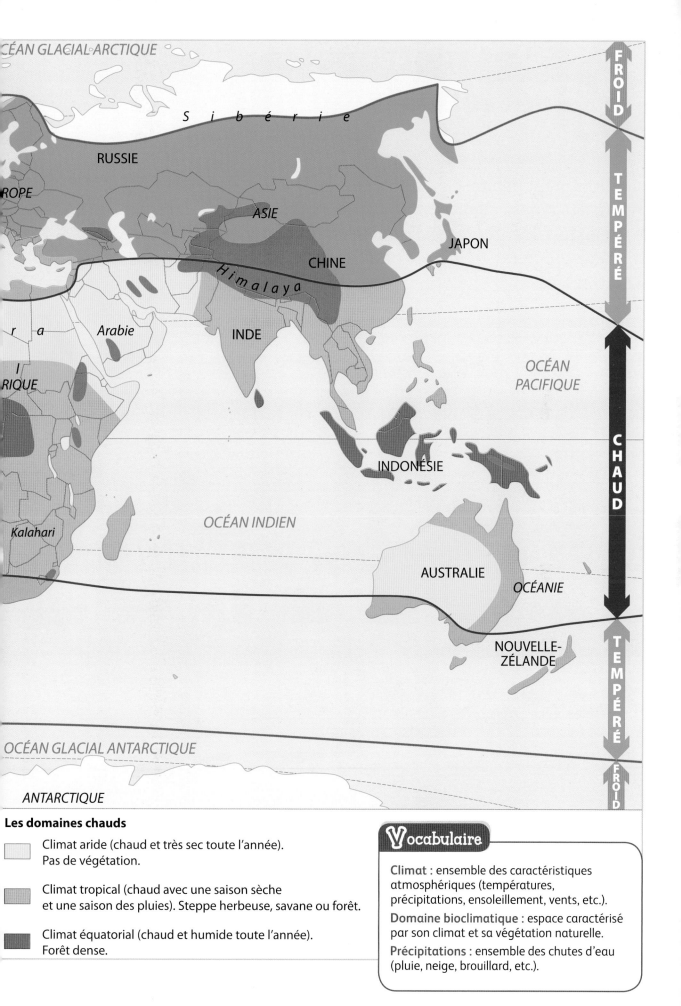

OCÉAN GLACIAL ARCTIQUE

FROID

TEMPÉRÉ

Sibérie

RUSSIE

ROPE

ASIE

JAPON

CHINE

Himalaya

CHAUD

Arabie

INDE

r   a

OCÉAN
PACIFIQUE

I

RIQUE

INDONÉSIE

OCÉAN INDIEN

Kalahari

AUSTRALIE

OCÉANIE

TEMPÉRÉ

NOUVELLE-
ZÉLANDE

OCÉAN GLACIAL ANTARCTIQUE

FROID

ANTARCTIQUE

Les domaines chauds

Climat aride (chaud et très sec toute l'année).
Pas de végétation.

Climat tropical (chaud avec une saison sèche
et une saison des pluies). Steppe herbeuse, savane ou forêt.

Climat équatorial (chaud et humide toute l'année).
Forêt dense.

ⱱocabulaire

Climat : ensemble des caractéristiques atmosphériques (températures, précipitations, ensoleillement, vents, etc.).

Domaine bioclimatique : espace caractérisé par son climat et sa végétation naturelle.

Précipitations : ensemble des chutes d'eau (pluie, neige, brouillard, etc.).

Les métropoles et leurs habitants

Comment **habite**-t-on une métropole ? Quels points communs et différences existe-t-il entre les métropoles des pays développés et celles des pays émergents ?

Souvenez-vous !

Pouvez-vous donner le nom de quelques métropoles ?

1 Le centre de Moscou, 12 millions d'habitants, et son quartier des affaires

Vocabulaire

Fonctions urbaines : ensemble des activités d'une ville (administratives, industrielles, culturelles, commerciales…).

Habiter : avoir son domicile et/ou vivre dans un territoire (travailler, se déplacer, avoir des loisirs…).

Métropole : ville qui exerce son influence sur un territoire à des échelles différentes (régionale, nationale, mondiale).

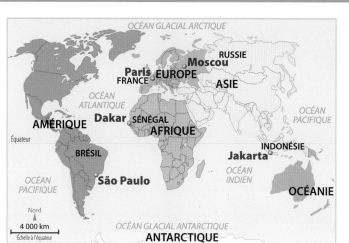

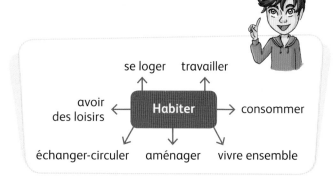

2 Jakarta, 10 millions d'habitants, l'une des grandes **métropoles** du monde

1. DOC. **1** ET **2** Relevez les points communs et différences qui existent entre les deux espaces présentés.

2. DOC. **1** ET **2** Émettez une hypothèse pour répondre à la question suivante : Quelles sont les **fonctions** visibles sur ces paysages ?

se loger   travailler

avoir des loisirs ⟵ **Habiter** ⟶ consommer

échanger-circuler   aménager   vivre ensemble

Habiter São Paulo, métropole d'un pays émergent

 Comment les populations de São Paulo habitent-elles dans cette métropole géante ?

FICHE D'IDENTITÉ DE SÃO PAULO

Pays	Brésil
Population	22 millions d'hab.
Superficie	8 000 km²
PUB par hab.	17 600 dollars/hab.

1 | Bidonvilles et quartiers résidentiels à São Paulo

2 **Un chef d'entreprise français à São Paulo**

Un témoin raconte

Jean se rend régulièrement à São Paulo, cœur économique et industriel du Brésil, pour rencontrer des partenaires économiques dans le domaine de l'aéronautique.

« En périphérie, on trouve les usines de Volkswagen, Renault, Toyota, Alstom… L'étalement de la ville se voit également par les immenses zones commerciales où l'on retrouve Ikea, Décathlon ou Leroy Merlin. » À chaque fois, il est surpris par la circulation automobile : « Des autoroutes à 3 x 3 voies dans un sens et 3 x 3 voies dans l'autre desservent le centre ; mais elles sont très souvent embouteillées. Les gens aisés, eux, circulent en hélicoptère, de gratte-ciel en gratte-ciel. Les voitures ont souvent des vitres blindées et fumées. La nuit, on ne s'arrête jamais au feu rouge, on ralentit seulement de peur des agressions. »

D'après Jean G., janvier 2016, témoignage recueilli par l'auteur.

Vocabulaire

Bidonville : quartier pauvre où les maisons sont construites par les habitants eux-mêmes avec des matériaux de récupération.

Pays émergent : pays qui s'enrichit rapidement et qui joue un rôle de plus en plus important dans le monde.

Produit urbain brut (PUB) : richesse produite par une ville.

Quartier résidentiel : quartier où vivent les populations aisées et les classes moyennes.

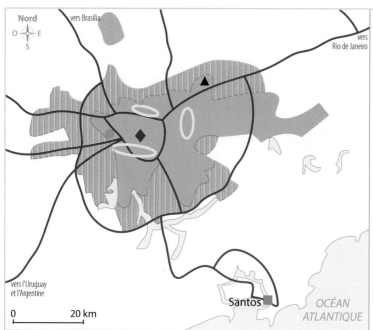

Nord
O E
S

vers Brasilia

vers Rio de Janeiro

vers l'Uruguay et l'Argentine

Santos

OCÉAN ATLANTIQUE

0   20 km

1. Une métropole qui concentre les fonctions

a. résidentielle

Un espace urbain

b. économique

◆ Quartier des affaires

c. culturelle

● Université

2. Une métropole reliée au monde

▲ Aéroport international

— Principaux axes de transport

■ Port de commerce

3. Une métropole marquée par la ségrégation

|||| Principaux bidonvilles

⬭ Quartiers riches

Sources : *Atlas des villes*, Le Monde éd., 2013.
S. Torres Moraes, « São Paulo : la fragmentation est-elle inéluctable ? », *Regards sur la Terre*, 2010.
A. F. Alessandri Carlos, « Dynamique urbaine et métropolisation, le cas de São Paulo », *Confins*, 2, 2008.

 | La métropole de São Paulo

Activités

▶ **Socle** *Se repérer dans l'espace*

1. Localisez São Paulo (pays, continent).
2. DOC. 1 Que voyez-vous au premier plan de la photographie ? Et à l'arrière-plan ?

▶ **Socle** *Extraire des informations pertinentes*

3. DOC. 1, 2 ET 3 Rappelez la définition de métropole. Relevez les éléments qui font de São Paulo une grande métropole.
4. DOC. 1, 3 ET 4 À quels problèmes doit-elle faire face ?

Pour conclure

Construisez un croquis de paysage.

• Reproduisez le croquis du paysage ci-contre en suivant la méthode proposée ci-dessous et complétez la légende à l'aide des propositions suivantes : Quartier résidentiel, Bidonville.

• Décrivez en une phrase ces deux espaces.

Titre :

Point méthode

Réaliser un croquis :
• Avoir son matériel : crayons de couleurs, feutres fins, gomme, papier calque ;
• Mettre la feuille de calque sur la photographie ;
• Délimiter les différents plans ;

• Associer à ces éléments une couleur (par exemple les immeubles en marron) ;
• Compléter la légende et colorier le calque avec les couleurs précisées dans la légende ;
• Donner un titre à son croquis.

Habiter une métropole d'Europe, Paris

→ **Quelles sont les fonctions d'une métropole comme Paris ?**

FICHE D'IDENTITÉ DE L'AIRE URBAINE DE PARIS

Pays	France
Population	13 millions d'hab.
Superficie	17 000 km²
PUB par hab.	43 000 dollars/hab.

1 | **Paris, une métropole qui concentre les fonctions**

Cette vue est prise de la tour Eiffel, en direction de l'ouest.

❶ La fonction économique avec le **quartier des affaires** de La Défense.
❷ La fonction de loisir avec le bois de Boulogne.
❸ La fonction résidentielle avec le XVIᵉ arrondissement.
❹ La fonction culturelle avec le Trocadéro où l'on trouve des musées.

2 | Se loger et se déplacer à Paris

Un témoin raconte

J'habite dans l'**agglomération** parisienne depuis de nombreuses années, par choix et pour mon travail. J'ai vécu dans un studio de 27 m² avec balcon, pour 700 euros par mois ! J'ai fait ce choix, tout en changeant de mode de vie : plus de voiture, un petit logement… J'avais la chance d'être à 200 mètres de Paris ! J'allais le plus souvent possible au travail à vélo ; le métro était souvent bondé et ce n'était pas agréable.

Depuis, j'ai rencontré quelqu'un et nous avons cherché un logement plus grand : nous nous sommes éloignés de Paris, pour nous rapprocher de son lieu de travail et vivons dans un pavillon, dans la banlieue sud, à 40 km de Paris.

D'après Nadège C., témoignage recueilli par l'auteur, novembre 2015.

Vocabulaire

Agglomération : une ville et sa banlieue.

Aire urbaine : ensemble formé d'un pôle urbain (Paris) et des communes attenantes.

Fonctions urbaines : ensemble des activités d'une ville (administratives, industrielles, culturelles, commerciales…).

Quartier des affaires : quartier qui concentre les activités financières et les grandes entreprises.

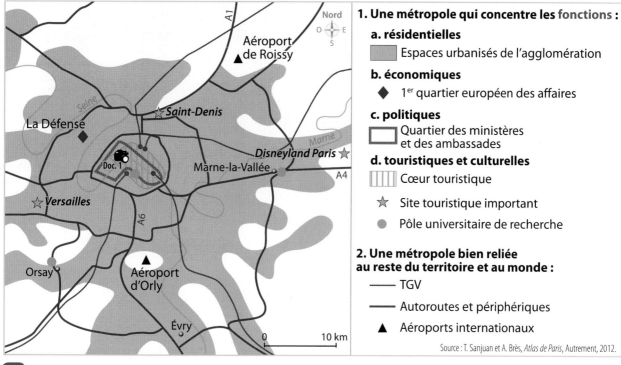

1. Une métropole qui concentre les fonctions :

a. résidentielles

Espaces urbanisés de l'agglomération

b. économiques

◆ 1er quartier européen des affaires

c. politiques

Quartier des ministères et des ambassades

d. touristiques et culturelles

Cœur touristique

☆ Site touristique important

● Pôle universitaire de recherche

2. Une métropole bien reliée au reste du territoire et au monde :

—— TGV

—— Autoroutes et périphériques

▲ Aéroports internationaux

Source : T. Sanjuan et A. Brès, *Atlas de Paris*, Autrement, 2012.

3 | Des fonctions qui se concentrent au centre de la métropole parisienne

Une métropole densément peuplée

- 13 millions d'habitants
- Une des densités les plus fortes d'Europe dans la ville centre

Une métropole qui a un poids culturel mondial

- 29 millions de touristes par an
- Capitale de la mode, du luxe, de la gastronomie
- La première ville au monde où il fait bon étudier[1]

Une métropole qui concentre les pouvoirs politiques

- Les ministères, le palais de l'Élysée, l'Hôtel Matignon, le Sénat, l'Assemblée nationale
- Le siège de l'OCDE, le siège de l'UNESCO

Une métropole riche

- 4e au monde pour la richesse produite
- 50 % des investissements du pays se font à Paris

[1] Étude de la société britannique Quacquarelli Symonds Ltd (QS) – 2013 et 2014.

4 | Paris, une métropole attractive

Activités

▸ **Socle** *Construire des repères géographiques*

1. **DOC. 1** Localisez et décrivez le paysage.

▸ **Socle** *Extraire des informations pertinentes*

2. **DOC. 3 ET 4** Quelles fonctions peut-on distinguer dans ces documents ?

3. **DOC. 1, 3 ET 4** Quels éléments rendent cette ville attractive ?

4. **DOC. 2** À quels problèmes les habitants doivent-ils faire face ?

Pour conclure

En groupe, présentez à l'oral la réponse à la question suivante :

➤ **Quelles sont les fonctions d'une métropole comme Paris ?**

Aide

1. Allez sur le site officiel de la ville de Paris : www.paris.fr.

2. En quelles langues ce site est-il accessible ?

3. Chaque groupe va sur un onglet différent (facil'familles, professionnel…) et cherche des informations sur les fonctions de la métropole parisienne.

4. Puis présentez votre travail à l'oral.

Habiter un territoire qui se transforme. L'exemple de Paris

Étape 1 ▶ Repérer les permanences

DOC. 1, 2 ET 3 Comprendre la continuité des fonctions d'une métropole.

1. En utilisant le schéma p. 165, indiquez les fonctions du centre d'une métropole.

2. De quelles époques les monuments et bâtiments du centre-ville datent-ils ?

3. Quelles fonctions ces bâtiments abritent-ils ? Montrez que ces fonctions sont présentes depuis plusieurs siècles.

Étape 2 ▶ Identifier les évolutions

DOC. 4 ET 5 Comprendre les changements dans une métropole.

4. Quels aménagements les métropoles connaissent-elles depuis la fin du XXe siècle ?

5. À votre avis, pourquoi réalise-t-on ces transformations ?

Étape 3 ▶ Conclure

6. Associez les différents lieux étudiés avec la coupe du haut de la page de droite.

1 | Le palais de Justice de Paris (XVIIIe siècle)

Vocabulaire

Friche : terrain abandonné par une activité (ici industrielle).

Reconversion : adaptation d'un territoire avec l'abandon d'anciennes activités et l'implantation de nouvelles.

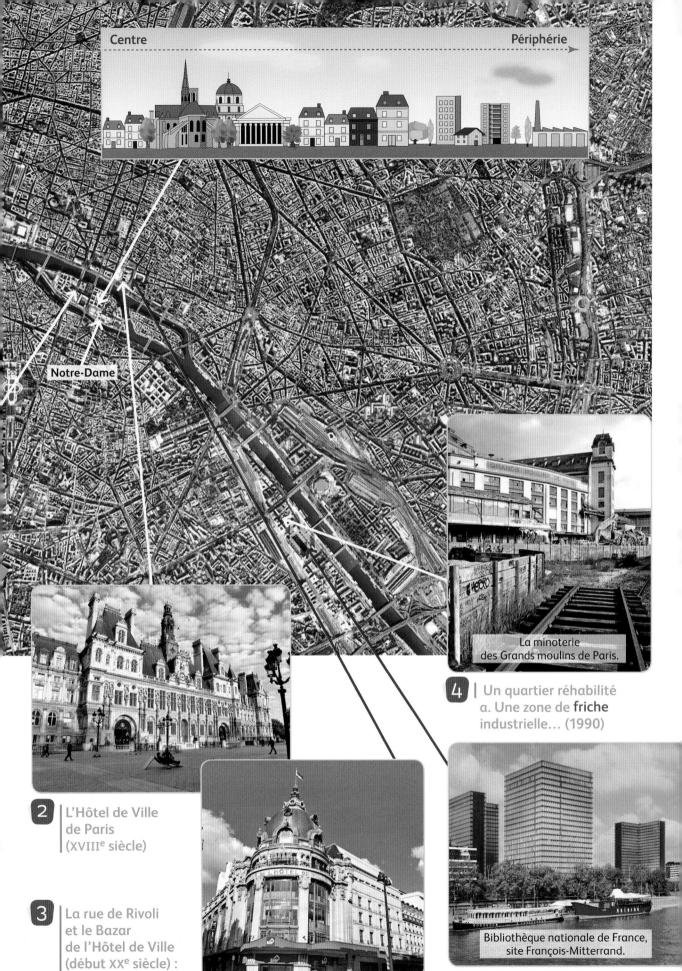

Centre

Périphérie

Notre-Dame

La minoterie
des Grands moulins de Paris.

4 | Un quartier réhabilité
a. Une zone de **friche**
industrielle… (1990)

2 | L'Hôtel de Ville
de Paris
(XVIIIᵉ siècle)

3 | La rue de Rivoli
et le Bazar
de l'Hôtel de Ville
(début XXᵉ siècle) :
commerces
et habitations

Bibliothèque nationale de France,
site François-Mitterrand.

b. … **reconvertie**
en bibliothèque (1996)

Habiter Dakar, une métropole africaine

FICHE D'IDENTITÉ DE DAKAR

Pays	Sénégal
Population	3,4 millions d'hab.
Superficie	550 km²

Comment les populations de Dakar cohabitent-elles dans cette métropole africaine et littorale ?

1 | Dakar, une capitale qui s'étend

Le littoral est marqué par une urbanisation frénétique et anarchique.

2 Vivre à Dakar : Aleyna témoigne

Un témoin raconte

Aleyna a vécu à Dakar de 2011 à 2015 avec son mari, Sénégalais, et leurs enfants.

Au premier coup d'œil, cette ville déroute un peu. Dakar charme, intrigue, énerve parfois. Bruyante, brouillonne par ses centaines de chantiers inachevés et surpeuplée surtout dans ses quartiers populaires ! Elle peut paraître étouffante dans un premier temps, gaz d'échappement à l'appui. Mais il suffit d'y flâner et on se met à apprécier le calme de certains endroits où l'on peut siroter du lait de coco en regardant la mer, l'agitation de certaines rues.

Dakar est un véritable tourbillon de contrastes où les gratte-ciel de verre s'opposent aux petites maisons de pêcheurs en ruine, où le cadre à cravate côtoie l'élégante femme en boubou et le marabout[1] à gris-gris.

D'après Aleyna, « Une Toubab à Dakar », mai 2014.
https://unetoubabadakar.wordpress.com/

1. En Afrique, une sorte de voyant et de sorcier.

Point méthode

Lire un paysage :
– **Localiser, situer**
– **Décrire**
– **Comprendre, expliquer**

Vocabulaire

Cohabiter : vivre ensemble, occuper un même espace.

Conflit d'usage : conflit sur la manière d'occuper un espace.

Fonctions : ensemble des activités d'une ville.

Littoral : zone de contact entre la mer et la terre.

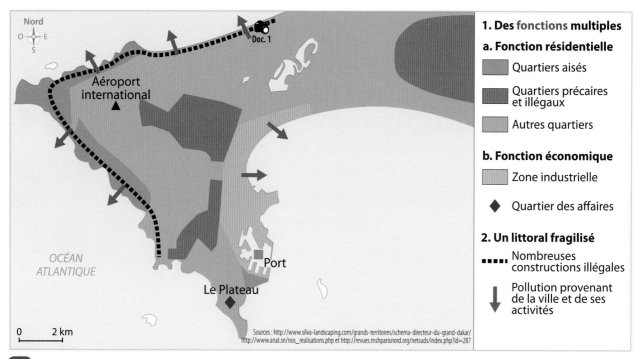

1. Des fonctions multiples

a. Fonction résidentielle

- Quartiers aisés
- Quartiers précaires et illégaux
- Autres quartiers

b. Fonction économique

- Zone industrielle
- ◆ Quartier des affaires

2. Un littoral fragilisé

- ▪▪▪▪ Nombreuses constructions illégales
- ↓ Pollution provenant de la ville et de ses activités

Nord

O · E
S

Aéroport international ▲

OCÉAN ATLANTIQUE

Port

Le Plateau ◆

Doc. 1

0   2 km

Sources : http://www.silva-landscaping.com/grands-territoires/schema-directeur-du-grand-dakar/
http://www.anat.sn/nos_realisations.php et http://revues.mshparisnord.org/netsuds/index.php?id=287

3 | Habiter une métropole où les tensions pour l'occupation de l'espace sont importantes

4 Cohabiter : des conflits d'usage parfois importants

Dès les années 1970, le littoral de Dakar est devenu le théâtre de conflits entre personnes privées (souvent riches et proches du pouvoir) et usagers. Les constructions ont transformé le paysage et l'environnement. Aujourd'hui, des terrains ont été confisqués par l'État pour la réalisation de grands travaux d'infrastructure et par des privés pour la construction de logements en bord de mer ou l'exploitation d'une activité économique. Faute de place, les territoires littoraux dakarois sont devenus le théâtre de conflits d'appropriation de l'espace entre pêcheurs, exploitants de plage, poissonnières, promoteurs immobiliers, aubergistes et restaurateurs, qui investissent ces plages depuis plusieurs décennies, et les pouvoirs publics et institutions de protection de la nature.

D'après I. Sidibé, « Un territoire littoral dans l'espace politique, économique et religieux du Sénégal - Le cas de la baie de Ouakam (Dakar) », *Espaces Populations Sociétés*, université de Lille 1, 2013.

Activités

▶ **Socle** *Construire des repères géographiques*

1. DOC. 1 Où se situe ce quartier de Dakar ?
2. DOC. 1 Décrivez le paysage urbain en insistant sur le lieu où il est situé. Quels indices montrent que c'est une ville en pleine évolution ?

▶ **Socle** *Extraire des informations pertinentes*

3. DOC. 1, 2 ET 3 Quelles sont les différentes fonctions de la ville que vous pouvez distinguer ?
4. DOC. 2, 3 ET 4 Quels problèmes ces fonctions peuvent-elles engendrer ?

Pour conclure

Répondez à la question suivante en complétant le schéma ci-contre après l'avoir recopié :

➤ **Comment les habitants de Dakar cohabitent-ils ? De quelle manière vivent-ils dans cette ville ?**

Travailler et consommer
DOC. 2 ET 3

Se loger
DOC. 1, 3 ET 4

Habiter

Cohabiter
DOC. 3 ET 4

Échanger - circuler
DOC. 2 ET 3

▶ **Socle** *Se repérer dans l'espace*

Les métropoles et leurs habitants

Recopiez les tableaux et répondez aux questions

Des territoires étudiés (à l'échelle locale)...

	Étude de cas p. 164	Étude de cas p. 166	Étude de cas p. 170
	São Paulo	Paris	Dakar
Quels sont les paysages marquants ?	Bidonvilles Quartiers résidentiels Quartier des affaires		
Quelles activités peut-on pratiquer dans ces métropoles ?	Se loger Se déplacer Travailler		
Quels problèmes connaissent les populations qui y vivent ?	Pauvreté Logements insalubres Problèmes de circulation		

... au planisphère (à l'échelle mondiale)

Quelles sont les grandes métropoles où se concentre la population ?	
Dans quelles régions du monde se situent la plupart des métropoles ?	

Vocabulaire

Taux d'urbanisation : pourcentage de personnes habitant en ville.

Fil rouge **Habiter le monde**

▶ **Socle** *Formuler une hypothèse*

À votre avis, pourquoi les métropoles se concentrent-elles à proximité des littoraux ?

Aide | *Vous trouverez des renseignements dans le chapitre 12 « Habiter les littoraux industriels et touristiques » p. 242 et le chapitre 13 « Le monde habité », p. 262.*

1. Les 22 plus grandes agglomérations

○ 37 millions d'habitants

○ 20 à 25 millions d'habitants

○ 15 à 19 millions d'habitants

○ 10 à 14 millions d'habitants

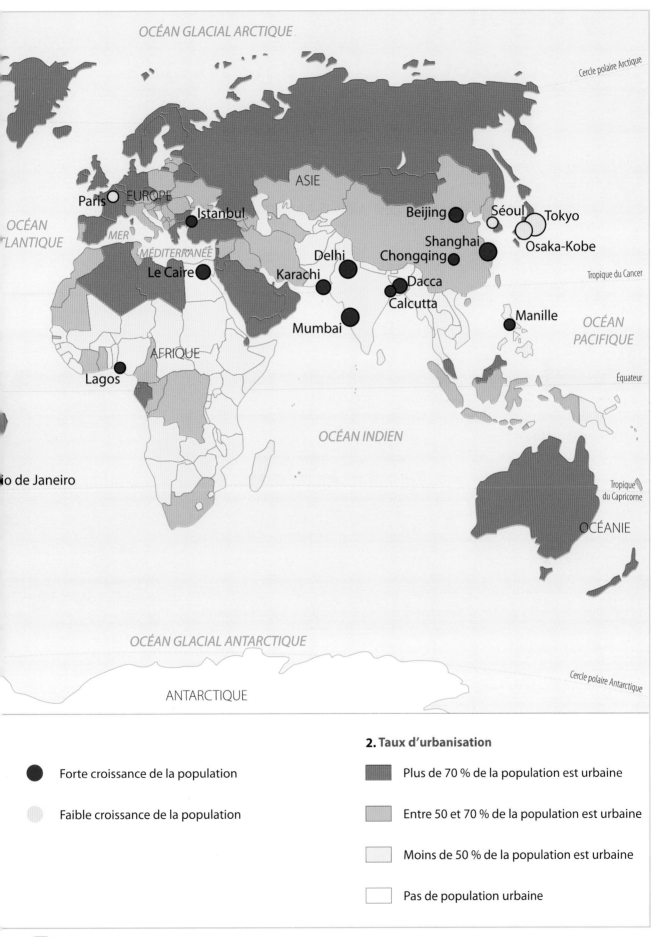

OCÉAN GLACIAL ARCTIQUE

Cercle polaire Arctique

ASIE

Paris ○ EUROPE

Istanbul ●

OCÉAN ATLANTIQUE

MER MÉDITERRANÉE

Beijing ●

Séoul ○ Tokyo ○

Shanghai ●

Osaka-Kobe ○

Le Caire ●

Delhi ●

Chongqing ●

Karachi ●

Dacca ●

Tropique du Cancer

Calcutta ●

Mumbai ●

Manille ●

OCÉAN PACIFIQUE

AFRIQUE

Lagos ●

Équateur

OCÉAN INDIEN

io de Janeiro

Tropique du Capricorne

OCÉANIE

OCÉAN GLACIAL ANTARCTIQUE

Cercle polaire Antarctique

ANTARCTIQUE

● Forte croissance de la population

○ Faible croissance de la population

2. Taux d'urbanisation

■ Plus de 70 % de la population est urbaine

■ Entre 50 et 70 % de la population est urbaine

□ Moins de 50 % de la population est urbaine

□ Pas de population urbaine

1 | Une Terre de plus en plus habitée par des citadins

Leçon

Les métropoles et leurs habitants

🔍 Comment **habite-t-on** une **métropole** au XXIe siècle ?

I De plus en plus de personnes habitent dans les métropoles

- **Les plus grandes agglomérations sont situées dans les principaux foyers de population.** Aujourd'hui, elles s'étendent de plus en plus, comme à São Paulo ou à Dakar.

- **20 agglomérations dans le monde dépassent les 10 millions d'habitants :** ce sont des mégapoles, telles Paris, Lagos, Shanghai, Mumbai... Elles se concentrent dans les pays en développement et plus particulièrement émergents, comme en Chine ou en Inde.

II Les fonctions des métropoles

- **Les métropoles cumulent de nombreuses fonctions.** Elles concentrent les activités politiques (gouvernement), mais aussi économiques (entreprises), financières (banques) et culturelles (musées). C'est pour cela qu'elles attirent.

- Elles sont marquées par la **diversité de leurs habitants** : des résidents, des touristes, des travailleurs. **Ils n'habitent pas la métropole de la même manière.** Certains n'y viennent que pour travailler ou s'y promener ; d'autres y résident.

- Ces fonctions et ces habitants cohabitent, mais parfois des conflits d'usage existent.

III Des métropoles différentes

- **Dans les pays du Nord, les métropoles se sont développées autour du centre** où se trouvent le quartier historique, les activités culturelles et le quartier des affaires, tel que La Défense à Paris. En banlieue se concentrent habitations, commerces et activités occupant beaucoup d'espace (usines, aéroports, centres commerciaux...).

- **Dans les pays du Sud, la croissance urbaine accélérée ne permet pas cette organisation.** Les habitants s'installent dans les espaces disponibles pour y construire leurs habitations.

- **Les métropoles sont marquées par de nombreux problèmes :** les transports en commun insuffisants, les nombreux embouteillages, la forte pollution, la ségrégation socio-spatiale, comme à São Paulo où quartiers luxueux et sécurisés sont à proximité des bidonvilles.

Vocabulaire

Agglomération : une ville et sa banlieue.

Habiter : avoir son domicile et/ou vivre dans un territoire (travailler, se déplacer, avoir des loisirs...).

Métropole : ville qui exerce son influence sur un territoire à des échelles différentes (régionale, nationale, mondiale).

Bidonville : quartier pauvre où les maisons sont construites par les habitants avec des matériaux de récupération.

Ségrégation socio-spatiale : séparation dans l'espace de populations, selon leurs revenus.

Quelques chiffres

- 52 % de la population mondiale vit en ville en 2016.
- La plus grande ville du monde est Tokyo, avec 37 millions d'habitants.

Je retiens l'essentiel

Macdonald accueille ses 1ers habitants.

- Résider de façon permanente (populations locales).
- Résider de façon saisonnière (touristes).

Une reconversion urbaine, à Paris (p. 177).

Se loger

Euratechnologies, à Lille (p. 179).

- Avoir un emploi sur le lieu de résidence.
- Venir de l'extérieur pour travailler.

Travailler

Habiter une métropole, c'est l'aménager pour

Consommer - Avoir des loisirs

- Offrir des services de qualité aux populations.
- Se divertir de différentes manières : cinéma, musées, sport…

La rue de Rivoli et le Bazar de l'Hôtel de Ville à Paris.

Échanger-circuler

- Utiliser différents modes de transports (individuel/collectif).

Une station de métro à l'heure de pointe à São Paulo.

Vivre ensemble… … au risque de la ségrégation socio-spatiale et des conflits d'usage

- Des populations riches et pauvres cohabitent.
- Des populations et des activités différentes cohabitent.

Bidonville et quartier résidentiel à São Paulo.

- Au début du XXIe siècle, plus de la moitié de la population mondiale vit en ville.
- Les populations habitent une métropole en ayant de nombreuses activités : travailler, se loger, se déplacer, se divertir, consommer et vivre ensemble.
- Toutes les métropoles du monde ont des défis immenses à relever : pour les transports, les inégalités socio-spatiales, etc.

J'apprends, je m'entraîne

▶ Socle
Méthodes et outils pour apprendre

FICHE DE RÉVISION
À TÉLÉCHARGER
Fiche 8

Les métropoles et leurs habitants

1. Construire sa fiche de révision : notez le titre de la leçon sur votre feuille

Je connais...

Objectif 1 ▶ Connaître les repères géographiques

🖊 **À l'aide du planisphère, répondez aux consignes suivantes.**

1. Repérez les numéros correspondant aux 10 plus grandes métropoles :
– Osaka-Kobe,
– New York,
– Shanghai,
– Mexico,
– São Paulo,
– Le Caire,
– Tokyo,
– Mumbai,
– Delhi,
– Pékin.
2. Nommez les océans repérés par une lettre (de A à E).
3. Indiquez sur quel continent se situent Paris, São Paulo, et Dakar.

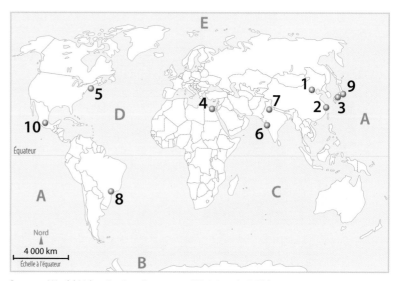

Source : World Urbanization Prospects, Révision de 2014.

Objectif 2 ▶ Connaître les mots-clés

🖊 **Sur votre cahier, notez la définition des mots-clés indiqués ci-dessous :**
• Métropole – Agglomération – Bidonville – Quartier des affaires – Ségrégation socio-spatiale.

Je suis capable de...

🖊 **Pour chacun des objectifs suivants, construisez une réponse à la consigne :**

Objectif 3 ▶ Décrire le paysage et faire un croquis de paysage d'une métropole

Aide | *Indiquez les fonctions des différents espaces d'une métropole comme Dakar, Paris ou São Paulo.*

Objectif 4 ▶ Décrire des aménagements en cours dans des métropoles

Aide | *Allez regarder l'exercice 2 « S'informer dans le monde numérique » p. 177 ou l'Enquêter p. 179.*

Objectif 5 ▶ Présenter les défis que connaissent les métropoles d'aujourd'hui

Aide | *Précisez ce qu'est la ségrégation socio-spatiale, mais aussi quels sont les problèmes de transports.*

1 Construire des repères : les métropoles et leurs habitants

1 Paysage 1

2 Paysage 2

1. **PAYSAGES 1 ET 2** De quelles métropoles est-il question ? Pour chacune d'elles, rédigez deux ou trois phrases qui les localisent et présentent leurs points communs et leurs différences.

2. **PAYSAGE 3** D'après vos connaissances, précisez de quel type de paysage il s'agit et expliquez quelles fonctions de la métropole il symbolise.

Du textile...
...au numérique

3000 EMPLOIS CRÉÉS DEPUIS 2009 À EURATECHNOLOGIES
(RE)DÉCOUVREZ VOTRE VILLE SUR LILLE.FR

3 Paysage 3

2 S'informer dans le monde numérique

1. Dans un moteur de recherche, tapez les mots-clés suivants « entrepôt Macdonald ».

2. Depuis la page d'accueil http://www.entrepotmacdonald.com/, cliquez sur « chronique d'une reconversion ». À quoi servait cet entrepôt ? Décrivez-le.

   Aide (*N'hésitez pas à aller sur les « # ».*

3. Faites défiler la page et arrêtez-vous à « Macdonald devenu quartier : preuve par la mixité ». Quelles sont les fonctions créées et à venir de cet aménagement ?

   Aide (*Cliquez sur les onglets « logements », « locaux d'activités »…*

Macdonald accueille ses 1ers habitants

Une reconversion urbaine, l'entrepôt Macdonald dans le XIXe arrondissement (Paris)

Auto-évaluation

Pour évaluer ma recherche numérique, je me positionne sur une marche :

1.	2.	3.	4.
• Je vais sur la page demandée.	• Je vais sur la page demandée. • **Je m'y déplace.**	• Je vais sur la page demandée. • Je m'y déplace. • **Je trouve des informations.**	• Je vais sur la page demandée. • Je m'y déplace. • Je trouve des informations. • **Je les sélectionne pour répondre aux consignes.**
= Question 1	= Questions 1 et 2	= Questions 1, 2 et 3	= Questions 1, 2 et 3

Pour progresser, j'analyse mes axes de progrès. Que devrais-je améliorer ?

Décrire un paysage : les métropoles et leurs habitants, Moscou

🖊 **Votre mission :** décrire un paysage de métropole et légender la photographie pour montrer comment cet espace est habité.

1 | Le centre de Moscou et son quartier des affaires
❶ Quartier des affaires. ❷ Immeubles d'habitations. ❸ Axe important de circulation.

Description du paysage

À vous de choisir votre niveau de difficulté et votre ceinture !

Je décris le paysage **sans aucune aide**.

Décrivez le paysage en vérifiant que :
- Vous avez identifié les trois éléments du paysage, en utilisant un vocabulaire précis.
- Vous avez indiqué la fonction principale de chacun de ces espaces.

Je décris le paysage **avec un guidage léger**.

Décrivez le paysage en suivant les consignes suivantes :
- Observez la photographie et identifiez les trois éléments du paysage, en utilisant un vocabulaire précis.
- Associez chaque élément du paysage à une fonction : se loger, travailler, se déplacer.
- Complétez la légende de la photographie.

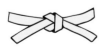

Je décris le paysage **avec un guidage plus important**.

Décrivez le paysage en suivant les consignes suivantes :
- Observez la photographie. Identifiez les trois éléments du paysage, en utilisant le vocabulaire de la liste suivante : quartier des affaires, immeubles d'habitation, axe de communication rapide.
- Associez chaque élément du paysage à une fonction : se loger, travailler, se déplacer.
- Complétez la légende de la photographie. Associez l'élément du paysage et sa fonction pour chaque numéro.

> Vous pouvez décrire l'organisation d'un paysage en utilisant les différents plans de la photographie :
> Au premier plan, le paysage...
> Au deuxième plan, on trouve...
> Au troisième plan, on voit...

RAPPELS

Enquêter Pourquoi aménager une friche au cœur de Lille ?

➤ **Pourquoi n'a-t-on pas détruit les bâtiments pour reconstruire ?**

Les faits

1. Une friche, témoin de la crise économique

2. Un site industriel abandonné

Dix ans après la fermeture du site industriel, il ne restait plus que les deux immenses carcasses des **filatures** Le Blan et Lafont, squattées, pillées, en partie incendiées, au milieu d'un vaste terrain vague.

D'après N. Buyse, « Le Blan-Lafont, temple lillois de la technologie », *Les Échos*, 12 juillet 2013.

Les indices

Indice n°1

Une **réhabilitation**

Indice n°2

La découverte des transformations

« Cela fait vingt-cinq ans. Ici, c'était l'atelier, on y réparait les métiers à filer... » Émotion pour Daniel, ancien magasinier-cariste. Dans l'atrium créé pour lier les deux principaux bâtiments, les visiteurs sont sans voix. « C'est somptueux », souffle Antoine Le Blan, directeur jusqu'en 1981.

D'après « Euratechnologies : les anciens de la filature se souviennent », *La Voix du Nord*, 22 mars 2009.

Indice n°3

Du potentiel : de nombreuses friches

Les grandes friches industrielles de la métropole lilloise sont une ressource précieuse pour le renouvellement de la ville. Ces lieux constituent un formidable terrain d'expérimentation et de créativité, mais aussi une source de fierté retrouvée pour les habitants.

D'après O. Clos (Collectif), *Métamorphoses. La réutilisation du patrimoine de l'âge industriel dans la métropole lilloise*, Le Passage, 2013.

Avez-vous pris connaissance des faits et des indices ? Quelle est votre conviction : pourquoi n'a-t-on pas détruit les bâtiments pour reconstruire ?

Par équipe, complétez le carnet de l'enquêteur.
La situation de départ : ...
Les réhabilitations réalisées : ...
Les résultats de cette réhabilitation : ....
Rédigez le rapport d'enquête.

Vocabulaire

Filature : usine textile.

Réhabilitation : le fait de restaurer et moderniser un bâtiment.

Histoire des Arts

Peindre sur les murs de São Paulo

 Quelles sont les motivations des street artistes ?

1 Une œuvre de **street art** de Paulo Ito

Sur les portes d'une école de São Paulo en mai 2014, quelques jours avant la Coupe du monde de football.

Le dessin a été partagé plus de 50 000 fois sur Facebook en moins d'une semaine.

Qui est-il ?
Paulo Ito (né en 1978)
Jeune graffeur brésilien de São Paulo.

2 Le Street Art, un art universel

Écrire et/ou dessiner sur des murs ou des parois sont des actes aussi élémentaires qu'universels, liés au désir de l'être humain de marquer et de décorer son environnement. En se diffusant, cette pratique esthétique contemporaine a pris des aspects différents : des tags, des fresques murales. Le tag et le graffiti intègrent également diverses influences locales. Ils se sont développés dans des environnements très divers, de la métropole surpeuplée au désert perdu. Ils sont produits par des créateurs de toute nationalité, origine, religion ou culture.

D'après R. Schacter, *L'Atlas du street art et du graffiti,* 2014.

Vocabulaire

Street art : art urbain sous toutes ses formes : peintures, projections lumineuses, mosaïques… réalisées dans les villes en pleine rue.

Présenter

1. DOC. 1 Présentez l'œuvre murale : le nom de l'artiste, la date de réalisation de l'œuvre, le support utilisé.

Décrire et comprendre

2. DOC. 1 Que voyez-vous sur cette œuvre ? À quel événement fait-elle référence ?

Exprimer sa sensibilité et conclure

3. DOC. 1 ET 2 Comment le street art peut-il changer le regard des habitants sur leur quartier ?

4. Dans un moteur de recherche, tapez les mots-clés suivants « street art artistes Paulo Ito ». Cliquez ensuite sur le site http://www.votre-galerie-virtuelle.com/artistes-street-art-1.html et voyagez à travers les œuvres des différents artistes.
Choisissez une œuvre qui vous plaît et justifiez.

Comment lutter contre les inégalités face à l'embauche ?

1 | Le chômage en fonction du lieu de résidence

	Zones urbaines sensibles	Pour toute la France
Taux de chômage	23 %	9,8 %
Taux de chômage des 15-24 ans	42,1 %	23,9 %

Sources : ONZUS, rapport 2014 ; données 2013.
INSEE, Tableaux de l'économie française édition 2015 ; données 2013.

2 Des associations qui aident les jeunes

Cynthia était au chômage depuis plusieurs mois et a trouvé du travail grâce à l'association Nos quartiers ont des talents. « L'association vous sort de chez vous. On se rend compte qu'on est pas tout seul. »

Christian Sanchez, directeur du développement social chez LVMH, explique le rôle du parrain : « Il donne les vrais bons conseils : comment je m'habille, comment je me présente, comment je fais mon CV, quelle est la bonne personne à contacter... »

D'après « Nos quartiers ont des talents », reportage de France 3, *Franceinfo.fr* du 24/10/2015.

3 L'État prend des mesures

Pour lutter contre les discriminations à l'embauche dont souffrent les jeunes issus des quartiers populaires, le gouvernement veut renforcer le « testing[1] » des entreprises. Le recrutement de certaines entreprises sera examiné par un organisme indépendant.

D'après « Discriminations : renforcement du "testing" à l'embauche », *challenges.fr* le 06/02/2016.

1. Action qui consiste à vérifier si une personne ou un groupe de personnes est victime de discrimination.

4 Campagne d'affichage contre la discrimination à l'embauche

Association pour favoriser l'intégration professionnelle (AFIP), 2012.

La sensibilité : soi et les autres

1. **DOC. 1** Que montre le tableau pour les jeunes des quartiers sensibles ? Cette situation est-elle normale ?

2. **DOC. 2 ET 4** Que proposent l'association « Nos quartiers ont des talents » et l'Association pour favoriser l'intégration professionnelle ? Qu'en pensez-vous ?

3. **DOC. 3** Comment l'État veut-il lutter contre ces discriminations ?

Le jugement : penser par soi-même et avec les autres

4. Comment faire pour aider les jeunes des zones urbaines sensibles à trouver du travail ? Prenez quelques minutes pour réfléchir et noter vos idées, puis participez à un débat avec la classe.

9 Habiter la ville de demain

Comment pourrait-on habiter la ville de demain ? À quels défis les villes devront-elles répondre ?

Souvenez-vous !
Pouvez-vous rappeler quelles sont les cinq métropoles mondiales les plus peuplées ?

Nord
MANCHE
OCÉAN ATLANTIQUE
Paris
FRANCE
Monaco
MER MÉDITERRANÉE
200 km

1 | Des cités flottantes pour un **développement urbain durable** (Monaco)

« Projet Lilypad », photomontage, architecte Vincent Callebaut, 2009.

Vocabulaire

Développement urbain durable : développement qui répond aux besoins des citadins, sans empêcher celui des générations du futur, en luttant contre l'étalement des villes, les mauvaises conditions d'habitat, les nuisances liées aux transports…

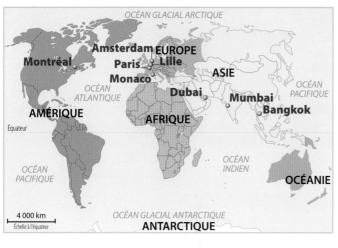

2 | Vivre dans une maison flottante à Amsterdam (quartier IJburg)

1. DOC. 1 ET 2 Quelle proposition commune est faite pour habiter la ville dans les deux cas proposés ?

2. DOC. 1 ET 2 **Émettez une hypothèse pour répondre à la question suivante :** quels problèmes peuvent expliquer une telle proposition pour habiter la ville de demain ?

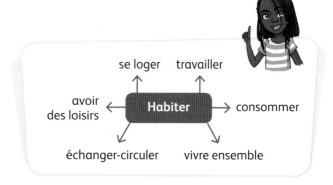

se loger   travailler

avoir des loisirs ← **Habiter** → consommer

échanger-circuler   vivre ensemble

Se nourrir demain à Montréal

> Comment garantir l'approvisionnement en nourriture des citadins de demain ?

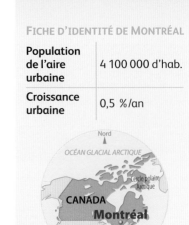

FICHE D'IDENTITÉ DE MONTRÉAL

Population de l'aire urbaine	4 100 000 d'hab.
Croissance urbaine	0,5 %/an

1 | Produire en ville, une solution d'avenir ?
Jardin urbain à Montréal (Québec, Canada).

2 Un marché solidaire à Montréal

Un témoin raconte

Maxime Saint-Denis est coordonnateur d'un marché solidaire de Montréal. Il nous explique en quoi cela consiste : « Initiative citoyenne, le marché solidaire Frontenac est une entreprise d'économie sociale qui, depuis 2007, contribue à un meilleur accès alimentaire dans le quartier Centre-Sud. Nous avons des stands de vente, mais aussi des marchés ambulants Fruixi. Des vélos triporteurs assurent des livraisons de paniers et proposent des points de service ponctuels dans des endroits stratégiques (hôpitaux, centres d'hébergement, écoles…). Nous proposons aux habitants des fruits et légumes à "juste prix" et aujourd'hui, nous construisons aussi une serre qui produira des légumes biologiques[1]. C'est un projet d'agriculture urbaine intensive qui approvisionnera en partie les vélos Fruixi. »

Propos recueillis par les auteurs du manuel, janvier 2016.

1. Légumes produits sans utiliser d'engrais chimique de pesticide ou de désherbant.

Vocabulaire

Citadin : personne qui vit en ville.

FRAIS · LOCAL · RESPONSABLE

LES FERMES LUFA

NOTRE VISION EST CELLE D'UNE VILLE REMPLIE DE FERMES SUR LES TOITS

En 2011, nous avons construit la première serre commerciale sur un toit au monde. Grâce à l'innovation et aux technologies, nous travaillons à changer la façon dont les résidents des villes s'alimentent.

3 | **Cultiver sur les toits de Montréal**

Cette ferme urbaine permet d'approvisionner des fromagers, boulangers, bouchers et de distribuer des paniers de produits locaux.

Rappel de CM1

Comment votre lieu de vie est-il approvisionné en nourriture ?

4 **La ville nourricière**

La question de l'approvisionnement en vivres[1] préoccupe sérieusement les métropoles de la planète. En 2050, il devrait y avoir 6 milliards d'urbains. De quoi sensibiliser les architectes et les designers de tout poil à la cause potagère. Les projets de fermes verticales ou mobiles fleurissent désormais sur le bitume planétaire. Certaines de ces folies maraîchères[2] prennent racine. À Montréal, la plus grande ferme commerciale urbaine du monde produit huit sortes de basilic, de la salade, des tomates et des fraises, toute l'année.

D'après C. Cazenave, « Dans le ventre de la ville », *Terra Éco*, octobre-novembre 2012.

1. Nourriture.
2. Culture intensive de légumes et de fruits.

Activités

▶ **Socle** *Extraire des informations pertinentes*

1. DOC. 1 Localisez Montréal. Décrivez le paysage.
2. DOC. 2 Quel est le problème d'une partie des habitants de Montréal ?
3. DOC. 2, 3 ET 4 Quelles solutions se développent déjà à Montréal ? Qui y participe ?

▶ **Socle** *S'informer dans le monde numérique*

Tapez dans un moteur de recherche : « montréal lufa ferme » et allez sur le site https://montreal.lufa.com/fr/notre-ferme. Cliquez sur « pourquoi sur un toit ? ».

4. Combien de personnes sont-elles nourries grâce à cette ferme ?
5. Pourquoi cultiver sur un toit ?

Pour conclure En 2050, la Terre devrait compter entre 9 et 10 milliards d'habitants, dont les 2/3 seront des urbains.

➤ **Comment nourrir ces citadins ?**

Par groupe, imaginez des « solutions » pour l'approvisionnement en nourriture des villes. Vous construirez une affiche pour la présenter à la classe.

Aide *Des questions que vous pouvez vous poser : Comment produire plus ? – Que produire ? Où produire ? – Comment transporter les productions ?*

L'architecture de demain à Mumbai

➜ **Comment l'architecture pense-t-elle l'habitat de demain et répond-elle aux besoins des habitants ?**

FICHE D'IDENTITÉ DE MUMBAI

Population	21 millions d'hab. dont 50 % dans les bidonvilles
Croissance urbaine	9 %/an

1 | Bidonville à Mumbai (Inde)

2 **Nagamma Shilpiri, habitante de Dharavi, bidonville de Mumbai**

Un témoin raconte

Des villes comme Calcutta, Mumbai (Inde) ou Bangkok (Thaïlande) sont menacées par la montée du niveau des océans. À Mumbai, les besoins en logements sont croissants et les terrains disponibles rares. « Quinze personnes vivent ici, cela fait trop ! Cet endroit n'est pas assez grand pour nous. Quand la pluie tombe, on s'assied tous sur le lit de camp. Toute la maison se remplit d'eau. » Dharavi est un bidonville de 600 000 habitants, autrefois village de pêcheurs. Lors de la mousson[1], le quartier est inondé. « Nous restons comme ça assis toute la nuit et ne partons travailler que lorsque l'eau a baissé. L'eau de la gouttière rentre dans la maison, et même l'eau de l'égout, ça sent mauvais. »

D'après le site *mg-architecte.blogspot.fr*, 22 décembre 2015.

1. Saison des pluies en Inde.

Vocabulaire

Architecture : art de concevoir et de construire des bâtiments.

Bidonville : quartier pauvre où les maisons sont construites par les habitants eux-mêmes avec des matériaux de récupération.

Étalement urbain : fait qu'une agglomération s'étende sur toujours plus d'espace.

3 Contre la surpopulation et l'étalement urbain : les « containscrapers »

Ces « containscrapers » pourraient abriter 5 000 habitants. Le projet prévoit 2 500 conteneurs empilés et culminant à 400 m de haut. Le cabinet international CRG Architects a remporté le troisième prix dans un concours d'architecture. Son objet, trouver des solutions ingénieuses pour fournir des logements temporaires à la ville qui est très largement surpeuplée.

D'après Q. Périnel, « Quand une pile de conteneurs abrite des milliers de logements », *Le Figaro*, 21 août 2015.

4 Construire des tours pour loger les habitants de Mumbai

Dans l'une des villes les plus peuplées du monde, de nombreuses propositions pour occuper mieux l'espace sont en projet.

Ainsi, le cabinet d'architecture A. Bechu (Paris) projette la construction d'un complexe de tours regroupant école, hôpital, résidence-service, centre aquatique de loisirs, zones d'activités, commerces, bureaux et hôtel. Trois tours seront consacrées aux logements. Le complexe sera muni de parkings.

D'après le site internet de l'agence d'architecture A. Bechu, 2016.

Activités

▶ **Socle** *Construire des repères géographiques*

1. **DOC. 1** Localisez Mumbai (pays, continent), puis décrivez le paysage présenté.

▶ **Socle** *Poser et se poser des questions*

2. **DOC. 1 ET 2** Quelles sont les difficultés rencontrées par une partie de la population de Mumbai ?

▶ **Socle** *Coopérer*

3. **DOC. 3 ET 4** En groupe, étudiez les solutions envisagées par les architectes.
4. En quoi ces projets architecturaux vous semblent-ils étonnants ?

Pour conclure

> **Quel type d'architecture peut-on imaginer et inventer pour répondre aux défis que connaissent les habitants des métropoles comme Mumbai ?**
Préparez une réponse pour l'exposer à l'oral.

L'évolution de l'habitat ouvrier

FICHE D'IDENTITÉ DE LA MÉTROPOLE LILLE-ROUBAIX-TOURCOING

Population	1 112 470 hab.
Croissance urbaine	0,22 %/an

> **Quels moyens ont permis l'amélioration de l'habitat ouvrier ?**

1 L'habitat ouvrier à Lille en 1851

Victor Hugo décrit les conditions de logement des ouvriers de l'industrie textile à Lille.

Bien que la porte fût toute grande ouverte au soleil, il sortait de cette cave une odeur infecte. Nous y trouvâmes une vieille femme et un tout jeune enfant. On ne pouvait se tenir debout qu'au milieu de la voûte. Au fond il y avait deux lits. Pas de draps, pas de couvertures. J'y distinguai une petite fille d'environ six ans, malade, à peine couverte ; par les trous de la paillasse, la paille sortait. Elle était pourrie. La vieille femme nous dit qu'elle demeurait là avec sa fille veuve et deux autres enfants ; qu'elle et sa fille étaient dentellières[1].

D'après V. Hugo, *Les Caves de Lille*, mars 1851.

1. Ouvrières fabriquant la dentelle.

Qui est-il ?

Victor Hugo (1802-1885)

Poète, auteur de théâtre et romancier français du XIXᵉ siècle. Une part importante de son œuvre est marquée par la dénonciation des souffrances du peuple.

2 Courée à Roubaix en 1958

Vocabulaire

Courée : petite cour sombre qui regroupe plusieurs petites maisons identiques, le long d'une ruelle privée, dans un quartier industriel.

Insalubrité : conditions de vie mauvaises qui nuisent à la santé.

Patrimoine : héritage commun (culturel, historique) d'un groupe humain transmis aux générations suivantes.

Réhabilitation : fait de restaurer et de moderniser un bâtiment.

3 Tourcoing, 2014 : la courée **réhabilitée**

C'est à la force avec laquelle les habitants réfutent le mot « courée » que l'on devine la connotation négative qu'il véhicule – à tort – encore aujourd'hui. Il est vrai que longtemps, ce vocable a été synonyme d'**insalubrité** et de pauvreté. Mais force est de constater qu'à Tourcoing les choses ont bien changé. Cet habitat fait désormais partie du **patrimoine** à protéger et à valoriser. Devenu véritable « lieu de vie » pour ses habitants dont les mots d'ordre sont : convivialité, entraide, solidarité.

D'après « La courée, un patrimoine qui retrouve ses lettres de noblesse », *La Voix du Nord*, 17 août 2011.

4 Tourcoing, 2015 : une courée moderne

Dans une ville longtemps vouée à l'industrie textile a été construite « la courée du XXIe siècle ». Ici, on a parié sur le meilleur des courées : la convivialité. La façade qui borde la rue ne laisse rien deviner des 40 logements. À l'intérieur, un parking occupe le rez-de-chaussée. Dessus, les constructions s'ordonnent autour d'une longue et étroite ruelle, parsemée de bacs plantés. Des terrasses-passerelles en bois commandent l'accès aux étages supérieurs. Les bâtiments sont aux normes thermiques d'aujourd'hui.

D'après *lachroniquebtp.com*, 18 mars 2015.

La Courée du XXIe siècle à Tourcoing.
Architecte : agence de Alzua+.

Étape 1 ▶ Repérer les permanences

1. **DOC. 2, 3 ET 4** Relevez les aspects positifs et négatifs de la vie dans une courée du XIXe au XXIe siècle.

Étape 2 ▶ Souligner les évolutions

2. **DOC. 1** Quelles étaient les conditions de logement des ouvriers au XIXe siècle ?

3. **DOC. 3** Pour quelles raisons réhabilite-t-on les anciennes courées ?

4. **DOC. 4** Pourquoi construit-on des courées modernes ?

Étape 3 ▶ Envisager des solutions futures

5. À votre avis, le passé et le patrimoine culturel de nos villes sont-ils des atouts ou des contraintes pour la construction des villes de demain ?

Mieux se déplacer demain à Paris

➡ **Comment faire évoluer les transports pour rendre durable la ville de demain ?**

FICHE D'IDENTITÉ DE PARIS	
Population de l'aire urbaine	13 000 000 d'hab.
Croissance urbaine	0,58 %/an

1 | La pollution atmosphérique dans l'agglomération parisienne

2 | Les effets de la pollution atmosphérique sur la santé

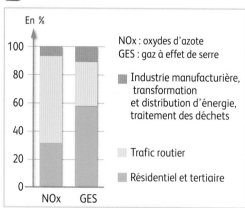

En %

NOx : oxydes d'azote
GES : gaz à effet de serre

■ Industrie manufacturière, transformation et distribution d'énergie, traitement des déchets

▢ Trafic routier

■ Résidentiel et tertiaire

a. Les émissions polluantes

GES : gaz à effet de serre. Ils favorisent le réchauffement climatique.

NOx : oxydes d'azote, substance très dangereuse pour la santé.

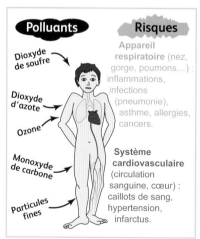

Polluants — **Risques**

Dioxyde de soufre

Dioxyde d'azote

Ozone

Monoxyde de carbone

Particules fines

Appareil respiratoire (nez, gorge, poumons…) : inflammations, infections (pneumonie), asthme, allergies, cancers.

Système cardiovasculaire (circulation sanguine, cœur) : caillots de sang, hypertension, infarctus.

b. Les problèmes de santé constatés

Vocabulaire

Covoiturage : utilisation à plusieurs d'un même véhicule pour effectuer un trajet.

Municipalité : élus (maire et conseillers municipaux) chargés de s'occuper d'une commune.

Ville dense : ville compacte ayant une densité de population élevée et un étalement urbain limité.

PARIS AGIT CONTRE LA POLLUTION

PARIS ACCOMPAGNE LES PARISIENS QUI RENONCENT À LEUR VOITURE INDIVIDUELLE

PLAN POLLUTION
1er JUILLET
C'EST PARTI

ET...

OU...

-50% sur l'abonnement autolib'
+ 50 € de trajets prépayés
❶

un an de Navigo
+ un an de Vélib'
❷
❶

une aide jusqu'à 400 euros
pour l'achat d'un vélo,
électrique ou non

Une aide pour les Parisiens aux véhicules immatriculés :
• avant 2001 pour les véhicules diesel
• avant 1997 pour les véhicules essence

PARIS AGIT CONTRE LA POLLUTION

PARIS PROPOSE D'AIDER LES PROFESSIONNELS À ROULER PROPRE :

PLAN POLLUTION
9 JUILLET
C'EST PARTI

POUR QUI ?

VERS DES SOLUTIONS ALTERNATIVES

Les professionnels et les commerçants
dont les activités nécessitent un véhicule

Aide financière pour le remplacement
par un véhicule électrique ou GNV

▷ Plages horaires dédiées aux livraisons propres

▷ Gratuité du stationnement

3 | Une **municipalité** qui veut agir contre la pollution

❶ Autolib' et Vélib' sont deux services de location à la demande (automobile électrique et vélo).

❷ Le Pass Navigo est la carte de transport qui permet de circuler sur le réseau de transports en commun de l'agglomération parisienne.

4 Réflexions sur les transports urbains de demain

Le directeur du Centre d'études sur les réseaux, les transports et l'urbanisme constate : « Les débats sur les transports souffrent de nombreuses oppositions. Les utopistes[1] de la ville dense à pied ou en tramway s'opposent aux partisans de la maison individuelle avec des voitures électriques.

On doit pouvoir associer les déplacements en voiture avec les transports en commun urbains, ferroviaires ou départementaux. C'est aussi la possibilité de renforcer les liens avec les taxis et de développer les nouveaux services que sont le covoiturage ou les transports à la demande. »

D'après *Études foncières n°155*, janvier-février 2012.

1. qui apparaît comme parfait, idéal, mais souvent irréalisable.

Rappel de CM2

Quels sont les modes de transport que vous utilisez ?

Activités

▸**Socle** *Compléter une production graphique*

Reproduisez et complétez le schéma suivant :

1. Des problèmes *DOC. 1*
Relevez les problèmes que rencontrent les habitants de Paris

Les transports à Paris

2. Des solutions *DOC. 4*
Présentez les solutions proposées par le directeur du centre d'études

DOC. 3
Présentez celles mises en place par la Mairie de Paris

▸**Socle** *Coopérer*

Envisager d'autres solutions

En groupe, réfléchissez puis proposez des solutions aux problèmes des transports pour la ville de demain.

1. DOC. 3 ET 4 Quels sont les points positifs et les limites des différentes solutions envisagées ?
2. Quelles seraient vos solutions pour le transport urbain dans la ville de demain ?

Habiter la ville de demain

✎ **Recopiez les tableaux et répondez aux questions**

Des territoires étudiés (à l'échelle locale)...			
	Étude p. 184	**Étude p. 186**	**Étude p. 190**
	Montréal	Mumbai	Paris

Quels problèmes connaissent les populations qui y vivent ?	Une population urbaine de plus en plus nombreuse à nourrir.		
Comment développer des villes de demain plus durables ?	Développement de l'agriculture urbaine.		
Quels nouveaux paysages et/ou quartiers se développent dans des villes plus durables ?	Plus de jardins, une ville plus verte.		

...au planisphère (à l'échelle mondiale)	
Quelles seront les grandes métropoles où se concentrera la population en 2050 ?	
Quelles sont les grandes évolutions entre la répartition des citadins aujourd'hui (planisphère p. 172 et 173, chap. 8) et en 2050 ci-contre ?	

Fil rouge Habiter le monde

▶ **Socle** *Formuler une hypothèse*

À votre avis, pourquoi y a-t-il peu de très grandes villes dans les espaces à fortes contraintes naturelles ?

Aide | *Vous trouverez des renseignements dans le chapitre 10 « Habiter un espace à fortes contraintes naturelles et/ou de grande biodiversité », p. 202.*

1. Les 20 plus grandes agglomérations (prévisions)

◯ 42 millions d'habitants

◯ 20 à 30 millions d'habitants

◯ 15 à 19 millions d'habitants

◯ 12 à 14 millions d'habitants

2. Taux d'urbanisation (prévisions)

- ● Forte croissance de la population
- ○ Faible croissance de la population
- ◔ Diminution de la population

- ▮ Plus de 70 % de la population sera urbaine
- ▮ Entre 50 et 70 % de la population sera urbaine
- ▯ Moins de 50 % de la population sera urbaine

Source : http://esa.un.org/unpd/wup/Maps/

1 | Une Terre habitée par encore plus de citadins en 2050

Leçon

Habiter la ville de demain

Comment pourrait-on habiter la ville de demain ?
À quels défis les villes devront-elles répondre ?

I Des villes de plus en plus peuplées

- Aujourd'hui, les villes attirent de plus en plus d'habitants. **On devrait ainsi compter 6 milliards de citadins en 2050. Une majorité d'entre eux habitera en Asie et en Afrique**. Selon les géographes, dès 2030, on trouvera en Chine un cordon côtier urbanisé de 1 800 km de long.

- **Responsables politiques, urbanistes, citoyens réfléchissent déjà aux solutions pour relever les défis** liés à l'accueil des populations : hébergement, eau et énergie, transports, pollution, approvisionnement en nourriture... C'est le cas à Montréal, Mumbai ou Paris.

II Des villes plus durables ?

- **Pour lutter contre l'étalement urbain il est envisagé de créer des villes denses.** L'objectif est d'offrir aux populations de nouvelles façons de vivre : cités flottantes, habitat écologique partagé, etc.

- Un autre objectif pour la ville de demain est de réduire la consommation d'énergie et de modifier les modes de transports. Le développement des villes serait alors plus durable. **La population des villes se déplacerait différemment**. Il faudra multiplier les offres de transports pour éviter les embouteillages et la pollution.

- Si **le développement des transports en commun est une solution**, d'autres alternatives existent. Aujourd'hui covoiturage, véhicules électriques, pistes cyclables et véhicules en libre-service se développent dans certaines métropoles, comme à Paris.

III Vivre autrement dans la ville de demain

- Les habitants veulent **laisser plus de place à la nature en ville**. Cette nature prend différentes formes : forêts urbaines, jardins potagers comme à Montréal, parcs, façades et toits végétalisés. Des projets de fermes urbaines voient le jour pour contribuer à nourrir les citadins.

- **Les besoins grandissants (alimentation, artisanat, services...) des habitants pourront être satisfaits** par des producteurs et commerçants de la ville ou des environs. Les villes devraient permettre aux populations de vivre en partie en autosuffisance (**ville durable**).

Vocabulaire

Ville dense : ville compacte ayant une densité de population élevée et un étalement urbain limité.

Ville durable : ville limitant les déchets, la dépense d'énergie et la circulation automobile pour réduire son impact sur l'environnement.

Citadin : personne qui vit en ville.

Covoiturage : utilisation à plusieurs d'un même véhicule pour effectuer un trajet.

Développement durable : développement qui essaie de préserver la planète pour les générations futures.

Étalement urbain : fait qu'une agglomération s'étende sur toujours plus d'espace.

Quelques chiffres

- En 2050 :
  – l'Asie et l'Afrique pourraient compter plus de personnes vivant en ville que le reste du monde avec plus de 3 milliards de citadins.
  – la plus grande ville du monde pourrait être encore Tokyo : 42 millions d'habitants.

Je retiens l'essentiel

Le projet de « containscrapers »
(Mumbai)

- Offrir suffisamment
de logements décents.
- Densifier la ville.

Se loger

Ferme urbaine
(Montréal)

- Pratiquer une agriculture
urbaine.
- Réduire les déchets.

Produire autrement

Une politique de transports
volontariste (Paris)

- Utiliser des modes
de transports
(individuels/collectifs)
moins polluants.

Échanger-circuler

Aménager pour habiter la ville de demain, ce pourrait être :

Avoir des loisirs

- Se divertir de différentes manières :
cinémas, musées, promenades…

Une caserne du XIXᵉ siècle en cours
de réhabilitation (Bordeaux)

Mieux vivre ensemble

- Des populations et des activités
différentes qui cohabitent.
- Recherche de la convivialité.

Une courée moderne
(Tourcoing)

L'essentiel en texte

- En 2050, 6 milliards de personnes vivront en ville.
- Les métropoles de plusieurs millions d'habitants seront encore plus nombreuses ;
elles se concentreront en Asie et en Afrique.
- Les villes de demain seront peut-être plus denses et offriront aux populations
de nouvelles façons de vivre.

J'apprends, je m'entraîne

▶ Socle
Méthodes et outils pour apprendre

PDF

FICHE DE RÉVISION
À TÉLÉCHARGER

Fiche 9

La ville de demain

1. Construire sa fiche de révision : notez le titre de la leçon sur votre feuille

Je connais...

Objectif 1 ▶ Connaître les repères géographiques

✎ **Observez le planisphère.**

1. Repérez les numéros correspondant aux métropoles qui sont aujourd'hui, et seront encore en 2050, parmi les métropoles les plus peuplées :
– New York
– Shanghai
– São Paulo
– Tokyo
– Mumbai
– Delhi

2. Nommez les océans repérés par une lettre (de A à E).

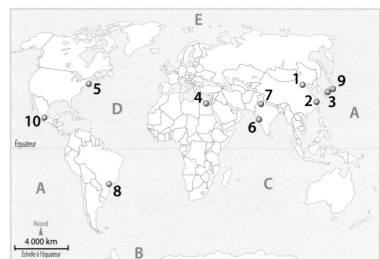

Objectif 2 ▶
Connaître les mots-clés

✎ **Notez la définition des mots-clés demandés ci-dessous :**
• Développement durable – Étalement urbain – Ville dense – Citadin – Ville durable.

Je suis capable de...

✎ **Pour chacun des objectifs suivants, construisez une réponse à la consigne :**

Objectif 3 ▶ Expliquer quels sont les problèmes des transports urbains et les solutions possibles

Aide (*Utilisez l'étude sur les transports à Paris (p. 190).*

Objectif 4 ▶ Décrire des aménagements ou des projets qui participent au développement des villes de demain

Aide ⎰ *Expliquez quelles constructions répondent à certains défis de la ville de demain.*
⎱ *Vous pouvez vous appuyer sur les études sur Montréal (p. 184), Mumbai (p. 186) ou Lille (p. 188).*

Objectif 5 ▶ Décrire les rêves des architectes d'aujourd'hui qui sont des projets de demain **(comme Wetropolis, p. 200)**

Aide (*Précisez pourquoi des projets comme les cités flottantes se développent.*

1 Construire des repères : quelle ville pour demain ?

Des maisons flottantes, Amsterdam (Pays-Bas).

1. Présentez ce document.
2. Décrivez les aménagements réalisés.
3. Pourquoi peut-on dire que ce type de construction participe au développement des villes de demain ?

2 Comprendre un texte

1. Lisez le document. Faites le point sur le vocabulaire qui vous pose problème.
2. Présentez le document : nature (voir point méthode) et date.
3. Cherchez quel message l'auteur veut transmettre. Quel titre pourriez-vous donner au document ?
4. Résumez en quelques lignes l'essentiel du texte, c'est-à-dire ce qu'il vous apprend.

Point méthode

La nature des documents :
– des textes : discours, règlement, loi, article de journal, témoignage, chanson…
– des images : dessin, peinture, caricature, photographie, affiche…
– des cartes, croquis ou schémas…
– des documents chiffrés : graphique, organigramme, tableau…

Entre 2006 et 2012, M. Ebrard (ancien maire de Mexico) a tenté de rendre écologique cette mégapole connue pour sa pollution et son chaos automobile. Sous son autorité, Mexico – qui à elle seule produit 1,5 % des gaz à effet de serre de la planète – a adopté un plan vert, doté d'un milliard de dollars par an.

Entre autres mesures, 500 taxis électriques ont été incorporés à la flotte de la ville ; de nouvelles lignes de métro et de trolleybus électriques ont été lancées ; près de 200 stations de vélos en libre-service installées ; le tri sélectif obligatoire a été instauré.

Clou de son effort de dépollution de la capitale : la construction prochaine d'une centrale électrique alimentée par les détritus de la plus grande déchetterie.

Alexandra Bogaert,
« Marcelo Ebrard : sous le plan vert de Mexico »,
Nos villes en 2050, Hors-Série, *Terra Eco*,
octobre-novembre 2012.

Auto-évaluation

Pour évaluer mon travail, je me positionne sur une marche :

1.
• Je lis le texte.
• Je repère sa nature.

= Questions 1 et 2

2.
• Je lis le texte.
• Je repère sa nature **et sa date**.

= Questions 1 et 2

3.
• Je lis le texte.
• Je repère sa nature et sa date.
• **Je comprends son idée générale.**

= Questions 1, 2 et 3

4.
• Je lis le texte.
• Je repère sa nature et sa date.
• Je comprends et **reformule son idée générale.**

= Questions 1, 2, 3 et 4

Pour progresser, j'analyse mes axes de progrès. Que devrais-je améliorer ?

Faire de la géographie prospective. Imaginer sa ville de demain

🖊 À l'aide de vos connaissances, construisez une affiche où vous présenterez par un ou plusieurs dessins comment vous imaginez la ville de demain.

Travail préparatoire (au brouillon)

1. Comprenez bien le sujet de l'affiche : « Imaginer sa ville de demain ».

« Imaginer » en géographie, c'est utiliser ses connaissances sur la ville et réfléchir à des solutions pour répondre aux problèmes actuels qui s'y posent.

« La ville de demain », c'est la ville du futur proche, telle qu'elle pourrait être dans 10 ou 20 ans.

2. Répondez aux questions du « pense pas bête » en mobilisant vos connaissances (repères, mots-clés).

3. Vous pouvez ajouter des branches au « pense pas bête » si vous le souhaitez.

Travail de construction de l'affiche (au propre)

Vérifiez les points suivants :

☐ **1.** Vous avez utilisé des mots-clés du chapitre.

☐ **2.** Vous avez organisé vos idées en faisant des dessins, des collages.

☐ **3.** Votre ville se situe bien dans le futur.

☐ **4.** Vous avez montré quels seront les paysages et les fonctions de cette ville.

☐ **5.** Vous avez montré de quelle manière vous vivrez avec les autres habitants et usagers de la ville.

Enquêter Dubai peut-elle constituer un modèle de ville pour demain ?

Nord

GOLFE PERSIQUE **Dubai**

ÉMIRATS ARABES UNIS

GOLFE D'OMAN

200 km

Les faits

1. De nombreux problèmes écologiques

L'extension urbaine détruit la nature du littoral : la barrière de corail ainsi que certaines espèces animales comme le lamantin ont disparu. La consommation d'énergie et la pollution atmosphérique font de Dubai une zone où l'écologie est bien trop souvent négligée.

D'après G. Jeanson, « Dubai, ville fragile », *contrepoints.com*, 26 juillet 2015.

2. Une station de ski dans un centre commercial

Ski Dubai est située à l'intérieur du *Mall of the Emirates*.

Les indices

Indice n°1

La nécessité de développer les échanges

La production pétrolière ne représente que 4 % du PIB de Dubai. L'Émirat a dû diversifier son économie et compenser un manque de ressources grâce au développement du tourisme et du commerce.

D'après « Dubai, ville miroir », *slate.fr*, décembre 2013.

Indice n°2

L'ambition de l'émir de Dubai

Le cheikh Mohammed veut avoir le plus grand, le plus haut, le plus riche mall du monde. *Mall of the Emirates* l'a été avant d'être aujourd'hui détrôné par *Dubai Mall* : avec ses 1 200 boutiques où se pressent 5 millions de visiteurs par an. *Dubai Mall* a aussi la plus grande vitre d'aquarium, le plus grand magasin de bonbons, le tout au pied de la plus grande tour du monde : Burj Khalifa.

D'après « Dubai, ville miroir », *slate.fr*, décembre 2013.

Indice n°3

Dubai vue depuis Burj Khalifa, la plus haute tour au monde (828 m).

Avez-vous pris connaissance des faits et des indices ? Quelle est votre conviction : Dubai est-elle un modèle de ville pour demain ?

Par équipe, complétez le carnet de l'enquêteur.
Une vitrine de la ville moderne : …
Les difficultés de départ : …
Les aménagements réalisés : …
Les conséquences sur l'environnement : …

En utilisant vos réponses, rédigez en quelques lignes le rapport d'enquête.

Vocabulaire

Mall : centre commercial.

PIB : richesse produite à l'intérieur d'un État, d'une ville.

Histoire des Arts

Les cités flottantes... une architecture utopique ?

THAÏLANDE
Bangkok
GOLFE DU BENGALE
MER DE CHINE
Nord
500 km

> Comment certains architectes imaginent-ils la **ville durable** de demain ?

Qui est-il ?
S+PBA
Cabinet d'architectes fondé à Bangkok en 2005. L'objectif de ses fondateurs est d'allier, pour chaque projet, innovation, environnement, qualité de vie et esthétique.

1 | Wetropolis, un projet de cité flottante pour sauver Bangkok (Thaïlande)

2 Le contexte du projet

Construite sur des terrains marécageux, la ville de Bangkok s'enfonce de 1 à 2 cm par an. C'est, selon l'ONU, une des villes les plus menacées par les inondations côtières dans le monde. Wetropolis est un projet conçu par le cabinet d'architectes S+PBA. Il est basé sur l'utilisation des mangroves[1] capables de filtrer l'eau naturellement et fournissant de l'oxygène pour l'ensemble de la structure. Les différentes maisons reliées par des passerelles sont intégrées à l'environnement et construites au-dessus de l'eau.

hspluspba.weebly.com, 2015.

1. Forêt des marais littoraux en zone tropicale.

Présenter
1. DOC. 1 ET 2 Relevez le nom du projet et celui des architectes.

Décrire et comprendre
2. DOC. 1 Décrivez ce projet. Pourquoi les architectes réfléchissent-ils à ce type de projet ?

Exprimer sa sensibilité et conclure
3. DOC. 1 Que pensez-vous de ce type de projet ? Justifiez.
4. DOC. 1 ET 2 Pourquoi peut-on dire que Wetropolis est une nouvelle forme d'habiter la ville ? Justifiez votre avis en utilisant le schéma p. 183.

Vocabulaire

Ville durable : ville limitant les déchets, la dépense d'énergie et la circulation automobile pour réduire son impact sur l'environnement.

Comment aménager une caserne à Bordeaux pour vivre ensemble ?

1 La caserne Niel à Bordeaux : une caserne du XIXᵉ siècle en cours de réhabilitation

La caserne Niel en 2012 avant sa réhabilitation

2 Un projet en plusieurs étapes

Première étape : en 2012, le projet Darwin[1] est lancé : aménagement des entrepôts et réalisation d'un hôtel d'entreprises[2].

Deuxième étape : à partir de 2015 sont aménagés 3 200 nouveaux logements, 2 groupes scolaires, une crèche, un gymnase, un centre de loisirs et le nouveau bâtiment des Archives municipales.

D'après *http://www.bordeaux2030.fr/bordeaux-demain/niel.*

1. Projet urbain localisé dans la friche militaire de la caserne Niel, dans le futur éco-quartier Bastide-Niel.
2. Bâtiment destiné à faciliter la création d'entreprises en apportant un soutien technique et financier, des conseils et des services aux entrepreneurs.

3 Le projet et les habitants du quartier

À partir de 2007, la ville de Bordeaux a engagé une démarche de concertation pour associer les habitants aux étapes du projet.

Les habitants imaginent le futur lieu

« La caserne doit être un espace de mixité dans lequel toutes les activités doivent pouvoir être exercées : commerciales, artisanales, culturelles, sportives... »

« Il faut garder la trace de la caserne, mais ne pas faire banal. »

« Les images proposées par les architectes jusqu'ici renforcent l'aspect militaire. Il faut plutôt de la souplesse. Et aller plus loin avec des murs végétaux. »

D'après *http://www.bordeaux2030.fr.*

La sensibilité : soi et les autres

1. **DOC. 1 ET 2** Quels aménagements sont prévus à la place de l'ancienne caserne ?

2. **DOC. 3** Ces aménagements correspondent-ils aux souhaits des habitants ? Et vous, qu'en pensez-vous ?

Le jugement : penser par soi-même et avec les autres

3. Vous êtes des habitants de Bordeaux. Par groupe, réfléchissez aux aménagements réalisés et envisagés. Que pourriez-vous proposer de plus pour mieux vivre ensemble dans ce quartier et de manière plus durable ?
Chaque groupe de discussion présente ensuite sa solution à la classe. Lors d'un vote, la classe décide d'une solution.

10 | Habiter un espace à fortes contraintes naturelles et/ou de grande biodiversité

🔍 **Comment les populations font-elles pour habiter des espaces à fortes contraintes naturelles et/ou de grande biodiversité ?**

Nord ▲

Désert de Gobi
Xiangshawan
CHINE
MER DE CHINE

2 000 km

1 | **Un complexe touristique dans un désert**
Xiangshawan, Mongolie intérieure, Chine.

Ⓥocabulaire

Contrainte naturelle : élément de la nature qui représente un obstacle à l'installation des hommes et à l'aménagement de l'espace.

Biodiversité : diversité des formes de vie animales et végétales qui constituent de véritables richesses naturelles.

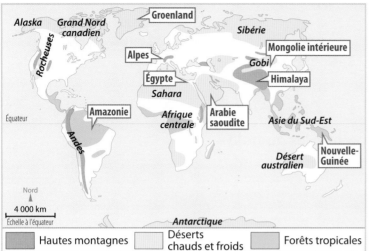

Les principaux espaces
à fortes contraintes naturelles
et/ou de grande biodiversité

Hautes montagnes | Déserts chauds et froids | Forêts tropicales

2 | Le village de Kombikum en Papouasie-Nouvelle-Guinée
Ce pays est connu pour sa grande biodiversité.

1. DOC. 1 ET 2 Dans quels types d'espaces ces hommes habitent-ils ?

2. DOC. 1 ET 2 Qu'est-ce qui peut être un obstacle à l'installation des hommes dans chacun des deux espaces ?

3. **Émettez une hypothèse pour répondre à la question suivante :** comment ces contraintes peuvent-elles être surmontées et devenir des atouts ?

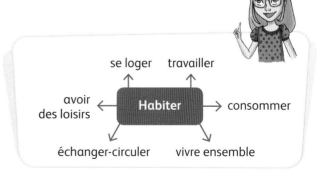

se loger   travailler

avoir des loisirs   ← **Habiter** →   consommer

échanger-circuler   vivre ensemble

Habiter un désert froid, l'Arctique

Comment les populations s'adaptent-elles au froid pour habiter les régions glacées ?

FICHE D'IDENTITÉ DE L'ARCTIQUE

Population	4,2 millions d'hab.
Superficie	18 millions de km²
Densité	0,23 hab./km²

Nord

OCÉAN GLACIAL ARCTIQUE

Groenland (DAN.)

Ilulissat Cercle polaire Arctique

OCÉAN ATLANTIQUE

2 000 km

1 | La ville d'Ilulissat, 3ᵉ ville du Groenland avec 4 500 habitants
Au premier plan, un hôtel qui propose des igloos modernes aux touristes.

2 | Se déplacer dans l'Arctique en hiver
Ittoqqortoormiut, village de l'est du Groenland.

Vocabulaire

Banquise : épaisse couche de glace d'eau salée flottant sur la mer.

Biodiversité : diversité des formes de vie animale et végétale.

Inlandsis : masse de glace très épaisse recouvrant en permanence le Groenland et l'Antarctique.

Nomade : personne qui n'a pas un habitat fixe.

Ressource naturelle : richesse offerte par la nature et exploitée par l'homme.

Toundra : végétation rase des régions polaires surtout composée de mousses et d'herbes.

Banquise permanente

Banquise en hiver

Inlandsis

Sol gelé en permanence, toundra

● Principales villes

3 | **Les fortes contraintes des régions polaires**

4 L'exploitation des ressources naturelles de l'Arctique

La ruée vers l'or noir (le pétrole) en Arctique mobilise les pays voisins du pôle.

Elle est rendue possible par le réchauffement climatique qui accélère la fonte de la banquise et ouvre un nouvel accès à l'océan. Elle entraîne des risques sans précédent pour la biodiversité déjà fragilisée de la région. L'industrie pétrolière fait tout ce qu'elle peut pour éviter de discuter de la sécurité des forages. Pourtant ceux-ci sont effectués dans les conditions les plus inhospitalières de la planète.

Dans ces endroits un déversement de pétrole dévasterait la faune et serait presque impossible à nettoyer.

D'après la porte-parole de l'organisation écologiste Greenpeace, 2012.

5 Un mode de vie traditionnel adapté au froid

Lorsqu'on vit dans un environnement où il y a peu de végétation, il y a de grandes chances qu'on devienne chasseur. Les Inuits[1] sont fiers d'être de grands chasseurs. Nomades, ils chassaient surtout le caribou et le phoque. Ces deux espèces animales leur fournissaient de la nourriture ainsi que de l'huile pour cuisiner et mettre dans les lampes. Avec la peau et la fourrure, les Inuits faisaient des vêtements, des couvertures, des tentes pour habiter. L'igloo est l'une des meilleures inventions inuites. C'est un abri temporaire chaud et facile à construire surtout utilisé pendant les expéditions de chasse en hiver. L'un des moyens de transport des Inuits était le kayak. Ce bateau unique était fait en peau de phoque. Le kayak moderne est souvent fait de fibre de verre et l'on s'en sert pour les loisirs d'été. Ils avaient aussi le traîneau à chiens. Ils n'utilisent plus guère ce moyen de transport de nos jours.

D'après le site Bibliothèque et Archives du Canada, Les premières communautés canadiennes à la portée des jeunes, 2015.

1. Peuple autrefois nomade ou semi-nomade vivant dans les régions du cercle polaire Arctique (environ 150 000 personnes).

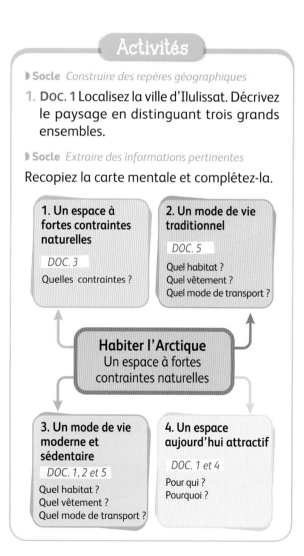

Activités

▶ **Socle** *Construire des repères géographiques*

1. DOC. 1 Localisez la ville d'Ilulissat. Décrivez le paysage en distinguant trois grands ensembles.

▶ **Socle** *Extraire des informations pertinentes*

Recopiez la carte mentale et complétez-la.

1. Un espace à fortes contraintes naturelles
DOC. 3
Quelles contraintes ?

2. Un mode de vie traditionnel
DOC. 5
Quel habitat ?
Quel vêtement ?
Quel mode de transport ?

Habiter l'Arctique
Un espace à fortes contraintes naturelles

3. Un mode de vie moderne et sédentaire
DOC. 1, 2 et 5
Quel habitat ?
Quel vêtement ?
Quel mode de transport ?

4. Un espace aujourd'hui attractif
DOC. 1 et 4
Pour qui ?
Pourquoi ?

Habiter un désert chaud en Arabie saoudite

Comment les populations surmontent-elles les contraintes d'un désert chaud ?

FICHE D'IDENTITÉ L'ARABIE SAOUDITE	
Population	29 millions d'hab.
Superficie	2,1 millions de km² dont seulement 1,5% est cultivable
Densité	14 hab./km²

1 | La ville et l'**oasis** d'Al-Ula

Cette oasis compte environ 30 000 habitants.
Province de Médine, Arabie saoudite.

2 Habiter sous un climat marqué par l'**aridité**

L'homme n'est pas adapté au désert : abandonné sans eau par une chaleur de 50°C, il mourra en une journée ou deux ; même s'il bénéficie de trois litres d'eau par jour, il ne pourra survivre plus d'une semaine. Les besoins en eau d'un homme travaillant dans le désert s'élèvent à neuf litres par jour, utilisés pour la cuisine et la boisson. La recherche continuelle de l'eau a obligé les habitants à vivre en nomades. Les tribus les plus primitives pratiquent des formes anciennes de nomadisme : la chasse et la cueillette.

D'après l'article « Déserts », *Encyclopædia Universalis*, 2015.

Vocabulaire

Agriculture irriguée : agriculture où l'homme apporte de l'eau à des cultures, autre que l'eau de pluie.

Aridité : manque d'eau dû à la rareté des pluies.

Désert : région chaude ou froide dans laquelle les pluies sont très faibles, ce qui limite la présence de végétation.

Nappe phréatique : nappe d'eau souterraine alimentée par les pluies.

Oasis : espace cultivé et habité dans le désert grâce à la présence d'eau.

Ressource naturelle : richesse offerte par la nature et exploitée par l'homme.

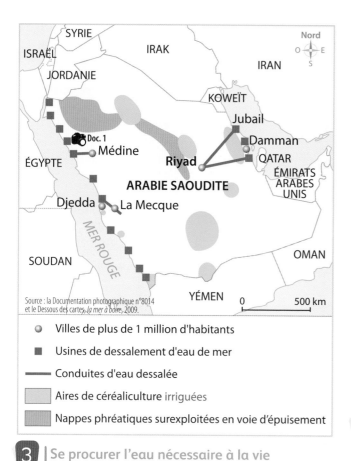

Source : la Documentation photographique n°8014 et le Dessous des cartes, *la mer à boire*, 2009.

○ Villes de plus de 1 million d'habitants

■ Usines de dessalement d'eau de mer

━━ Conduites d'eau dessalée

Aires de céréaliculture irriguées

Nappes phréatiques surexploitées en voie d'épuisement

3 | Se procurer l'eau nécessaire à la vie dans le **désert**

4 | Des récoltes de tomates dans le désert d'Arabie

L'eau qui leur permet de pousser est puisée dans la nappe phréatique.

5 Le pétrole, une **ressource naturelle** qui s'épuise

L'Arabie saoudite occupe le premier rang mondial en termes de réserves prouvées de pétrole. En avril 2015, le Royaume a atteint un niveau de production record de 10,3 millions de barils par jour. L'exploitation du pétrole a permis de développer des infrastructures très modernes (réseau routier et aéroports). Mais un jour le monde n'aura plus besoin de pétrole et de gaz. Nous nous sommes donc engagés dans un programme pour développer l'énergie solaire.

D'après M. Al-Naïmi, ministre saoudien de l'Énergie, mai 2015.

Point méthode

Construire une légende

La case de légende est rectangulaire et tracée à la règle. Elle est placée à gauche et son explication à droite.

Exemple :   La mer

Activités

▶ **Socle** *Construire des repères géographiques*

1. Localisez puis situez le paysage.
2. DOC. 1 Décrivez le paysage. Dans quel domaine climatique se trouve-t-il ? Quelles en sont les caractéristiques ?

▶ **Socle** *Extraire des informations pertinentes*

3. DOC. 2 Quelle contrainte naturelle explique la faible densité ?
4. DOC. 1 ET 2 Comment les hommes s'y sont-ils traditionnellement adaptés ?
5. DOC. 4 ET 5 Quelles sont les ressources du sous-sol disponibles dans le désert d'Arabie ?
6. DOC. 3, 4 ET 5 Comment les ressources du désert d'Arabie modifient-elles la vie des hommes ?

Pour conclure   À partir du DOC. 1, construisez un croquis qui réponde à la question suivante :

➤ **Comment les hommes habitent-ils le désert d'Arabie saoudite ?**

Aide | 1. Délimitez les différents éléments du paysage (le village, l'oasis et les cultures, les montagnes).
2. Construisez la légende en associant chaque élément à une couleur (voir le point méthode).
3. Reportez les couleurs sur le croquis avec soin.
4. Vérifiez que vous avez donné un titre à votre croquis.

Cultiver dans le désert : l'irrigation en Égypte

➤ **Comment les populations se procurent-elles l'eau nécessaire à la vie dans le désert depuis des millénaires ?**

FICHE D'IDENTITÉ DE L'ÉGYPTE

Population	89 millions d'hab. dont 95% dans la vallée du Nil
Superficie	1 million de km² dont seulement 6 % est fertile
Densité	89 hab./km²

Nord
FRANCE
Vallée du Nil ÉGYPTE
1 000 km

1 | L'Égypte cultivable, un don du Nil
Vallée du Nil près d'Assouan.

Labels sur la photo : Vallée irriguée et cultivée — Nil — Désert

2 | Le chadouf, une méthode ancestrale d'**irrigation**

a. Un chadouf utilisé de nos jours dans la vallée du Nil.

b. Fresque de la tombe d'Ipouy à Deir el-Médineh (vers 1250 av. J.-C.), musée du Louvre, Paris.

3 Méthodes modernes d'irrigation dans le cadre du projet « Nouvelle vallée »

Toshka à l'ouest d'Assouan dans le désert.

Vocabulaire

Irrigation : technique permettant d'apporter de l'eau à des cultures.

4 Des innovations en matière d'irrigation pour lutter contre le gaspillage

L'Égypte dépend presque exclusivement du Nil pour son approvisionnement en eau. 85% des eaux du fleuve sont utilisées à des fins d'irrigation.

Comme partout dans le monde, la demande en eau est en augmentation constante. Pour l'Égypte, la solution est de faire une meilleure utilisation de l'eau (…) en généralisant des innovations techniques. Ainsi, le remplacement de canaux à ciel ouvert par un système de canalisations souterraines a permis d'accroître les niveaux d'eau et la distribution. Étant donné que l'approvisionnement en eau du monde arabe doit faire face à deux défis, le changement climatique d'un côté et une population grandissante de l'autre, des programmes novateurs comme celui-ci représentent l'avenir du secteur de l'eau dans la région.

D'après un rapport de la Banque mondiale, *L'eau dans le monde arabe*, 2009.

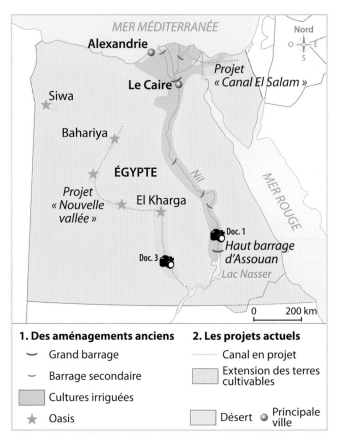

5 | Les aménagements hydrauliques en Égypte

Étape 1 ▶ Repérer les permanences

1. **DOC. 1** D'où provient l'eau que les Égyptiens utilisent pour pratiquer l'agriculture ?

2. **DOC. 2** Quel moyen certains Égyptiens utilisent-ils encore de nos jours pour puiser l'eau ? Cette technique est-elle récente ? Justifiez.

3. **DOC. 3 ET 5** Quels aménagements ont été réalisés au XXᵉ siècle pour augmenter les superficies cultivées ?

Étape 2 ▶ Souligner les évolutions

4. **DOC. 3, 4 ET 5** Quels projets sont en cours de réalisation pour irriguer de nouvelles terres ?

5. **DOC. 3 ET 4** Comment et pourquoi les techniques d'irrigation ont-elles été améliorées ?

Habiter la haute montagne, l'Himalaya et les Alpes

→ **Comment les populations peuvent-elles habiter la haute montagne ?**

FICHE D'IDENTITÉ DE L'HIMALAYA

Superfice	1 million de km²
Sommet	le mont Everest 8848 m

DES ALPES

Superfice	300 000 km²
Sommet	le mont Blanc 4809 m

1 | Le village de Kagbeni et ses **cultures en terrasses**

2 800 m d'altitude, **vallée** du Mustang, zone de protection de l'Annapurna, Himalaya, Népal.

2 **Une vie difficile dans la haute montagne himalayenne**

Tashi et ses sœurs (Sonam, Lhamo et Angmo) vivent dans un village à 4 000 m d'altitude, dans l'Himalaya du Ladakh. Sans route, ni commerce, le village de Lingshed[1] pourrait ressembler à un joyau tranquille. Mais vivre ici, c'est être isolé par la neige et les avalanches plusieurs mois par an. Sans électricité, la famille possède pour unique chauffage un petit poêle à bouse de yacks. L'hiver, Sonam s'aventure sur la glace et dans des vallons perdus à la recherche de bois pour construire sa maison. Lhamo, la jeune institutrice, aurait pu choisir de vivre en ville, mais elle est revenue dans son village natal. Angmo, la cadette studieuse, a quitté sa famille et étudie à Leh pour devenir médecin.

D'après le synopsis du documentaire *Himalaya, le village suspendu*, 2012.

1. Aucune route pour les véhicules à moteur ne mène au village de Lingshed. Le voyage jusqu'au village le plus proche prend quatre ou cinq jours dans les meilleures conditions.

Vocabulaire

Atout : élément favorable à l'occupation humaine.

Cultures en terrasses : surfaces planes aménagées par l'homme sur des versants que la pente ne rend pas facilement cultivables.

Parc national : espace naturel où la faune et la flore sont protégées.

Vallée : espace creusé par un cours d'eau ou un glacier.

Versant : l'une des deux pentes d'une montagne.

3e plan

2e plan

1er plan

3 | La station de sports d'hiver des Deux-Alpes

La station est située à 1 650 m d'altitude
(Isère, Alpes françaises).

Rappel de CM1
Comment s'appelle
un espace (doc. 3)
dédié aux loisirs ?

4 Des contraintes naturelles transformées
en **atouts**

Le ski est le moteur touristique de la montagne
française. La France est le 1er domaine skiable d'Europe
avec 325 stations de ski. Située en Isère, Les Deux-
Alpes fait partie des grandes stations de sports d'hiver
avec 1 170 388 journées skieurs (53,9 millions pour
l'ensemble de la montagne française). Dynamique,
sportive et internationale, elle est placée dans le top
10 des stations françaises ! Sa force première, de la
neige naturelle du début à la fin de saison grâce à un
glacier culminant à 3 600 m d'altitude. La pratique
du ski est garantie par l'altitude et les canons à neige
installés sur le bas des pistes entre 1 300 m et 2 100 m.
Partout, la neige récoltée sur l'ensemble des pistes
de ski est étalée quotidiennement par des dameuses.

D'après un professionnel de l'office du tourisme
des Deux-Alpes, 2015.

5 | Le **parc national** des Écrins :
un espace de protection

Le parc, à cheval sur les départements
de l'Isère et des Hautes-Alpes, regroupe plus
de 2 000 espèces animales et végétales.

Activités

▶ **Socle** *Construire des repères géographiques*

1. **DOC. 1 ET 3** Localisez chaque paysage. Dans quels types de pays se trouvent-ils ?
2. **DOC. 1 ET 3** Décrivez chaque paysage en utilisant les mots : vallée, versant, sommet.

▶ **Socle** *Extraire des informations pour comparer*

3. Recopiez le tableau ci-dessous et complétez-le à l'aide des documents.	DOC. 1 ET 2 Habiter l'Himalaya	DOC. 3, 4 ET 5 Habiter les Alpes
Quelles sont les contraintes naturelles ?		
Quelles sont les activités développées ?		
Quels aménagements ont permis le développement de ces activités ?		
Y a-t-il des mesures prises afin de préserver la biodiversité ? Si oui, lesquelles ?		

Habiter un espace de grande biodiversité : la forêt amazonienne

➤ Quels problèmes l'exploitation des richesses de l'Amazonie pose-t-elle ?

FICHE D'IDENTITÉ DE L'AMAZONIE

Superficie	5,5 millions de km²
Population	25 millions d'hab.
Densité	5 hab./km²

1 | **Défrichement** et mise en valeur agricole

Ce **front pionnier** est situé le long de la route interocéanique BR-364 dans l'État de Rondonia (Nord-Est du Brésil).

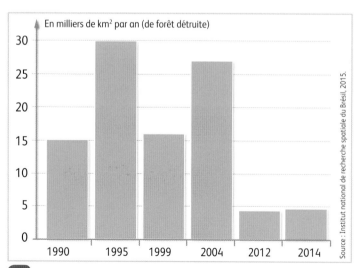

En milliers de km² par an (de forêt détruite)

Source : Institut national de recherche spatiale du Brésil, 2015.

2 | L'évolution de la **déforestation**

Vocabulaire

Activités extractives : exploitation des ressources du sous-sol (fer, or, pétrole…).

Brûlis : technique qui consiste à brûler la végétation pour préparer le sol à la culture.

Déforestation : disparition de forêts liée aux défrichements.

Défrichement : destruction volontaire d'espaces boisés au profit de l'agriculture. Le résultat est la déforestation.

Front pionnier : espace en cours de peuplement et de mise en valeur.

Nomade : personne qui n'a pas un habitat fixe.

Sédentarisé : se dit d'une population qui adopte un mode de vie sédentaire (opposé de nomade).

3 | Une grande exploitation de soja près de Santarem

État du Pará, nord du Brésil.

4 Les premiers habitants en voie d'extinction

L'Amazonie abrite le plus grand nombre de tribus isolées au monde. On sait très peu de chose sur ces Indiens. Ce que nous savons avec certitude est leur volonté de rester isolés. Ils accueillent les étrangers ou les avions qui les survolent avec des volées de flèches, ou ils évitent tout simplement le contact en se cachant dans la forêt. Certains, comme les Awa, sont des chasseurs-cueilleurs nomades qui se déplacent constamment, qui peuvent construire un abri en quelques heures et l'abandonner quelques jours après. D'autres sont plus sédentarisés, habitant des maisons communes, cultivant du manioc et quelques autres plantes sur brûlis dans des jardins ouverts dans la forêt et pratiquant aussi la pêche et la chasse. Aujourd'hui, ils sont toujours chassés de leur territoire par la destruction effrénée de la forêt.

D'après Survival (organisation de défense des droits des peuples indigènes), 2015.

5 Une biodiversité fragilisée par la déforestation

La forêt tropicale amazonienne est la forêt tropicale la plus vaste au monde, elle couvre plus de 9 pays. Elle est essentielle à l'homme par de nombreux aspects : elle contient 20 % de l'eau douce disponible sur la planète, 30 % de la faune et de la flore mondiales (2,5 millions d'espèces d'insectes, 60 000 végétaux et une espèce d'oiseau et de poisson sur cinq dans le monde), c'est aussi une gigantesque réserve de minerais[1]. L'Amazonie est la principale victime de la déforestation dans le monde avec la disparition d'une superficie équivalente à la surface d'un terrain de football toutes les 7 secondes. Sur cette base, on prévoit la disparition totale de l'Amazonie vers les années 2150. Des dizaines de milliers d'hectares de forêts sont brûlés chaque année, ces incendies sont provoqués par les éleveurs ou fermiers pour créer des zones de pâturage ou d'agriculture.

D'après le site Internet de l'ONG Envol vert, 2016.

1. Les activités extractives sont en plein développement en Amazonie.

Activités

▶ **Socle** *Comprendre un texte*

1. DOC. **5** Pourquoi l'Amazonie est-elle un réservoir à biodiversité ?
2. DOC. **5** Quelle est l'ampleur de la déforestation ?
3. DOC. **5** Relevez trois activités qui participent à la déforestation.

▶ **Socle** *Raisonner*

4. DOC. **1, 4** ET **5** Quelles sont les conséquences négatives de la déforestation pour la biodiversité et les populations ?
5. DOC. **3** Quelles peuvent être les conséquences positives ?
6. DOC. **2** Comment la déforestation évolue-t-elle depuis les années 2000 ? À votre avis, pourquoi ?

Pour conclure Rédigez un texte de 5 à 10 lignes qui réponde à la question suivante :

➤ **Comment les hommes habitent-ils l'Amazonie ?**

Aide *Dans un 1er paragraphe, vous pouvez aborder le mode de vie traditionnel des Indiens de l'Amazonie. Dans un 2nd, vous pouvez évoquer la façon dont l'Amazonie est mise en valeur aujourd'hui.*

Le peuplement des espaces à fortes contraintes naturelles et/ou de grande biodiversité

Recopiez les tableaux et répondez aux questions

Des cas étudiés (à l'échelle locale)...				
	Habiter l'Arctique p. 204	**Habiter le désert d'Arabie p. 206**	**Habiter l'Himalaya et les Alpes p. 210**	**Habiter l'Amazonie p. 212**
Quelles contraintes naturelles peuvent gêner l'installation des hommes ?				
Comment les hommes s'adaptent-ils aux contraintes naturelles ?				
Comment les hommes peuvent-ils transformer les contraintes naturelles en atouts ?				

... au planisphère (à l'échelle mondiale)	
Quels sont les espaces de faible densité présentant les mêmes contraintes naturelles ?	
Certains espaces à fortes contraintes naturelles ont-ils de fortes densités ?	

Fil rouge **Le monde habité**

▸ **Socle** *Formuler une hypothèse*

À votre avis, quelles peuvent être les autres façons d'habiter les espaces à fortes contraintes naturelles et de grande biodiversité ?

Aide | *Vous trouverez des renseignements dans le chapitre 13 « Le monde habité », p. 262.*

Nord
O ✦ E
S

0   2 000 km
Échelle à l'équateur

. 1 point représente environ 500 000 habitants

OCÉAN GLACIAL ARCTIQUE

Cercle polaire Arctique

Groenland

Sibérie

ASIE

EUROPE

Alpes

Kyzylkoum

Gobi

Taklamakan

OCÉAN
ATLANTIQUE

MER

MÉDITERRANÉE

Himalaya

Tropique du Cancer

Sahara

*Désert
arabique*

OCÉAN
PACIFIQUE

AFRIQUE

*Massif
éthiopien*

Asie du Sud-Est

Équateur

*Afrique
centrale*

OCÉAN INDIEN

Kalahari

*Désert
australien*

Tropique
du Capricorne

OCÉANIE

OCÉAN GLACIAL ANTARCTIQUE

Cercle polaire Antarctique

ANTARCTIQUE

Les déserts chauds :
- forte aridité
- températures chaudes
- végétation absente ou très rare
sauf dans les oasis

Les hautes montagnes :
- pentes fortes
- températures basses
- végétation étagée (forêts puis pelouses) qui
change avec l'altitude et disparaît vers 3 000 m

Les déserts froids :
- aridité
- températures très froides
- végétation absente ou toundra

Les forêts tropicales :
- pluies abondantes
- températures chaudes toute l'année
- végétation très riche et grande biodiversité

1 | Peuplement et fortes contraintes naturelles

Leçon

Habiter les espaces à fortes contraintes naturelles et/ou de grande biodiversité

🔍 Comment les populations font-elles pour habiter des espaces à fortes contraintes naturelles et/ou de grande biodiversité ?

I Les hommes habitent des espaces de fortes contraintes

- Toute la planète est marquée par les activités humaines. Mais certains espaces ont une faible **densité** en raison d'un **milieu** marqué par de fortes **contraintes naturelles**.

- **Celles-ci sont souvent liées au climat** : aridité dans les **déserts**, températures très chaudes ou très froides. En Arabie, les populations s'y adaptent en vivant dans des oasis. Au Groenland, les Inuits, anciens chasseurs nomades, se sont installés sur les littoraux dans des villes et des villages.

- **Les contraintes naturelles peuvent aussi être liées au relief.** Dans les hautes montagnes, l'enclavement, la pente, la neige et le gel limitent les activités et les déplacements.

II Les hommes surmontent les contraintes

- **Les progrès techniques permettent aux hommes de surmonter des contraintes naturelles.** Par exemple, au Groenland, ils peuvent circuler rapidement en hiver grâce aux motoneiges.

- **Dans les déserts chauds, l'agriculture est possible grâce à l'irrigation.** Les progrès techniques accentuent l'exploitation des **ressources naturelles** comme l'eau des nappes phréatiques, au risque de leur épuisement. En Arabie, des usines permettent de dessaler l'eau de mer.

III Contraintes naturelles et biodiversité deviennent des atouts

- **Des contraintes peuvent devenir des atouts en fonction du niveau de richesse des pays.** Dans les Alpes, les pentes enneigées ont été aménagées pour les activités de sports d'hiver. Par ailleurs, les grandes étendues désertiques sont de plus en plus appréciées des touristes.

- **Les espaces de grande biodiversité, comme les forêts tropicales, sont également très recherchés.** Outre les touristes, leurs richesses naturelles intéressent les scientifiques et les entreprises, notamment pharmaceutiques. Pour les préserver, ces espaces font l'objet de mesures de protection.

Quelques chiffres

- 2 % de la population mondiale vit dans des espaces à fortes contraintes naturelles et de grande biodiversité.
- Le plus grand désert chaud est le Sahara avec 9,4 millions de km².

Vocabulaire

Biodiversité : diversité des formes de vie animales et végétales qui constituent de véritables richesses naturelles.

Contrainte naturelle : élément de la nature qui représente un obstacle à l'installation des hommes et à l'aménagement de l'espace.

Densité : nombre d'habitants au km².

Désert : région chaude ou froide dans laquelle les pluies sont très faibles, ce qui limite la présence de végétation.

Milieu : ensemble d'éléments naturels (relief, sol, climat, faune, flore) associés en un même lieu ainsi que les modifications qui sont apportées par l'homme.

Ressource naturelle : richesse offerte par la nature et exploitée par l'homme.

Je retiens l'essentiel

Les contraintes naturelles et la grande biodiversité rendent la vie des hommes difficile

Le climat

- Aridité, froid permanent, chaleurs extrêmes

Le relief

- Pente, neige, raréfaction de l'oxygène

La forêt dense

- L'isolement

Habiter ces espaces, c'est les aménager pour

S'adapter aux contraintes naturelles

- Exemple : cultiver, se loger

Surmonter les contraintes naturelles

- Exemple : circuler, travailler

Transformer les contraintes naturelles en atouts

- Exemple : avoir des loisirs

Risque d'épuisement des ressources naturelles et de disparition de la biodiversité ?

L'essentiel en texte

- Habiter un espace à fortes contraintes naturelles et de grande biodiversité, c'est adapter son mode de vie pour se loger, circuler, travailler ou se détendre.
- Certains aménagements permettent de surmonter les contraintes naturelles en exploitant les ressources naturelles comme l'eau des nappes phréatiques et le pétrole.
- Des contraintes naturelles peuvent devenir des atouts en fonction du niveau de richesse d'un pays.

FICHE DE RÉVISION
À TÉLÉCHARGER
Fiche **10**

Habiter les espaces à fortes contraintes naturelles et/ou de grande biodiversité

1. Construire sa fiche de révision : notez le titre de la leçon sur votre feuille

Je connais...

Objectif 1 ▶ Connaître les repères géographiques

1. À l'aide du planisphère, localisez et nommez :
• Les déserts chauds et froids indiqués par des lettres majuscules.
• Les hautes montagnes indiquées par des numéros.
• Les forêts tropicales indiquées par des lettres minuscules.

2. À l'aide du planisphère :
• Quel est le point commun concernant la densité dans ces espaces ?

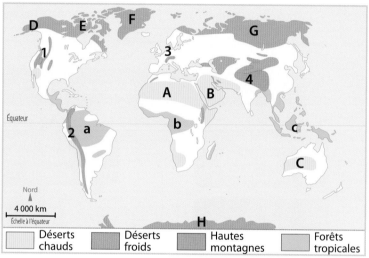

Titre : Les espaces à fortes contraintes et/ou grande biodiversité dans le monde

Objectif 2 ▶ Connaître les mots-clés

Notez la définition des mots-clés demandés ci-dessous :
• Densité – Contrainte naturelle – Espace de grande biodiversité – Désert.

Je suis capable de...

Pour les objectifs 3 et 4, construisez une réponse à la consigne.

Objectif 3 ▶ Localiser et situer quatre espaces à fortes contraintes naturelles (désert chaud, désert froid, haute montagne et forêt tropicale)

Aide (*Indiquez le continent et le domaine climatique dans lesquels ils se trouvent.*

Objectif 4 ▶ Décrire les contraintes d'un désert chaud et expliquer les transformations de cet espace
Réaliser le même exercice avec un désert froid et une haute montagne

Aide (– *Indiquez les contraintes (climat, relief, isolement…).*
– *Montrez comment les hommes se sont adaptés ou ont surmonté ces contraintes.*

Objectif 5 ▶ Réaliser un croquis simple d'un paysage à partir des doc. 1 p. 210 ou 1 p. 212

Aide (*Utilisez la méthode p 165 et entraînez-vous avec l'atelier du géographe p. 220.*

1 Construire des repères géographiques

1. Localisez et situez les deux photographies.
2. Associez-les à l'espace à fortes contraintes naturelles et/ou de grande biodiversité qui lui correspond.

1 Photographie vue p. 202

2 Photographie vue p. 203

2 Décrire un paysage

1. Localisez et situez l'espace représenté.
2. Repérez les différents éléments du paysage. Recopiez le tableau ci-dessous et classez-les dedans.

Éléments naturels	Éléments humains
…	…

3. À quelle activité les aménagements réalisés correspondent-ils ?
4. Quelles contraintes naturelles sont ici transformées en atout ? Expliquez votre réponse.

> **Point méthode**
> **RAPPEL**
> Localiser : indiquer où se trouve un lieu.
> Situer : indiquer où se trouve un lieu par rapport à un repère ou un autre lieu.

La station de sports d'hiver de Courchevel (Savoie, Alpes, France)

Auto-évaluation

Je me positionne sur une marche :

1.
• J'observe le paysage.
• Je le localise et le situe.

= Question 1

2.
• J'observe le paysage.
• Je le localise et le situe.
• **J'identifie les différents éléments du paysage**

= Questions 1 et 2

3.
• J'observe le paysage.
• Je le localise et le situe.
• J'identifie les différents éléments du paysage et **je les classe**

= Questions 1 et 2

4.
• J'observe le paysage.
• Je le localise et le situe.
• J'identifie les différents éléments du paysage et je les classe
• **J'interprète (je donne du sens).**

= Questions 1, 2, 3 et 4

Pour progresser, j'analyse mes axes de progrès. Que devrais-je améliorer ?

L'atelier du géographe Réaliser un croquis paysager : la vallée de Spiti dans l'Himalaya

Vers la tâche complexe

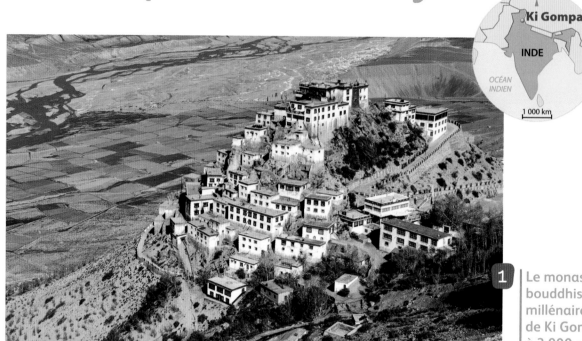

Nord
Ki Gompa
INDE
OCÉAN INDIEN
1 000 km

1 Le monastère bouddhiste millénaire de Ki Gompa à 3 900 m

Vallée de Spiti, Himalaya, Inde.

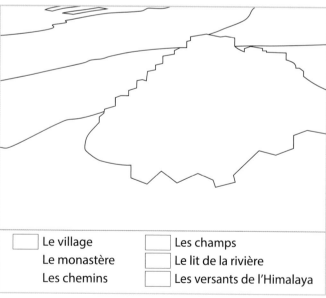

Le village
Le monastère
Les chemins

Les champs
Le lit de la rivière
Les versants de l'Himalaya

Titre : ... .

Point méthode

Choisir les figurés

Pour représenter des espaces plus ou moins étendus (forêt, espaces bâtis…).

• Des **figurés de surface** :

	les champs		le lit de la rivière
	le village		les versants de l'Himalaya

Pour représenter des lieux ou des aménagements précis (bâtiment, équipement…).

• Des **figurés ponctuels** :

▲ le monastère

Pour représenter des axes de circulation (route, voie ferrée…).

• Des **figurés linéaires** :

╱ les chemins

Votre mission : reproduisez le croquis et repérez les différents espaces délimités. Construisez la légende à l'aide du Point méthode ci-contre. Coloriez le croquis et donnez-lui un titre.

Enquêter Comment sauver les éleveurs de l'Arctique ?

1. Une façon ancestrale de vivre dans la toundra

Un Nenets, éleveur de rennes, dans la péninsule de Yamal en Sibérie (Russie).

2. Un mode de vie en voie de disparition

Les rennes au Canada sont en déclin et menacés. Évalué autrefois à 900 000 têtes, le troupeau de rennes qui était le plus grand du monde n'en comptait plus l'année dernière que 27 600.

D'après www.actualites-news-environnement.com, 8 décembre 2012.

Les indices

Indice n°1

Depuis le début du XXe siècle, la chasse avec des fusils de plus en plus performants a contribué au déclin des populations des régions arctiques canadiennes, en réduisant les effectifs des troupeaux.

Article « Caribou », *Encyclopédie Larousse* en ligne, 2015.

Indice n°2

Pour que les oléoducs servant au transport du pétrole gênent le moins possible les migrations des rennes, les canalisations ont été alternativement enterrées et surélevées d'environ 3 m au-dessus du sol afin de ménager plusieurs passages.

Article « Caribou », *Encyclopédie Larousse* en ligne, 2015.

Indice n°3

Les populations canadiennes de caribous sont inscrites dans la Loi sur les espèces en péril du Canada pour empêcher leur disparition. De nombreuses mesures de protection ont été mises en place.

D'après le site de Parcs Canada, 2015.

Indice n°4

Le développement de grands projets industriels et miniers dans les régions arctiques menace la vie des éleveurs de rennes en détruisant une grande partie des pâturages.

D'après le témoignage de George Riche, un indigène du Nord-Est du Canada, 2012.

Avez-vous pris connaissance des faits et des indices ? Quelle est votre conviction : comment sauver les éleveurs de l'Arctique ?

Par équipe, complétez le carnet de l'enquêteur.

Les responsables de la disparition de leur mode de vie : ...

Les solutions envisageables et envisagées : ...

Rédigez en quelques lignes le rapport d'enquête.

Gauguin : peindre les îles et leur biodiversité

➜ **Comment Gauguin a-t-il rendu la grande biodiversité de la Polynésie dans son œuvre ?**

Point art

Le fauvisme
C'est un courant de peinture du début du XXᵉ siècle caractérisé par l'utilisation de larges surfaces de peinture de couleurs vives et chaudes.

1 *Paysage tahitien*, Paul Gauguin, 1891

Huile sur toile, 68 x 92 cm, Institute of Arts, Minneapolis (États-Unis).

Qui est-il ?

Paul Gauguin (1848-1903)

Né en 1848 à Paris, Gauguin s'installe à Tahiti en 1891. La nature et les habitants de Polynésie inspirent alors son œuvre.

2 Gauguin, un artiste en recherche d'exotisme

C'est dans les îles que Gauguin assume « le droit de tout oser » : simplifier la ligne, déformer les figures, saturer[1] les couleurs et les contrastes, oublier les ombres, négliger la perspective[2], représenter le pur imaginaire… Les Polynésiens sont omniprésents dans ses tableaux ; la flore des îles fournit le décor d'un jardin ; les couleurs tropicales éclaboussent la toile.

D'après J.-F. Staszak, « Les singulières identités géographiques de Paul Gauguin », *Annales de Géographie* n° 113, 2004.

1. Saturer les couleurs d'une image signifie lui donner plus de couleur, plus d'éclat.
2. Moyen de représenter la profondeur.

Présenter

1. **DOC. 1** Présentez l'œuvre : sa nature, son auteur, sa date de réalisation, ses dimensions, son lieu de conservation.

Décrire et comprendre

2. **DOC. 1** Décrivez le document en procédant par plans successifs.
3. **DOC. 1 ET 2** Quel type de couleurs Gauguin utilise-t-il ? Comment peint-il les formes ? Quelle représentation le peintre cherche-t-il ainsi à donner de l'île de Tahiti ?
4. **DOC. 1** Quelle est la place de l'homme dans ce paysage ? Quels éléments le peintre met-il en avant ?

Exprimer sa sensibilité et conclure

5. **DOC. 1** Cette peinture vous plaît-elle ? Pour quelles raisons ?
6. Sur une feuille blanche, dessinez un paysage de Tahiti tel que vous l'imaginez. Présentez oralement votre réalisation à la classe en expliquant vos choix.

Comment permettre aux Indiens d'Amazonie de conserver leur mode de vie ?

1 Une tribu isolée obligée d'entrer en contact avec le reste du monde

Des membres d'une tribu indienne isolée sont entrés en contact avec un village brésilien le mois dernier dans l'État de l'Acre, frontalier avec le Pérou. Des experts brésiliens estiment que ces Indiens isolés ont traversé la frontière du Pérou en raison des pressions exercées par les bûcherons clandestins et les trafiquants de drogue sur leurs terres. Le département des Affaires indigènes du Brésil a indiqué que des membres de ce groupe d'Indiens isolés avaient la grippe. Survival International, le mouvement mondial pour les droits des peuples indigènes, s'en inquiète. La grippe a déjà anéanti des tribus entières par le passé. Incapables de faire face à ces maladies, plusieurs tribus se rapprochent du monde extérieur.

D'après « Des Indiens d'Amazonie sortent de la forêt pour la première fois », le temps.reel.nouvelobs.fr, 1er août 2014.

'Les bûcherons vont décimer les Indiens'

Un agent du Département des Affaires Indigènes Brésil

2 | Des Indiens en danger
www.survivalfrance.org.

La sensibilité : soi et les autres

1. DOC. 1 ET 2 Relevez les éléments qui menacent le mode de vie traditionnel des Indiens d'Amazonie.
2. Pensez-vous qu'il soit important qu'ils conservent leur mode de vie traditionnel ?

Le jugement : penser par soi-même et avec les autres

3. DOC. 1, 2 ET 3 Par groupe, reproduisez le tableau pour répondre à la question : les États amazoniens comme le Brésil doivent-ils continuer leur politique de non-contact avec les peuples indigènes pour les préserver ?

	Oui, ils doivent continuer leur politique de non-contact	Non, ils doivent arrêter leur politique de non-contact
Donnez des arguments pour expliquer ce point de vue		

4. Après vous être mis d'accord sur la réponse à la question 3, imaginez que vous êtes membre du département des Affaires indigènes d'un État d'Amazonie. Rédigez une liste de mesures pour protéger les peuples isolés de l'Amazonie.

3  Que dit la loi ?

Article 4

1. Des mesures spéciales doivent être adoptées, en tant que de besoin, en vue de sauvegarder les personnes, les institutions, les biens, le travail, la culture et l'environnement des peuples intéressés.

Article 14

1. Les droits de propriété et de possession sur les terres qu'ils occupent traditionnellement doivent être reconnus aux peuples intéressés.

Convention 169 relative aux droits des peuples indigènes, Organisation des Nations unies, 1989.

Habiter des espaces faiblement peuplés à vocation agricole

🔍 De quelles manières les populations habitent-elles dans les espaces agricoles peu peuplés ?

Souvenez-vous !
Dans quelles régions les premières agricultures ont-elles été développées ?

1 | **Habiter un espace d'agriculture commerciale faiblement peuplé**

Ferme près de Gross Roge, commune **rurale** (27 hab./km²) de Mecklembourg-Poméranie-Occidentale (Allemagne).

Vocabulaire

Agriculture : travail de la terre (cultures) et élevage du bétail pour obtenir des produits alimentaires.

Rural : qui concerne la vie dans les campagnes.

2 | Habiter un village d'agriculture vivrière

Région rurale (13 hab./km²) près de Miandrivazo à Madagascar (Afrique).

1. DOC. 1 ET 2 Quelle est l'activité principale des deux espaces photographiés ?

2. DOC. 1 ET 2 **Émettez une hypothèse pour répondre à la question suivante :** comment les habitants de ces deux espaces les ont-ils mis en valeur ?

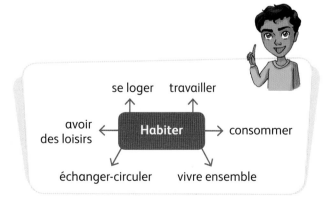

se loger   travailler

avoir des loisirs ← **Habiter** → consommer

échanger-circuler   vivre ensemble

Habiter dans le Minnesota

➤ **Comment les habitants du Minnesota ont-ils mis en valeur leur territoire ?**

FICHE D'IDENTITÉ DU MINNESOTA	
Pays	États-Unis
Population	5,3 millions d'habitants
Superficie	225 365 km²
Densité	24 hab./km²

1 | **Fermes** et **openfields** à grandes cultures dans l'État du Minnesota

2 Des agriculteurs connectés au monde

E. Deggen est agriculteur dans le sud du Minnesota. Il produit essentiellement du maïs sur sa ferme de plus de 130 hectares[1]. Les rendements de sa production sont très élevés mais il est confronté aujourd'hui à une forte concurrence internationale. Véritable chef d'entreprise, il se connecte tous les jours sur Internet pour connaître les cours de la Bourse[2] de Chicago qui fixe le prix des productions agricoles. « Mes revenus ont fortement baissé car le cours du maïs est passé de 300 dollars par tonne en 2008 à 147 dollars aujourd'hui en 2015. »

Minnesota Farmers Union, Bourse de Chicago (CME), 2015.

1. Mesure de surface correspondant à un carré de 100 m de côté.
2. Endroit où sont vendues et achetées des productions et des entreprises.

Vocabulaire

Agriculture commerciale : productions agricoles destinées à être vendues.

Agriculture intensive : système de production agricole donnant d'importants rendements sur des espaces restreints.

Exploitation agricole : entreprise dirigée par un agriculteur.

Ferme : ensemble constitué par l'habitation de l'agriculteur et les bâtiments de son exploitation agricole.

Openfield : paysage agricole à champs ouverts sans haies et sans clôtures.

Rendement : quantité de récolte par rapport à la surface utilisée.

4 | Agriculteur dans son champ de soja

3 | Se loger et travailler à Northrop dans le Minnesota

Travailler
Dans une exploitation agricole :
• Pour produire de manière intensive.
• Avec des machines et des engrais.
• En vendant grâce à Internet.

Se loger
• Dans une ferme.

Consommer
• Des produits achetés en ville.

Être agriculteur dans le Minnesota

Circuler
• Exporter ses productions par camion, par train, par bateau.
• Faire ses courses en ville.

Échanger
• Vendre sa production pour nourrir les villes des États-Unis.
• Vendre ses productions à l'étranger.

5 | Une **agriculture intensive** et **commerciale**

Activités

▶ **Socle** *Construire des repères géographiques*

1. DOC. **1** Localisez et décrivez le paysage présenté.

▶ **Socle** *Extraire des informations pertinentes*

2. DOC. **1** ET **3** Comment s'organise cet espace : quelle est l'activité principale ? Où logent les habitants ?

3. DOC. **2** ET **3** Qu'est-ce qui permet de penser que la production est destinée à être vendue ailleurs ?

4. DOC. **2, 4** ET **5** Montrez que les fermiers du Minnesota dépendent de leurs liens avec le reste du monde.

Pour conclure Construire un croquis de paysage qui réponde à la question suivante :

➤ **Comment les habitants des openfields du Minnesota habitent-ils ce territoire ?**

Aide *1. En reprenant la méthode (voir p. 165), délimitez les différents éléments du paysage (la route, les fermes et les champs).*

2. Construisez la légende en choisissant avec soin les couleurs. Puis reportez-les sur le croquis.

3. Donnez un titre à votre croquis.

Habiter dans l'Anti-Atlas marocain

➤ **Comment les agriculteurs de l'Anti-Atlas habitent-ils ce territoire ?**

FICHE D'IDENTITÉ DE LA RÉGION SOUSS-MASSA

Pays	Maroc
Superficie	30 000 km²
Densité	39 hab./km²

1 | **Habitations au cœur de l'arganeraie près d'Aït Baha (Souss-Massa)**

❶ champs d'agriculture vivrière et arganiers (arbre dont on extrait de l'huile d'argan) ❷ maisons ❸ route

2 | **L'importance de l'arganier dans l'Anti-Atlas**

Surface de l'arganeraie	1,2 million d'hectares (ha) au XIXᵉ siècle 0,8 million d'hectares en 2004
Nombre de coopératives féminines d'argan	136 regroupant environ 4 000 femmes en 1999 175 regroupant environ 5 500 femmes en 2010
Consommation de l'huile d'argan	20 % au niveau local et national 80 % à l'exportation (surtout vers la France)

Haut commissariat aux eaux et forêts, Royaume du Maroc, 2011 / INDH, 2010.

Vocabulaire

Agriculture extensive : système de production agricole donnant de faibles rendements sur de vastes espaces.

Agriculture vivrière : ensemble des productions destinées à la consommation personnelle du paysan et de sa famille.

Commerce équitable : commerce conçu pour assurer des revenus justes aux producteurs et améliorer leur niveau de vie.

Coopérative : regroupement de personnes pour développer une activité agricole de manière égalitaire et solidaire.

3 L'arganier, un « arbre-providence »

Un témoin raconte

Hamid et sa famille vivent d'agriculture vivrière et de la vente de l'huile d'argan dans l'Anti-Atlas marocain.

Mon père exploitait l'arganier depuis toujours. Il me disait que cet arbre était très important pour nous les habitants de l'Anti-Atlas mais beaucoup d'arbres sont morts ou ont été coupés.

Il nous fournit « tout », le combustible pour la cuisine et le chauffage, le bois pour la construction. Ses feuilles et ses fruits servent de pâturage pour nos troupeaux et il nous donne une huile que nous consommons et que ma femme vend aux touristes car nous vivons sur une petite terre où je cultive juste de quoi nous nourrir. Depuis trois ans, elle est inscrite dans une coopérative qui commercialise l'huile d'argan vers la France, ce qui nous apporte l'argent pour l'école de nos trois enfants. Je suis très attentif à mes arbres et je les entretiens bien.

Hamid, agriculteur vivant près de Tafraout, interviewé par les auteurs, 2014.

4 Élevage **extensif** de chèvres au milieu des arganiers

5 Coopérative féminine d'huile d'argan

Des villageoises trient les « amandons d'argan » avant d'en extraire l'huile qui sera commercialisée de manière souvent équitable vers les villes marocaines mais aussi vers l'étranger.

Activités

▶ **Socle** *Construire des repères géographiques*

1. **DOC. 1** Localisez et décrivez le paysage présenté.

▶ **Socle** *Extraire des informations pertinentes*

2. **DOC. 3 ET 4** Quelles sont les activités principales des habitants de l'Anti-Atlas ?

3. **DOC. 3** Pourquoi l'arganier est-il un arbre aussi important pour les habitants de l'Anti-Atlas ?

4. **DOC. 2 ET 3** Qu'apporte l'huile d'argan aux populations locales ?

5. **DOC. 2, 3 ET 5** Pourquoi les coopératives féminines se développent-elles ?

Pour conclure

Recopiez et complétez le schéma.

Avoir des loisirs : participer aux fêtes de la région.

Vivre ensemble … .
DOC. 5

Se loger : … .
DOC. 1

Habiter l'Anti-Atlas marocain

Consommer : … .
DOC. 3

Travailler : … .
DOC. 3, 4 ET 5

Échanger-circuler : vendre aux souks (marchés) … .
DOC. 2

Déprise et désertification, l'exemple de La Salvetat-sur-Agout (Hérault)

FICHE D'IDENTITÉ DE LA COMMUNE DE LA SALVETAT-SUR-AGOUT	
Pays	France
Population (2015)	1 246 hab.
Superficie	87,5 km²
Densité	14 hab./km²

➤ **Quelles évolutions cet espace agricole peu peuplé a-t-il connues depuis deux siècles ?**

1 | Récolte des foins à La Salvetat-sur-Agout en 1908

1800	2 919 habitants
1846	4 174 habitants
1901	2 999 habitants
1946	1 677 habitants
1999	1 118 habitants
2012	1 112 habitants
2015	1 246 habitants

Sources : EHESS et INSEE, 2015.

2 | Évolution de la population à La Salvetat-sur-Agout

Vocabulaire

Agrotourisme : activité touristique en milieu agricole.

Aménagement : transformation d'un territoire pour améliorer la vie des habitants.

Déprise agricole : abandon de l'activité agricole sur un territoire.

Désertification agricole : baisse importante de la population dans un espace agricole.

Exode rural : déplacement de population des campagnes vers les villes.

Friche : terrain dépourvu de culture et abandonné.

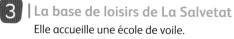 **La base de loisirs de La Salvetat**
Elle accueille une école de voile.

4 │ **L'usine d'embouteillage de l'eau minérale La Salvetat**
Cette usine emploie 75 personnes.

5 La Salvetat, un village en mutation

Aujourd'hui, cette commune de 1 200 habitants vit principalement du tourisme et de l'agriculture. On y élève porcins (charcuterie), bovins (veaux) et ovins (lait de brebis pour le Roquefort). Depuis 1958, La Salvetat jouit d'un superbe lac, la Raviège, un aménagement sur lequel toutes les activités nautiques sont proposées (sauf le jet-ski). L'arrivée de l'unité d'embouteillage Salvetat en 1992 a également renforcé l'image du village qui est devenu célèbre dans toute la France grâce à son eau minérale naturellement pétillante.

D'après l'office du tourisme
de La Salvetat-sur-Agout, 2015.

6 Lutter contre la **désertification** et la **déprise**

L'agriculture sur les zones de moyennes montagnes de l'Hérault connaît une crise importante et les habitants sont vieillissants. La forêt et les friches avancent car beaucoup d'exploitations agricoles n'ont pas été reprises. Cet espace a été frappé par un exode rural massif, ce qui a entraîné déprise et désertification agricoles.

Depuis quelques années, de nouveaux habitants s'installent, aménagent le territoire et développent en particulier des activités d'agrotourisme (gîtes ruraux, accueil à la ferme, randonnées…), en mettant en avant la beauté des paysages et la qualité des produits (agriculture biologique).

Interview de Laurence Tkaczuk, chargée
de mission au Pays Haut-Languedoc et Vignobles,
réalisée par les auteurs, 2015.

Étape 1 ▸ Repérer les permanences

1. DOC. 1 Quel type d'agriculture les paysans pratiquaient-ils au début du XXᵉ siècle à La Salvetat ?

2. DOC. 5 Relevez la phrase qui montre que l'agriculture est une activité toujours présente.

Étape 2 ▸ Identifier les évolutions

3. DOC. 2 Comment la population a-t-elle évolué à La Salvetat-sur-Agout jusqu'à la fin du XXᵉ siècle ?

4. DOC. 6 Relevez dans le texte les raisons données à cette évolution.

5. DOC. 2 ET 6 Cette évolution se poursuit-elle au début du XXIᵉ siècle ? Justifiez votre réponse.

6. DOC. 3 À 6 Quelles solutions sont proposées aujourd'hui pour lutter contre la désertification agricole ?

Habiter des espaces faiblement peuplés à vocation agricole

Recopiez les tableaux et répondez aux questions

Des cas étudiés (à l'échelle locale)...		
	Étudier un territoire des « Nords » p. 226	Étudier un territoire des « Suds » p. 228
	Le Minnesota	L'Anti-Atlas
Quel type d'agriculture est présent dans ces espaces ?		
Quels aménagements ont été nécessaires pour pratiquer ces activités agricoles ?		

... au planisphère (à l'échelle mondiale)		
Où trouve-t-on le même type d'aménagement ?		
Pourquoi dans ces territoires ?		

Vocabulaire

Front pionnier : espace en cours de peuplement et de mise en valeur, souvent marqué par la déforestation.

Fil rouge Habiter le monde

▶ **Socle** *Émettre une hypothèse*

À votre avis, pourquoi les populations ont-elles adapté l'agriculture qu'elles pratiquent aux espaces qu'elles habitent ?

Aide | *Vous trouverez des renseignements dans le chapitre 13 « Le monde habité », p. 262.*

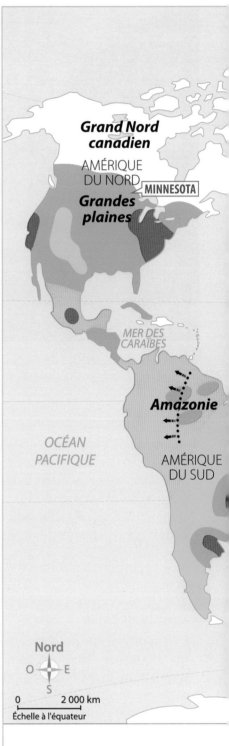

1. Agriculture moderne et mécanisée

Agriculture à forts rendements et/ou élevage intensif

Élevage extensif

Front pionnier

Sources : FAO 2015, JP Charvet 2006 et *Atlas du XXIe s.* 2012.

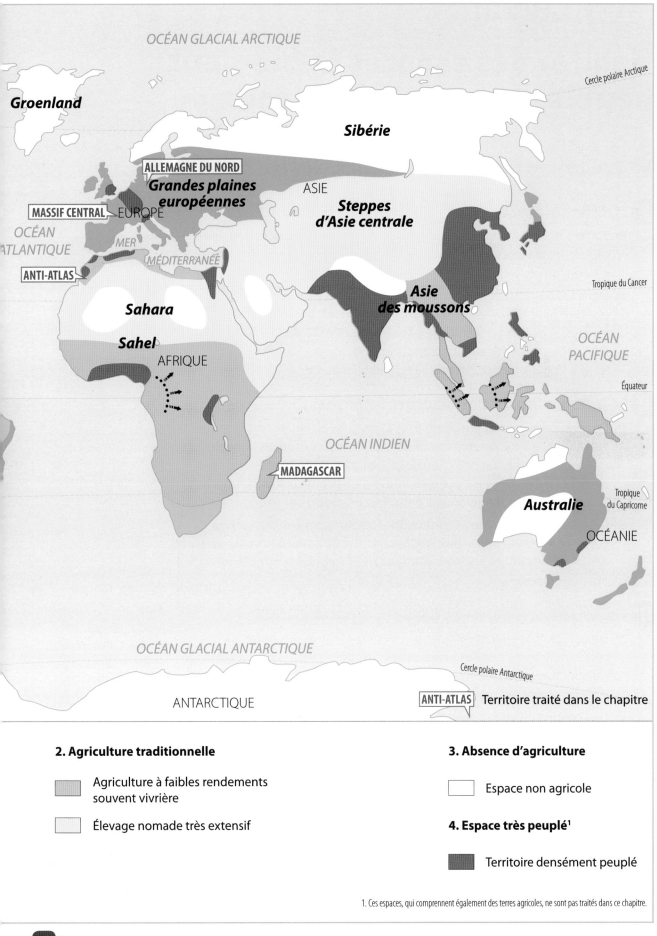

OCÉAN GLACIAL ARCTIQUE

Cercle polaire Arctique

Groenland

Sibérie

ALLEMAGNE DU NORD
Grandes plaines européennes

ASIE

Steppes d'Asie centrale

MASSIF CENTRAL EUROPE

OCÉAN ATLANTIQUE

MER MÉDITERRANÉE

ANTI-ATLAS

Tropique du Cancer

Sahara

Asie des moussons

OCÉAN PACIFIQUE

Sahel

AFRIQUE

Équateur

OCÉAN INDIEN

MADAGASCAR

Australie

Tropique du Capricorne

OCÉANIE

OCÉAN GLACIAL ANTARCTIQUE

Cercle polaire Antarctique

ANTARCTIQUE

ANTI-ATLAS Territoire traité dans le chapitre

2. Agriculture traditionnelle

Agriculture à faibles rendements souvent vivrière

Élevage nomade très extensif

3. Absence d'agriculture

Espace non agricole

4. Espace très peuplé[1]

Territoire densément peuplé

1. Ces espaces, qui comprennent également des terres agricoles, ne sont pas traités dans ce chapitre.

1 | Habiter des espaces faiblement peuplés à vocation agricole dans le monde

Leçon

Habiter des espaces faiblement peuplés à vocation agricole

De quelles manières les populations habitent-elles dans les espaces agricoles peu peuplés ?

I Habiter un espace agricole de manière traditionnelle

- Partout dans le monde, des agriculteurs habitent **des espaces peu peuplés**. Ils les ont **mis en valeur depuis de nombreuses générations grâce à l'**agriculture vivrière**, très présente en Afrique et en Asie.

- Dans ces pays, les agriculteurs rencontrent des difficultés importantes (éloignement des villes, événements climatiques, paysans sans terre, guerres). **Les surfaces cultivées sont petites** et le matériel agricole mécanique souvent inexistant. Une partie des jeunes adultes rejoignent les villes pour y avoir de meilleures conditions de vie.

II Habiter un espace d'**agriculture** intensive

- Dans les pays développés comme les États-Unis ou émergents comme le Brésil, les agriculteurs ont **mis en valeur de vastes espaces agricoles**, grâce à la mécanisation et à l'emploi d'engrais et de pesticides. Des **rendements** élevés assurent une alimentation suffisante aux populations. **La mécanisation a également entraîné un important** exode rural.

- **Cette** agriculture intensive **est avant tout une** agriculture commerciale : une grande partie de la production est destinée à la vente vers des destinations qui peuvent être lointaines (grands centres urbains, pays étrangers).

III De nouvelles manières d'habiter l'espace agricole

- Dans certains espaces ruraux des pays développés, les hommes ont abandonné les espaces **les moins productifs où les friches progressent**. Aujourd'hui, les habitants de ces territoires développent **de nouvelles activités comme l'**agriculture biologique **et le tourisme rural**.

- **Des conflits d'usage peuvent exister entre les différents utilisateurs de ces espaces à vocation agricole** (touristes, agriculteurs). Par ailleurs, certaines personnes quittent la ville à la recherche d'un nouveau cadre de vie moins cher et plus calme.

Quelques chiffres

- Aux États-Unis, un agriculteur nourrit en moyenne 155 personnes alors qu'un agriculteur d'un pays pauvre nourrit en moyenne 6 personnes.
- L'agriculture emploie plus de 1,3 milliard de personnes dans le monde, soit près de 40 % de la population active mondiale.

D'après le FAO et l'ONU, 2015.

Vocabulaire

Agriculture : travail de la terre (cultures) et élevage du bétail pour obtenir des produits alimentaires.

Agriculture biologique : agriculture respectant l'environnement en interdisant l'utilisation de produits chimiques (engrais, pesticides).

Agriculture commerciale : production agricole destinée à être vendue.

Agriculture intensive : production agricole donnant d'importants rendements sur des espaces restreints.

Agriculture vivrière : cultures destinées à la consommation personnelle du paysan et de sa famille.

Exode rural : déplacement de population des campagnes vers les villes.

Rendements : quantité de récolte par rapport à la surface utilisée.

Je retiens l'essentiel

Fermes et openfields à grandes cultures
au Minnesota (États-Unis)

- PRODUIRE de manière intensive,
moderne et mécanisée.

Élevage extensif de chèvres
au milieu des arganiers (Maroc)

- PRODUIRE de manière extensive
et vivrière.

Dans les pays des Nords

Dans les pays des Suds

Habiter un espace faiblement peuplé à vocation agricole, c'est :

Aménager et gérer

- Aménager les territoires pour lutter contre la déprise et la désertification
en développant de nouveaux produits et activités.
- Gérer les conflits d'usage et réfléchir à une gestion durable
des territoires.

Coopérative féminine d'huile d'argan (Maroc)

- Habiter un espace faiblement peuplé à vocation agricole, c'est développer une activité productive différente dans les Suds et dans les Nords.

- Au Sud, l'agriculture est souvent extensive et vivrière. Les habitants sont sensibles aux crises (climatiques, politiques, etc.).

- Au Nord, l'agriculture est souvent intensive, mécanisée et productiviste. Les rendements sont élevés. Certains agriculteurs sont de véritables hommes d'affaires.

J'apprends, je m'entraîne

▶ Socle
Méthodes et outils pour apprendre

FICHE DE RÉVISION
À TÉLÉCHARGER
Fiche 11

Habiter un espace de faible densité à vocation agricole

1. **Construire sa fiche de révision : notez le titre de la leçon sur votre feuille**

Je connais...

Objectif 1 ▶ Les repères géographiques

À l'aide du planisphère :
1. Indiquez le nom des continents numérotés de 1 à 5.
2. Nommez les océans repérés par les lettres A, B et C.

Répondez aux questions suivantes :
3. Où les espaces agricoles modernes à forts rendements sont-ils localisés ?
4. Dans quels continents les espaces agricoles sont-ils essentiellement traditionnels (agriculture vivrière et élevage extensif) ?

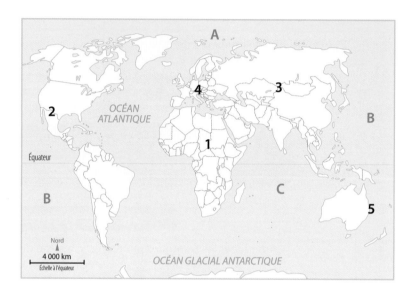

Objectif 2 ▶ Connaître les mots-clés

Notez la définition des mots-clés demandés ci-dessous :
• Agriculture – Agriculture vivrière – Agriculture commerciale – Exode rural.

Je suis capable de...

Pour chacun des trois objectifs suivants, construisez une réponse à la consigne.

Objectif 3 ▶ Localiser deux espaces faiblement peuplés à vocation agricole étudiés dans ce chapitre

Aide (*Citez le continent, le pays et la région dans lesquels ils se situent.*

Objectif 4 ▶ Expliquer comment les hommes habitent dans un espace faiblement peuplé d'un pays du Nord

Aide (*Rappelez comment les habitants du Minnesota ont pu mettre en valeur leur territoire de vie.*

Objectif 5 ▶ Expliquer comment les hommes habitent dans un espace faiblement peuplé d'un pays du Sud

Aide (*Rappelez comment les habitants de l'Anti-Atlas se sont adaptés à leur territoire et quelles sont leurs conditions de vie.*

1 Comprendre un texte

Développer l'activité agricole grâce au commerce équitable

Dans les montagnes du Pérou, les paysans sont pauvres et poussés à l'exode rural.

Teodomiro Melendres, directeur général de Cenfrocafe (association péruvienne de petits producteurs de café), insiste : « Il faut informer les consommateurs du travail que nous réalisons avec les 2 200 petits producteurs qui ont chacun 5 ou 6 enfants. Nous cherchons à ce que dans dix ans, au moins trois d'entre eux soient diplômés de l'université. »
Anselmo Guaman, membre fondateur de Cenfrocafe, ajoute : « Les consommateurs de Lobodis continuent à consommer le café que Cenfrocafe vend. Plus vous consommez de café, plus nous en vendons et améliorons ainsi la qualité de vie des petits producteurs. »
L'action de Lobodis au Pérou a ainsi permis l'augmentation du rendement agricole moyen par producteur (+ 16 % entre 2005 et 2009), l'amélioration de la qualité et du prix moyen du café exporté et le maintien de la vocation agricole et paysanne du territoire.

D'après *www.lobodis.com*, site Internet d'une entreprise française de cafés équitables, 2015.

Identifier un document et son point de vue

1. Présentez le texte en précisant sa source, sa date, le thème et l'espace concerné.

2. Pourquoi est-il indispensable de connaître la source du texte ?

Extraire des informations pertinentes

3. D'après l'entreprise Lobodis, quels sont les problèmes des populations rurales du Pérou ?

4. Comment l'entreprise participe-t-elle à l'amélioration des conditions de vie des petits paysans du Pérou ?

2 Écrire un texte à l'aide de ses connaissances

Le matin, un jeune garçon et sa sœur gardent leurs chèvres dans l'arganeraie de l'Anti-Atlas marocain. Après leur demi-journée d'école l'après-midi, ils font leurs devoirs avant de trier les noyaux d'argan avec leur mère.

Consigne :
Écrire un texte d'une dizaine de lignes présentant la vie de ces deux jeunes habitants de l'Anti-Atlas marocain.

> **Aide** | *Utilisez les mots-clés : habiter l'Anti-Atlas, agriculture vivrière, arganier, huile d'argan, village, berger, futur.*
> *Pensez à décrire l'espace de vie de ces jeunes habitants, tel qu'on le voit sur la photographie ci-contre.*

Des habitations au cœur de l'arganeraie près de Aït Baha (Maroc).

Auto-évaluation

Je me positionne sur une marche :

1. J'écris
- Quelques phrases compréhensibles.

2. J'écris
- Quelques phrases compréhensibles,
- **En rapport avec le sujet,**
- **Qui respectent des règles de syntaxe.**

3. J'écris
- **Un texte** compréhensible,
- **Qui répond à la consigne,**
- Qui respecte les règles de syntaxe,
- **Avec les mots-clés attendus.**

4. J'écris
- Un texte compréhensible **et structuré,**
- **De la longueur demandée,**
- Qui répond à la consigne,
- Qui respecte les règles de syntaxe **et d'orthographe,**
- **Avec un lexique précis.**
- **Une phrase présente le sujet.**

Pour progresser, j'analyse mes axes de progrès. Que devrais-je améliorer ?

Vers la tâche complexe

Habiter un espace agricole à faible densité en Allemagne

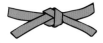

1 Un paysage d'openfield dans un espace faiblement peuplé

Ferme près de Gross Roge, Mecklembourg-Poméranie-Occidentale (Allemagne).

Votre mission : réaliser un croquis de paysage à partir de la photographie. Votre croquis devra expliquer comment cet espace est habité.

Travail préparatoire (au brouillon) : lire et comprendre le paysage

1. Associez chaque élément du paysage au numéro qui lui correspond sur la photographie : routes, ferme et bâtiments agricoles, champs, bois.

2. Associez chaque élément du paysage à une fonction : se loger, travailler, se déplacer, avoir des loisirs.

Réalisation du croquis (au propre)

À vous de choisir votre niveau de difficulté et votre ceinture !

Soignez la présentation de votre travail, votre coloriage et votre écriture. N'oubliez pas de donner un titre à votre croquis de paysage.

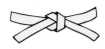

Je construis un croquis **sans aucune aide**.

Construisez votre croquis en vérifiant que :
- Vous avez choisi avec soin les couleurs associées aux éléments de paysage (voir le Point méthode p. 220).
- Vous avez correctement présenté la légende en associant éléments du paysage et fonctions.

RAPPELS

Je construis un croquis **avec un guide léger**.

Construisez votre croquis en reprenant la méthode p. 220 à l'aide des consignes suivantes :
- Délimitez les différents éléments du paysage : les axes de communication (routes), les espaces bâtis (ferme et bâtiments agricoles) puis les espaces boisés et les champs.
- Construisez la légende en associant chaque élément du paysage à une fonction.
- Choisissez avec soin les couleurs pour le croquis et sa légende.

Je construis un croquis **avec un guidage plus important**.

Construisez votre croquis en suivant les consignes suivantes :
- Placez un calque sur la photographie.
- Tracez les lignes des axes de communication : les routes en rouge.
- Délimitez les espaces bâtis : la ferme (que vous coloriez en orange) et les bâtiments agricoles (en gris).
- Délimitez enfin les espaces boisés (que vous coloriez en vert) et les champs (en jaune).
- Construisez ensuite votre légende.

Enquêter

Conflits d'usage dans le Vercors

Parc naturel régional du Vercors

Les faits

1. L'avis des agriculteurs du lieu

Quelques grimpeurs tentent de s'accaparer les rochers de Presles et se donnent le droit d'occuper un lieu qui ne leur appartient pas.

Je ne vous parle même pas des incivilités à l'encontre de la nature telles que poubelles et déchets divers déposés. Le mépris des règles de stationnement rend impossibles les activités agricoles lors des périodes d'affluence.

Volopress.net, 2008.

2. La réponse des grimpeurs

Les nuisances sont réelles mais d'un niveau assez faible (parkings sauvages, bruit) sur des périodes restreintes de l'année.

Les ruraux hostiles à l'escalade semblent se regrouper derrière les arguments de la chasse et des traditions et les nouveaux habitants sous ceux du tourisme.

B. Fara, *www.promo-grimpe.com*, 2008.

Les indices

Indice n°1

3. Les orientations de la charte du **PNR** du Vercors

Préserver, restaurer, mettre en valeur les patrimoines et les ressources du Vercors et favoriser un développement durable.

Répondre aux nouveaux enjeux du territoire (pression urbaine, agriculture durable).

Faire participer les acteurs et les habitants pour inventer et préparer les territoires de demain et contenir les conflits d'usage.

Parc naturel régional (PNR) du Vercors, 2015.

Indice n°2

4. Cohabiter entre agriculteurs et citadins

Espace récréatif où les sportifs s'adonnent à leurs loisirs, le plateau de la Molière est aussi un lieu de vie, pour les agriculteurs, le respect mutuel est gage de plaisir pour tous.

Le magazine du PNR du Vercors, n° 65, juin 2014.

Indice n°3

5. Résoudre des **conflits d'usage**

Des grimpeurs ont la mauvaise habitude de se garer n'importe comment, quand ce n'est pas aux endroits interdits. Il faut laisser libre le passage des engins agricoles sur toutes les routes alentour. Les conflits d'usage demeurent et les grimpeurs doivent faire montre de plus de civisme afin de ne pas envenimer les relations avec les personnes qui habitent ici.

Il en va de la survie de l'escalade dans les falaises de Presles.

Comité départemental FFME Isère, 2010.

Avez-vous pris connaissance des faits et des indices ? Quelle est votre conviction : comment tenter de résoudre les conflits d'usage sur le PNR du Vercors ?

Par équipe, complétez le carnet de l'enquêteur.
- La situation de départ : … .
- Les différents acteurs des conflits d'usage : … .
- Les tentatives de résolution des conflits : … .

Rédigez en quelques lignes le rapport d'enquête.

Vocabulaire

Conflit d'usage : conflit sur la manière d'occuper un espace.

PNR (Parc naturel régional) : territoire créé pour protéger et mettre en valeur un espace rural agricole habité.

Les activités agricoles représentées par un peintre réaliste

 Comment Jean-François Millet reproduit-il les activités agricoles ?

1 | *Des Glaneuses*

Tableau de Jean-François Millet, 1857, huile sur toile, 83,5 x 110 cm, musée d'Orsay, Paris.

Qui est-il ?

Jean-François Millet (1814-1875)

C'est un peintre français célèbre pour le réalisme de ses scènes agricoles.

 Point art

Réalisme

Mouvement artistique apparu en France dans la seconde moitié du XIXe siècle. Il s'attache à reproduire fidèlement la nature, les hommes et le monde dans lequel ils vivent.

2 Une critique du tableau de Millet

Millet peint avec simplicité des sujets simples. Mais *Les Glaneuses* de 1857 se distinguent des œuvres précédentes par sa sobriété. Tout est calme là-dedans. Le soleil d'août chauffe vigoureusement la toile : il mûrit les blés et fait transpirer les hommes. Les trois femmes ne font appel ni à la charité ni à la haine : elles s'en vont, courbées sur les chaumes[1], et elles glanent[2] leur pain miette à miette, comme elles ramasseront leur bois en hiver, avec cette résignation active qu'ont les paysans.

D'après E. About, écrivain et critique d'art, *Nos artistes au Salon de1857*, 1887.

1. Ce qu'il reste après la moisson.
2. Ramassent.

Présenter

1. DOC. 1 Présentez l'œuvre.

Décrire et comprendre

2. DOC. 1 Décrivez l'œuvre en insistant sur les couleurs utilisées par l'artiste.

3. DOC. 1 et 2 Pourquoi cette œuvre est-elle qualifiée de réaliste ?

Conclure et exprimer sa sensibilité

4. DOC. 2 Quel est le sentiment de l'auteur du texte sur le tableau ?

5. DOC. 1 Ce tableau vous plaît-il ? Expliquez votre réponse.

6. Cherchez d'autres tableaux de Jean-François Millet sur des thèmes agricoles.

Aide | *Utilisez les sites du « musée d'Orsay » et de « L'histoire par l'image ». Pour cela, tapez dans un moteur de recherche le nom des sites avec celui du peintre.*

Comment maintenir des services dans des campagnes qui se dépeuplent ?

le désert rural

BOUCHERIE 15 km

Pharmacie 52 km

ON NE VA PAS DE CE CÔTÉ, PÉPETTE ! ET LAISSE MOI SOUFFLER UN PEU !

CROA CROA

1 | **Le problème de la distance**
Dessin de Perrico, 2011.

> **V**ocabulaire
>
> **Commune** : division du territoire (village ou ville) dirigée par un maire et le conseil municipal.

2 Une **commune** sans boulanger

La nouvelle de la fermeture de la boulangerie du village d'Amettes (Pas-de-Calais) a été un choc. Le maire Martial Berthe commente : « Dès qu'une activité commerciale ou économique s'arrête, on est forcément déçu. Le boulanger était arrivé en août, il part en février : c'est très brutal. Il a certainement estimé qu'il ne gagnerait pas assez d'argent. On tient à nos commerces de proximité, qui rendent bien service, mais malheureusement les fermetures font partie de la vie économique. » La disparition de la boulangerie, « c'est un service à la population en moins ».

D'après G. Défossez, « Le village privé de boulangerie : un service en moins pour la population », *L'Avenir de l'Artois*, 9 février 2012.

3 Une épicerie ambulante à la campagne

En Limousin, Olivia Garnier a lancé son épicerie bio itinérante, Le Temps des cerises, voici un peu plus de cinq ans. À bord de son camion blanc, elle circule dans un rayon de 50 km, s'arrêtant sur des marchés et livrant des commandes à des points relais. Elle approvisionne aussi des mairies, des cantines d'écoles, des restaurants. « La réussite du projet est très liée au territoire. Ici, nous sommes loin des grands axes, il y a peu de concurrence, beaucoup de petits producteurs, et la population est disposée à soutenir ce genre d'initiatives. Et puis, je suis très attentive à la demande, je rends aussi des services non marchands, comme prêter des livres ou prendre des gens en auto-stop. Cela va plus loin que du simple commerce ! »

D'après C. Labro, « Les épiceries ambulantes bio partent en campagne », *M le magazine du Monde*, 17 août 2014.

> **La sensibilité : soi et les autres**
>
> 1. DOC. 1 ET 2 Que ressentez-vous face aux problèmes évoqués ?
> 2. Imaginez que vous habitez dans un espace rural, quels autres problèmes pourriez-vous rencontrer dans votre quotidien ?
> 3. DOC. 3 Quelles solutions peuvent être envisagées ? Quelle valeur républicaine veut-on renforcer ?
>
> **L'engagement : agir individuellement et collectivement**
>
> 4. Vous êtes un élu d'une commune rurale. Par groupe, proposez des solutions aux problèmes que rencontre votre village. Chaque groupe présente ensuite ses solutions à la classe.

12 Habiter les littoraux industriels et touristiques

Comment les populations ont-elles **aménagé** les **littoraux** pour y habiter ?

Souvenez-vous !

Quel peuple a créé de nombreuses cités sur le pourtour de la Méditerranée et de la mer Noire durant l'Antiquité ?

MER DU NORD — Nord
Hambourg
ALLEMAGNE
200 km

1 | Le port industriel de Hambourg (Allemagne)

Vocabulaire

Aménagement : transformation d'un espace.

Littoral : zone de contact entre la mer et la terre.

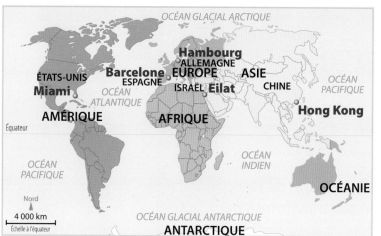

2 | Station balnéaire d'Eilat (Israël)

Les touristes internationaux sont attirés par son climat et son ensoleillement. Ses récifs coralliens et ses nombreuses espèces de poissons ont fait d'Eilat un centre international de plongée sous-marine.

1. DOC. 1 ET 2 Quelle est l'activité principale de chaque espace photographié ?

2. **Émettez une hypothèse pour répondre à la question suivante** :
Quelle(s) autre(s) activité(s) peut-on également développer sur un littoral ?

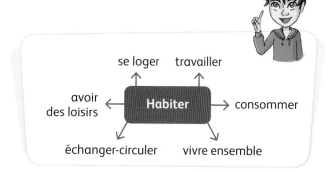

Habiter un littoral industriel : Hong Kong en Chine

→ **Quelles sont les façons d'habiter le littoral de Hong Kong ? Comment ce littoral a-t-il été transformé ?**

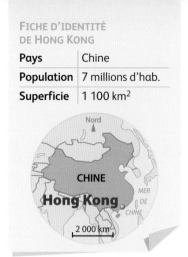

FICHE D'IDENTITÉ DE HONG KONG	
Pays	Chine
Population	7 millions d'hab.
Superficie	1 100 km²

CHINE
Hong Kong
MER DE CHINE
Nord
2 000 km

1 | Hong Kong vue du **terminal** à **conteneurs** de Tsing Yi

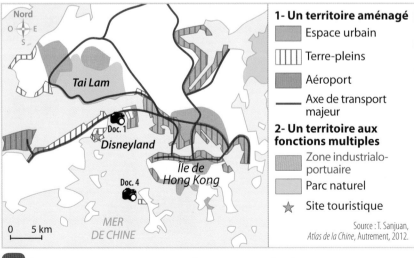

Légende :

1- Un territoire aménagé
- Espace urbain
- Terre-pleins
- Aéroport
- Axe de transport majeur

2- Un territoire aux fonctions multiples
- Zone industrialo-portuaire
- Parc naturel
- ★ Site touristique

Tai Lam
Doc. 1
Disneyland
Île de Hong Kong
Doc. 4
MER DE CHINE
0   5 km

Source : T. Sanjuan, *Atlas de la Chine*, Autrement, 2012.

2 | Un espace aménagé aux fonctions multiples

Vocabulaire

Conflit d'usage : conflit sur la manière d'occuper un espace.

Conteneur : grande boîte métallique standardisée contenant des marchandises.

Terminal : ensemble d'installations pour charger et décharger les bateaux.

Terre-plein : espace artificiel conquis sur la mer.

Zone industrialo-portuaire (ZIP) : partie d'un port accueillant des activités industrielles et commerciales.

3 | Une métropole et un port dynamiques

	Population de Hong Kong en millions d'habitants	Trafic de conteneurs en millions d'EVP (1 EVP = 33 m³)
1993	5,9	6,2
2003	6,7	20,5
2013	7,2	22,3

Sources : Evergreen Marine. Transportation & Containerization International ; Banque mondiale ; Lloyd's List, 2015.

4 | Une plage devant la centrale électrique de Lamma Island

5 | Conflits d'usage entre industrie, tourisme et pêche

Big Lai est pêcheur à Hong Kong depuis plus de 50 ans tout comme son père. Il a été témoin du développement des terre-pleins. D'après lui, cette obsession des terre-pleins est en train de faire disparaître très rapidement les poissons. En effet, ces aménagements qui servent aussi bien au développement des ZIP qu'à des espaces de loisirs créent des digues verticales. Celles-ci éliminent l'environnement calme et sûr qui permet aux jeunes poissons de se développer.

Urban Diary, magazine en ligne de Hong Kong, spécialisé dans l'information sur le développement durable, août 2013.

 Le reportage complet sur : http://fr.globalvoicesonline.org/2013/09/01/152583/

 **Activités**

▶ **Socle** *Construire des repères géographiques*

1. Où se situe Hong Kong ?
2. **DOC. 1** Décrivez les aménagements portuaires. À quoi servent-ils ?
3. **DOC. 1 ET 4** Quels bâtiments distinguez-vous à l'arrière-plan ? Quelles activités peuvent-ils accueillir ?

▶ **Socle** *Comprendre le sens général d'un document*

4. **DOC. 2** Dans quel type d'espaces se situe le terminal à conteneurs ?
5. **DOC. 2 ET 3** Pourquoi ces constructions ont-elles été développées ?
6. **DOC. 5** Pourquoi les terre-pleins peuvent-ils créer des conflits d'usage ?

Pour conclure Recopiez et complétez le schéma comme dans l'exemple.

DOC. 1 *Se loger : Avoir un appartement dans un gratte-ciel.*

DOC. 2 ET 4 **Avoir des loisirs :** ....

Habiter Hong Kong

DOC. 1 ET 2 **Se déplacer :** ....

DOC. 1, 2, 4 ET 5 **Travailler :** ....

Gagner de l'espace sur la mer à Hong Kong

Quels aménagements les hommes ont-ils effectués pour gagner de l'espace sur la mer à Hong Kong depuis plusieurs siècles ?

Densité de Hong Kong : 6 000 hab./km²

1 | Un centre culturel sur une île artificielle

Achevé en 1997, il accueille des expositions culturelles, des défilés de mode et des réunions d'affaires.

2 Une stratégie développée depuis de nombreux siècles

Dès le XIIIᵉ siècle et pendant six siècles, le clan chinois des Man a fait travailler une population nombreuse pour poldériser les rives de la Deep Bay (la côte est de Hong Kong). Cette technique permet de gagner des terres sur la mer en construisant des digues et en asséchant les terres derrière ces protections. Depuis son origine, la **poldérisation** a pour fondement majeur l'alimentation d'une population nombreuse et donc l'augmentation de la production agricole. Les polders de Hong Kong ont en effet été développés pour intensifier la production de riz.

D'après L. Goeldner et F. Bertrand, « Les côtes à polders. Les fondements humains de la poldérisation », *L'Information géographique*, 1999.

Point méthode

Lire un paysage :
- Localiser, situer
- Décrire
- Comprendre, expliquer

Vocabulaire

Densité : nombre d'habitants vivant sur 1 km² (voir chapitre 13 « Le monde habité »).

Poldérisation : technique pour gagner de la terre sur la mer.

3 Kai Tak, l'ancien aéroport construit sur un terre-plein

Construit en 1957, il a été fermé en 1996 et déplacé sur une île artificielle, à plus de 30 km du centre de la ville.

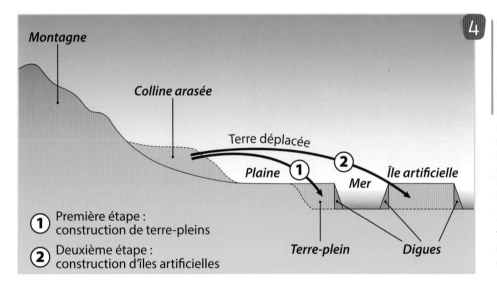

Montagne

Colline arasée

Terre déplacée

Plaine ① ② Île artificielle

Mer

① Première étape : construction de terre-pleins

② Deuxième étape : construction d'îles artificielles

Terre-plein Digues

4 Terre-pleins et îles artificielles, une technique développée à Hong Kong au XXᵉ siècle

Construits grâce à de la terre, du sable et des déchets industriels, les terre-pleins ont d'abord une vocation industrielle au sortir de la Seconde Guerre mondiale. Depuis le milieu des années 1970 les terre-pleins et les îles artificielles accueillent d'autres activités (logements, commerces, loisirs, etc.).

Étape 1 ▶ Repérer les permanences

1. DOC. 1 Relevez les indices qui montrent que la population de Hong Kong est dense.

2. DOC. 2 Cette concentration de la population est-elle récente ?

3. DOC. 1, 2 ET 4 À quoi servent les digues dans les différentes stratégies (polder, terre-plein, île artificielle) pour gagner de l'espace sur la mer ?

Étape 2 ▶ Souligner les évolutions

4. DOC. 2 À quelle activité les polders étaient-ils destinés à Hong Kong depuis le XIIIᵉ siècle ?

5. DOC. 1, 3 ET 4 Quelles sont les différentes fonctions des espaces gagnés sur la mer au XXᵉ siècle ?

Étape 3 ▶ Envisager des solutions futures

6. Quelle(s) solution(s) pourriez-vous proposer pour permettre à Hong Kong d'accueillir une population toujours plus nombreuse ?

Aide *Souvenez-vous de ce que vous avez vu dans le chapitre 9 « Habiter la ville de demain ».*

Habiter un littoral touristique : l'exemple de la Floride

➤ **Quelles sont les différentes manières d'habiter le littoral en Floride ? Se limitent-elles aux activités touristiques ?**

FICHE D'IDENTITÉ DE LA FLORIDE

Pays	États-Unis
Population	20 millions d'hab.
Superficie	170 000 km²

Nord
New York
Washington
ÉTATS-UNIS
OCÉAN ATLANTIQUE
FLORIDE
Palm Beach
Parc naturel des Everglades Miami
500 km

❶ Plage
❷ Complexes hôteliers
❸ Golf
❹ Villas de luxe

1 | Palm Beach, une **station balnéaire**

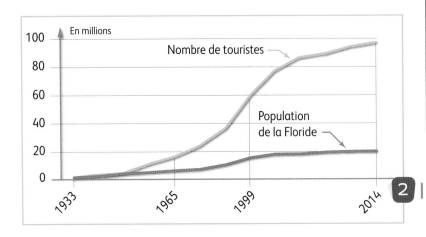

2 | Un littoral attractif
D'après l'office de tourisme de Floride, *Visitflorida.com*, 2015.

Vocabulaire

Complexe hôtelier : ensemble d'hôtels accueillant des touristes.

Station balnéaire : lieu de séjour au bord de la mer aménagé pour l'accueil de vacanciers.

Tourisme : fait de se déplacer, plus d'une journée, hors de chez soi.

 **3** | Le quartier des affaires et des loisirs de Miami

© eduardochacon.com

4 | La pauvreté en Floride

	2000	2004	2008	2012
Part de la population vivant sous le seuil de pauvreté (%)	12,8	12,2	13,2	17,1
Part des enfants (moins de 18 ans) vivant sous le seuil de pauvreté (%)	17,2	17	21,3	25,4

US Census Bureau, 2015.

5 L'expérience d'une étudiante française, Charlotte B., 18 ans

J'ai vécu 6 mois à Miami pour parfaire mon anglais. Je résidais dans un campus, sur Collins Avenue, une des rues principales à proximité du centre-ville. Après mes cours de langue, je profitais des grandes plages et des magasins de Lincoln Road. Miami est une ville très cosmopolite. On rencontre beaucoup d'étrangers et notamment de Français qui viennent monter leur entreprise dans le secteur des loisirs. Le soir, je descendais dans les bars et les petits restos tenus par de nombreux latinos, cubains essentiellement.

Témoignage recueilli par les auteurs du manuel, 2015.

Activités

▸ **Socle** *Construire des repères géographiques*

1. DOC. 1 Localisez et décrivez le paysage présenté.
2. DOC. 1 Quels aménagements ont été développés pour le tourisme ?

▸ **Socle** *Comprendre et expliquer*

3. DOC. 2 Ces aménagements ont-ils atteint leur objectif ? Justifiez.
4. DOC. 3 ET 5 Quelles autres activités font de la Floride un littoral dynamique ?
5. DOC. 4 La Floride n'accueille-t-elle que des populations aisées ?

Pour conclure

Construire un croquis de paysage qui explique comment est habité le littoral de Floride.

 Aide

1. En reprenant la méthode (voir p. 220), délimitez les différents espaces et aménagements à but touristique (l'océan, la plage, le complexe hôtelier, le golf et les villas de luxe).

2. Construisez la légende en choisissant avec soin les couleurs. Puis reportez les couleurs sur le croquis.

3. Vérifiez que vous avez construit une légende qui explique les fonctions de cet espace et donnez un titre à votre croquis.

Étude

Barcelone, entre littoral industrialo-portuaire et littoral touristique

> Comment Barcelone a-t-elle réussi à redynamiser son littoral consacré à l'industrie par le développement des activités touristiques ?

FICHE D'IDENTITÉ DE BARCELONE

Pays	Espagne
Population	5,3 millions d'hab.
Superficie	3 300 km²

1 | Zones industrialo-portuaires ❶ et terminal de croisières ❷ aux portes de Barcelone (2014)

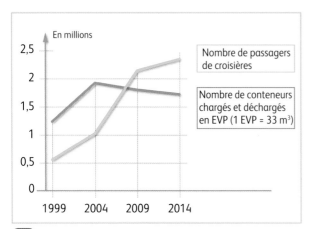

2 | Les différentes activités du port de Barcelone depuis 1999

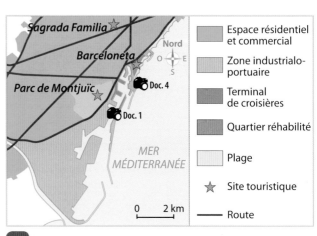

3 | Un littoral aux activités multiples

4 | Barceloneta, une plage ancienne réaménagée

Rappel de CM1
De quelle manière particulière un touriste habite-t-il un espace ?

5 Barceloneta, un quartier réhabilité[1]

Un témoin raconte

Installé à Barcelone depuis 2003 pour mon travail, j'adore me promener dans le quartier de Barceloneta. Ancien quartier de pêcheurs et de marins situé près de la plage et du port, il a connu de nombreuses mutations avec les jeux Olympiques de 1992.

Aujourd'hui encore, la Barceloneta possède des airs de village avec des rues étroites aux murs assombris par le sel de la mer. En été, ce quartier peut être très animé en raison du grand nombre de personnes. Barcelonais et touristes étrangers se retrouvent, pour profiter de la plage pendant la journée et de la vie nocturne animée dans les bars et restaurants.

Témoignage de Gaël. D'après *vacancesespagne.fr*

1. Réhabilité : transformé pour d'autres usages.

Activités

▸ **Socle** *Construire des repères géographiques*

1. DOC. 1 Localisez et décrivez le paysage présenté.
2. DOC. 1 Pourquoi peut-on parler d'un double port ?
Quels aménagements ont été développés pour chacune de ses activités ?

▸ **Socle** *Comprendre et expliquer le sens général d'un document*

3. DOC. 2 Comment le nombre de passagers de croisières évolue-t-il depuis 1999 ? Justifiez.
4. Pourquoi cette activité est-elle nécessaire pour redynamiser le port de Barcelone ?
5. DOC. 4 ET 5 Comment le quartier de Barceloneta illustre-t-il le changement d'activités du port de Barcelone ?

Point méthode
RAPPEL Une évolution

Une évolution peut être :
↗ : une augmentation, une hausse
→ : une stagnation
↘ : une diminution, une baisse

Pour conclure Émettez une hypothèse pour répondre à la question suivante.

➤ **Quelle conséquence le changement d'activités du port de Barcelone a-t-il eue sur la façon d'habiter la ville ?**

Les littoraux dans le monde : des espaces aménagés

✎ **Recopiez les tableaux et répondez aux questions** 🖨

Des cas étudiés (à l'échelle locale)…	Étudier un territoire p. 246	Étudier un territoire p. 248	Étudier un territoire p. 250
	Hong Kong	La Floride	Barcelone
Quelle est l'activité principale de ce littoral ?			
Quels sont les aménagements réalisés ?			

▼

… au planisphère (à l'échelle mondiale)			
Où trouve-t-on le même type de littoral ?			
Nommez certains littoraux qui ne connaissent que très peu d'aménagements.			

1. Des littoraux aménagés

■ Cinq principaux ports de commerce mondiaux

▲▲▲▲▲ Principaux espaces industrialo-portuaires

— **Fil rouge** · **Habiter le monde** —

▸ **Socle** *Émettre une hypothèse*

À votre avis, pourquoi la moitié des hommes vit-elle à proximité des littoraux ?

Aide | *Vous trouverez des renseignements dans le chapitre 13 « Le monde habité », p. 262.*

OCÉAN GLACIAL ARCTIQUE

Cercle polaire Arctique

ASIE

Rotterdam
Londres

EUROPE

Barcelone

Istanbul

Tianjin
Séoul
Tokyo

**OCÉAN
ATLANTIQUE**

MER
MÉDITERRANÉE

Shanghai

Osaka-
Kobe

AFRIQUE

Guangzhou

Calcutta

Hong Kong

**OCÉAN
PACIFIQUE**

Mumbai

Bangkok

Manille

Lagos

Maldives

Singapour

Seychelles

Jakarta

OCÉAN INDIEN

Bali

o de Janeiro

Maurice
Réunion

OCÉANIE

OCÉAN GLACIAL ANTARCTIQUE

Cercle polaire Antarctique

ANTARCTIQUE

2. Des littoraux attractifs

Littoraux aménagés
pour le tourisme

Des littoraux densément peuplés
(chaque point représente 500 000 habitants)

Hong Kong Littoral traité dans
ce chapitre

Grandes agglomérations littorales
(plus de 10 millions d'habitants)

Sources : OCDE, 2012. *Perspectives de l'environnement de l'OCDE à l'horizon 2050*. American Association of Port Authorities. *Atlas des mers et des océans*, 2001, Collection Solar, 264 p.

1 | Littoral industrialo-portuaire, littoral touristique : des espaces aménagés

Leçon

Habiter des littoraux industriels et touristiques

Comment les hommes ont-ils aménagé les littoraux pour y habiter ?

I Habiter un espace densément peuplé

- **Habiter un littoral, c'est souvent vivre dans un espace densément peuplé.** En effet, plus de la moitié des habitants du monde vit aujourd'hui à moins de 100 kilomètres des côtes. Ils devraient être 7 habitants sur 10 d'ici vingt ans.

- Cette croissance profite essentiellement aux villes : **la plupart des très grandes agglomérations se trouvent sur les littoraux**, à l'image de Tokyo. Cependant, des littoraux aux conditions géographiques contraignantes, comme les zones arides, peuvent être vides d'hommes.

II Habiter un espace dynamique

- Les habitants s'installent sur les littoraux car ce sont des zones attractives depuis l'Antiquité. Des aménagements récents ont été réalisés pour profiter de l'augmentation du commerce maritime et du développement du tourisme de masse.

- Des zones industrialo-portuaires permettent aux ports de s'agrandir le long du littoral ou sur des terre-pleins, comme à Hong Kong. Des stations balnéaires avec hôtels, piscines et golfs sont construites pour attirer les touristes comme en Floride.

- **Pour s'adapter aux évolutions de l'économie et au manque de place, les villes littorales doivent faire des choix.** Ainsi, Barcelone développe les aménagements touristiques afin de compenser le manque de dynamisme de son port industriel.

III Habiter un espace convoité

- **Habiter le littoral, c'est vivre dans un espace aux activités variées mais en concurrence.** Les habitants des communes littorales devenues balnéaires se sentent souvent dépossédés de leur territoire par l'arrivée des touristes.

- Les aménagements littoraux permettent la création de richesses. Cependant, ils peuvent avoir **des conséquences négatives dans les domaines sociaux et environnementaux**. Ainsi des conflits d'usage naissent entre des activités aux besoins différents comme l'industrie, l'agriculture, la pêche et le tourisme.

Vocabulaire

Aménagement : transformation d'un espace.

Littoral : zone de contact entre la mer et la terre.

Station balnéaire : lieu de séjour au bord de la mer aménagé pour l'accueil de vacanciers.

Terre-plein : espace artificiel conquis sur la mer.

Tourisme : fait de se déplacer, plus d'une journée, hors de chez soi.

Zone industrialo-portuaire (ZIP) : partie d'un port accueillant des activités industrielles et commerciales.

Quelques chiffres

- Plus de 50 % de la population mondiale vit à moins de 100 km des côtes.
- 8 des 10 premiers ports de conteneurs du monde sont chinois.

Je retiens l'essentiel

Immeubles
à Hong Kong.

Se loger

• Résider de façon
permanente
ou saisonnière

Quartier d'affaires
de Miami
© eduardochacon.
com.

Travailler

• Avoir un emploi
pour vivre

Habiter un littoral, c'est l'aménager pour

Avoir des loisirs

Plage d'Eilat.

• Se divertir
de différentes
manières :
plage, golf,
exposition d'art…

Échanger-circuler

Kai Tak, ancien aéroport
de Hong Kong.

• Utiliser différents modes
de transports
(individuels/collectifs)
pour se déplacer entre le lieu
de résidence et le lieu
de travail/de loisirs…

Au risque des conflits d'usage

Plage au pied
d'une centrale
à Hong Kong.

L'essentiel en texte

● Habiter un littoral, c'est aménager son espace pour pouvoir y exercer des activités variées : se loger, travailler, circuler ou se détendre.

● Ces aménagements augmentent l'attractivité des littoraux qui se densifient et accueillent des agglomérations de plus en plus nombreuses.

● Cette attractivité crée une pression sur l'espace qui augmente les tensions entre les populations et les activités.

J'apprends, je m'entraîne

▶ Socle
Méthodes et outils pour apprendre

FICHE DE RÉVISION À TÉLÉCHARGER
Fiche 12

Habiter des littoraux industriels et touristiques

1. Construire sa fiche de révision : notez le titre de la leçon sur votre feuille

Je connais...

Objectif 1 ▶ Les repères géographiques

Indiquez le nom des océans et de la mer numérotés de 1 à 4.
Localisez sur la carte les villes littorales étudiées dans le chapitre :
Miami, Hong Kong et Barcelone.

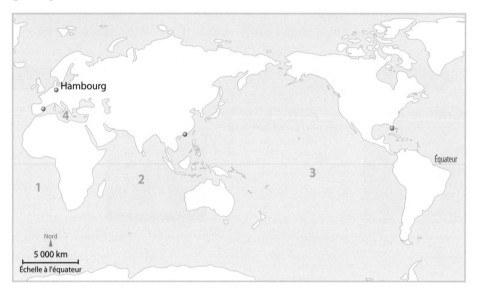

Objectif 2 ▶ Connaître les mots-clés

Notez la définition des mots-clefs ci-dessous :
Activité industrielle – Aménagement – Littoral – Station balnéaire – Terre-plein – Tourisme –
Zone industrialo-portuaire (ZIP).

Je suis capable de...

Pour chacun des objectifs suivants, construisez une réponse à la consigne :

Objectif 3 ▶ Décrire les aménagements d'un littoral touristique
(comme celui de la Floride)

Aide *Rappelez quelles conditions naturelles attirent les touristes.*
Évoquez les aménagements permettant l'accueil des touristes mais également d'autres manières
d'habiter ce littoral.

Objectif 4 ▶ Décrire les aménagements d'un littoral industrialo-portuaire
(comme celui de Hong Kong)

Aide *Rappelez les aménagements qui permettent l'accueil et la décharge des bateaux.*
Évoquez les transformations développées pour étendre l'espace industriel.

1 Écrire un texte à l'aide de ses connaissances

1 La Grande-Motte aujourd'hui

Une jeune fille passe ses vacances
à La Grande-Motte chez sa grand-mère.
Au cours d'une promenade, elle l'interroge
sur sa jeunesse passée dans la région.
La grand-mère lui explique à quel point
La Grande-Motte a changé en 50 ans.

Consigne :

Construisez votre récit en rédigeant un texte
d'une dizaine de lignes.
Vous présenterez les différents aménagements
qui ont été réalisés à La Grande-Motte.

2 La Grande-Motte
à la fin des années
1960

Aide / *1. Utilisez les mots-clés : habiter un littoral touristique, aménagement, station balnéaire, port, digue, résidences de vacances, plage.*

2. DOC. 1 ET 2 *Pensez à décrire les espaces de vie de la grand-mère aujourd'hui et en 1960, tels qu'on les voit sur les photographies.*

Auto-évaluation

Pour évaluer ma production écrite, je me positionne sur une marche :

1. J'écris
- Quelques phrases compréhensibles.

2. J'écris
- Quelques phrases compréhensibles,
- **En rapport avec le sujet,**
- Qui respectent des règles de syntaxe.

5. J'écris
- **Un texte** compréhensible,
- **Qui répond à la consigne,**
- Qui respecte les règles de syntaxe,
- **Avec les mots-clés attendus.**

4. J'écris
- Un texte compréhensible **et structuré,**
- **De la longueur demandée,**
- Qui répond à la consigne,
- Qui respecte les règles de syntaxe **et d'orthographe,**
- **Avec un lexique précis.**
- **Une phrase présente le sujet.**

Pour progresser, j'analyse mes axes de progrès. Que devrais-je améliorer ?

Habiter un littoral touristique : Eilat (Israël)

> **Votre mission :** réaliser un croquis de paysage à partir de la photographie. Votre croquis devra expliquer comment cet espace est habité.

1 La station balnéaire d'Eilat au bord de la mer Rouge (Israël)

Travail préparatoire (au brouillon) : lire et comprendre le paysage

1. Associez chaque élément du paysage au numéro qui lui correspond sur la photographie :
   plage, mer, montagne, restaurants et commerces, complexe hôtelier.

2. Associez chaque élément du paysage à une fonction :
   se loger, travailler, se déplacer, avoir des loisirs, consommer.

Réalisation du croquis (au propre)

À vous de choisir votre niveau de difficulté et votre ceinture !

> Soignez la présentation de votre travail, votre coloriage et votre écriture. N'oubliez pas de donner un titre à votre croquis de paysage.

Je construis un croquis **sans aucune aide**.

Construisez votre croquis en vérifiant que :
- Vous avez choisi avec soin les couleurs associées aux éléments de paysage (voir point méthode p. 165).
- Vous avez correctement présenté la légende en associant éléments du paysage et fonction.

Je construis un croquis **avec un guidage léger**.

À l'aide des consignes suivantes, construisez votre croquis en reprenant la méthode p. 165 :
- Délimitez les différents éléments du paysage : les espaces naturels (plage, mer et montagne) puis les espaces bâtis (restaurants et commerces, complexe hôtelier).
- Construisez la légende en associant chaque élément du paysage à une fonction.
- Choisissez avec soin les couleurs pour le croquis et sa légende.

Je construis un croquis **avec un guidage plus important**.

Construisez votre croquis en suivant les consignes suivantes :
- Placez un calque sur la photographie.
- Délimitez les espaces naturels : la plage (que vous coloriez en jaune), la mer (en bleu) et les montagnes (en marron clair).
- Délimitez enfin les espaces bâtis : le complexe hôtelier (en rouge) et les restaurants et commerces (en violet).
- Construisez ensuite votre légende en séparant les espaces bâtis et les espaces naturels.
- Pensez à associer chaque élément du paysage à une fonction.

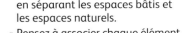
RAPPELS

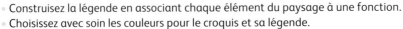

Enquêter L'aménagement touristique en Floride est-il durable ?

Les faits

1. La Floride, un littoral touristique

Plage de Miami beach.

Voir étudier un territoire p. 248.

2. Un aménagement durable

Un aménagement durable doit permettre de :
– s'enrichir économiquement,
– limiter les écarts entre les riches et les pauvres,
– ne pas dégrader l'environnement.

D'après le rapport Brundtland, ONU, 1987.

Les indices

Indice n° 1

Le tourisme, créateur de richesse

	En absolu	Part dans l'économie de la Floride
Recettes touristiques	82 milliards de dollars	10,7 %
Emplois créés par le tourisme	1 146 0000	12,6 %

Stateofflorida.com, 2015.

Indice n° 2

Des métiers précaires liés au tourisme

Premier employeur de la Floride, Disney World emploie plus de 63 000 personnes. Cependant, la plupart sont des stagiaires aux conditions sociales très précaires[1]. Ils n'ont pas de jours de repos, pas de congés maladie. Ils travaillent généralement douze heures d'affilée pour un salaire de 9 dollars [6,20 euros] de l'heure.

D'après R. Perlin, « Au Royaume enchanté de Mickey », *Courrier International*, 9 juin 2011.

1. Dont l'avenir ou la durée n'est pas assuré.

Indice n° 3

Une activité destructrice de l'environnement ?

L'eau qui alimente le marais des Everglades est captée par les habitants, les agriculteurs mais aussi par les terrains de golf et les piscines développés pour les touristes. À cause de cela, sa biodiversité exceptionnelle composée notamment d'algues, de cigognes et d'alligators est en train de s'appauvrir.

D'après « Sauvez les Everglades disent-ils », *The Washington Post*, 1er octobre 2003.

Indice n° 4

Un label pour un éco-tourisme

– Lancé en 2004.
– Attribue des palmes en fonction de la pratique environnementale :
• réduction et recyclage des déchets,
• efficacité énergétique,
• traitement des eaux usées.

D'après le Département de protection de l'environnement de Floride, 2015.

Green LODGING FLORIDA

Avez-vous pris connaissance des faits et des indices ?
Quelle est votre conviction : l'aménagement touristique de la Floride est-il durable ?

Par équipe, complétez le carnet de l'enquêteur.
Les conditions pour qu'un aménagement soit durable : …
Les conséquences des aménagements en Floride :
– économiques : …
– sociales : …
– environnementales : …
Rédigez en quelques lignes le rapport d'enquête.

Peindre les littoraux et leurs activités

➤ **Comment un littoral touristique inspire-t-il la peinture de Dalí ?**

1 *La plage d'Es Llaner*

Cette plage est située à Cadaqués, au nord de Barcelone, Catalogne, Espagne.
Huile sur carton, 93 x 67,1 cm, 1921, fondation Gala-Salvador Dalí, Figueres.

Qui est-il ?

Dalí (1904-1989)

Né en 1904 à Figueres, Salvador Dalí est un peintre espagnol.
Il est influencé dans sa jeunesse par les paysages de sa Catalogne natale.

2 **Le littoral, source d'inspiration de Dalí**

Cadaqués est un joli village de pêcheurs, aux maisons blanches se reflétant dans une petite baie bien abritée. Il est situé au sud du cap Creus. Cet endroit, où les Pyrénées viennent mourir dans la mer, est, pour Dalí, une grande source d'inspiration. C'est là que, dans les moments de fatigue, les moments sans argent, les moments désespérés, Dalí se réfugie. Ces rochers seraient à l'origine de nombreuses formes que le peintre représente dans toute son œuvre.

D'après C. Lamboley,
séance à l'Académie des sciences
et des lettres de Montpellier, 2009.

Présenter

1. **DOC. 1** Présentez le document : sa nature, son auteur, sa date de réalisation, ses dimensions, le support utilisé.

Décrire et comprendre

2. **DOC. 1** Décrivez l'œuvre : le paysage, les personnages.
3. **DOC. 1** Quelles couleurs dominent ? Quelles sont celles associées au ciel, à la mer, aux habitations ?
4. **DOC. 1** Par quels moyens le peintre parvient-il à traduire les mouvements de la mer et du ciel ?
5. **DOC. 1 ET 2** Quels sont les éléments du tableau mis en valeur par la lumière ? Pour quelles raisons ?

Conclure et exprimer sa sensibilité

6. **DOC. 1** Cette peinture vous plaît-elle ? Expliquez votre avis.

Comment agir contre l'avancée de l'océan ?

FRANCE
Lacanau
OCÉAN ATLANTIQUE
Nord
200 km

1 | Le Kayoc, un restaurant menacé par l'avancée de l'océan

4ème **FORUM** SAMEDI 14 JUIN 9h00 l'Escoure
EROSION du TRAIT DE CÔTE
Organisé avec le soutien du Groupement d'Intérêt Public du Littoral Aquitain

2 | Un espace de débats entre citoyens, le **forum citoyen**

3 | Un même problème mais des avis partagés

	Son métier	Son engagement	Son avis	Il a dit…
Cédric	Il est directeur du Kayoc, restaurant sur le **front de mer**.	Il est président de l'Association des commerçants de Lacanau.	Il est pour le renforcement des protections.	« Si nous construisons un mur le long du boulevard longeant la côte, cela permettra de ne pas déplacer les commerces et les immeubles du front de mer. »
Jérôme	Il est photographe, sa boutique est sur le front de mer.		Il est pour la **relocalisation**, même si sa boutique disparaissait.	« Je pense à ma fille qui grandit ici. Il ne faut pas qu'on nous reproche de ne pas avoir fait certaines choses. »
Yannick	Il est moniteur de surf, son club est sur la plage.	Il est membre du Surf Club.	Il est partagé entre les deux solutions.	« Les hommes devront s'adapter à la nature, mais leur impuissance n'est pas facile à accepter. »

D'après Laetitia Van Eeckhout, *Le Monde* du 21/03/2014 et Julie Raslus, *francetvinfo.fr* du 20/03/2015

Vocabulaire

Forum citoyen : réunion où des citoyens réfléchissent par petits groupes à des solutions pour un problème.

Front de mer : avenue face à la mer.

Relocalisation : fait de déplacer des activités économiques et des habitations.

La sensibilité, soi et les autres

1. DOC. 1 ET 2 Présentez le problème qui se pose à Lacanau.
2. DOC. 1 Que ressentiriez-vous si vous étiez un habitant de Lacanau ?

L'engagement, agir individuellement et collectivement

3. DOC. 2 ET 3 Vous devez participer au forum organisé par la mairie de Lacanau sur l'avancée de l'océan.
   – Par groupe, réfléchissez aux différentes solutions proposées.
   – Quelle est la solution que votre équipe envisage ?
4. Chaque groupe de discussion présente ensuite sa solution à la classe qui choisit la meilleure lors d'un vote.

🔍 Comment plus de 7 milliards d'humains se répartissent-ils et occupent-ils l'espace terrestre ?

Souvenez-vous !
Où se trouve le premier foyer de peuplement de l'histoire de l'humanité ?

Nord ▲
CHINE
Shanghai
MER DE CHINE
2 000 km

1 | Un espace urbain de forte **densité** : Shanghai (Chine)

Nord ▲
MER DU NORD
PAYS-BAS
MANCHE
200 km

Vocabulaire

Densité : nombre d'habitants au km^2 ; elle permet de mesurer l'importance de l'occupation d'un territoire par les hommes.

Nomade : personne qui n'a pas d'habitat fixe.

Sédentaire : personne qui a un habitat fixe.

2 | Un espace rural de forte densité : Pays-Bas (Europe)

Les quatre principaux foyers de peuplement

3 | Un habitat **sédentaire** dans le désert du Sahara : oasis de Tinghir (Maroc)

4 | Un campement d'éleveurs **nomades** dans la province de Bayankhongor (Mongolie)

1. Localisez ces quatre photographies.

2. Quelle est la différence entre la façon d'habiter l'espace dans les trois premiers documents et dans le document 4 ?

3. **Émettez une hypothèse pour répondre à la question suivante** : qu'est-ce qui peut expliquer que ces espaces soient habités différemment ?

La répartition inégale de la population mondiale

 Où habitent les femmes et les hommes sur la Terre ?

Point méthode

Lire une carte à points

Présenter la carte :
• Indiquez quel est l'espace représenté, le thème de cette carte, la source et la date des données.

Prélever des informations :
• Quels sont les principaux **foyers de peuplement** dans le monde ?
• Quel est le continent le plus peuplé ?
Justifiez votre réponse.
• Où les principaux **déserts humains** sont-ils localisés ?

Aide (*Utilisez les lignes imaginaires pour répondre.*

Point méthode

Comprendre la densité

Pour calculer une densité, on prend en compte le nombre d'habitants et la superficie qu'ils occupent. En France (départements d'outre-mer compris), nous sommes 66 628 000 habitants pour une superficie de 643 720 km², ce qui fait une densité de 105 habitants par km².

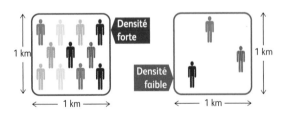

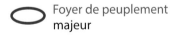

Vocabulaire

Désert humain : espace très faiblement habité.

Foyer de peuplement : espace où la population est très nombreuse depuis plusieurs siècles.

Métropole : ville qui concentre une population importante, de nombreuses activités et qui rayonne sur un vaste territoire.

Population	7,3 milliards d'hab.
Superficie	19,8 millions de km²
Densité	50 hab./km²

1. Des espaces inégalement peuplés

Chaque point représente environ 500 000 habitants

Foyer de peuplement majeur

Foyer de peuplement secondaire

SAHARA **Principaux** déserts humains

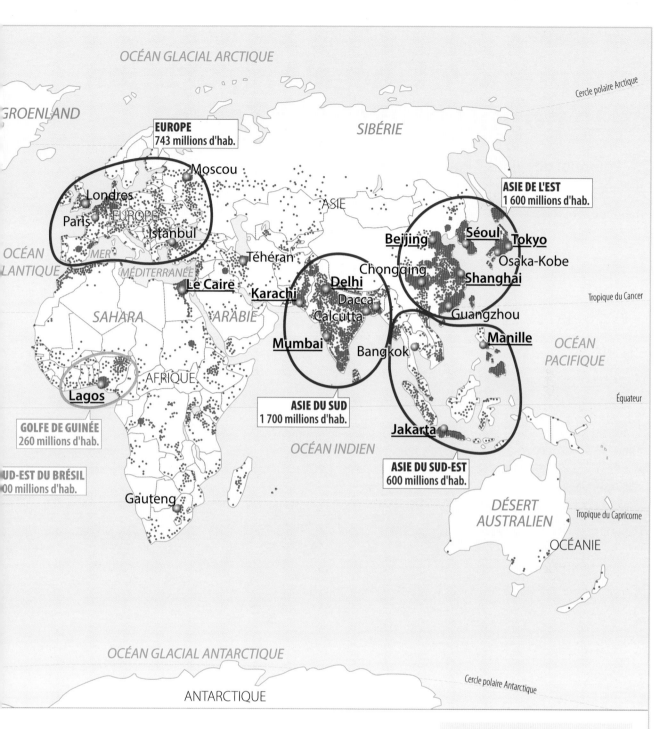

OCÉAN GLACIAL ARCTIQUE

Cercle polaire Arctique

GROENLAND

SIBÉRIE

EUROPE
743 millions d'hab.

Moscou

ASIE DE L'EST
1 600 millions d'hab.

Londres

ASIE

EUROPE

Séoul

Tokyo

Paris

Beijing

Istanbul

OCÉAN
ATLANTIQUE

Osaka-Kobe

MER
MÉDITERRANÉE

Téhéran

Chongqing

Shanghai

Tropique du Cancer

Le Caire

Delhi

SAHARA

ARABIE

Karachi

Dacca

Guangzhou

Calcutta

Manille

OCÉAN
PACIFIQUE

AFRIQUE

Mumbai

Bangkok

Équateur

Lagos

ASIE DU SUD
1 700 millions d'hab.

GOLFE DE GUINÉE
260 millions d'hab.

Jakarta

OCÉAN INDIEN

SUD-EST DU BRÉSIL
00 millions d'hab.

ASIE DU SUD-EST
600 millions d'hab.

DÉSERT
AUSTRALIEN

Tropique du Capricorne

Gauteng

OCÉANIE

OCÉAN GLACIAL ANTARCTIQUE

Cercle polaire Antarctique

ANTARCTIQUE

2. Les plus grandes villes du monde en 2015

⦿ Très grandes villes (plus de 12 millions d'habitants)

<u>Tokyo</u> Les plus grandes métropoles mondiales à savoir localiser
(les 14 premières : population supérieure à 20 millions d'habitants)

Rappel de CM1

Quels sont les espaces
du monde les mieux connectés
à l'Internet ?

Source : d'après G. Baudelle, *Géographie du peuplement*, Colin ; données à jour de 2015.

| La répartition des femmes et des hommes sur la Terre

Comprendre l'inégale répartition de la population sur la Terre

➤ **Pourquoi des vides ? Pourquoi des pleins ?**

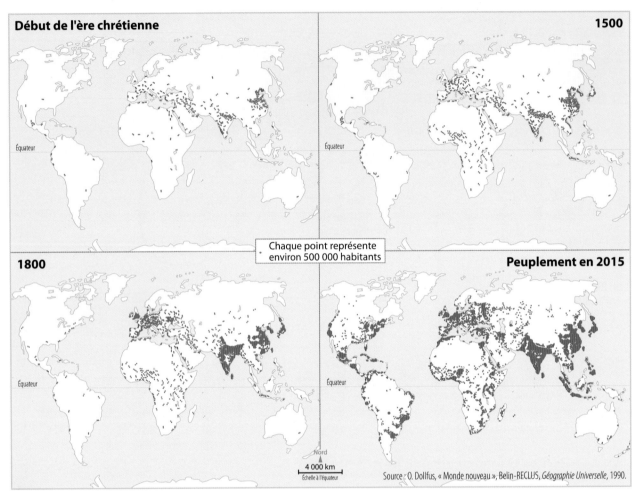

Début de l'ère chrétienne

1500

Chaque point représente environ 500 000 habitants

1800

Peuplement en 2015

Source : O. Dollfus, « Monde nouveau », Belin-RECLUS, *Géographie Universelle*, 1990.

1 | Le peuplement du monde sur deux millénaires

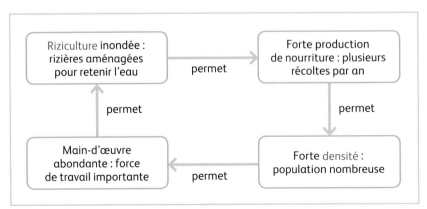

2 | La boucle du riz en Asie
D'après F. Durand-Dastès, « Les hautes densités démographiques de l'Inde », *www.geoconfluences.ens-fr*, 2015.

Vocabulaire

Contrainte naturelle : élément de la nature qui représente un obstacle à l'installation des hommes et à l'aménagement de l'espace.

Densité : nombre d'habitants au km².

Riziculture : culture du riz.

3 | Des **contraintes naturelles** transformées en atouts : la station de sports d'hiver des Deux Alpes (Savoie, Alpes françaises)
Photo vue chap. 10 p. 211.

4 Les conditions climatiques expliquent-elles les déserts humains ?

Le froid concerne évidemment les zones polaires. Les régions froides se caractérisent par des hivers longs et rigoureux, avec des températures très basses qui entraînent des périodes de gel continu sur plusieurs mois. De telles conditions climatiques empêchent de pratiquer l'agriculture. L'aridité est un autre obstacle pour l'homme. Le manque d'eau contraint également le développement de l'agriculture.

Enfin la chaleur humide constitue un dernier facteur climatique limitant mais l'agriculture y est possible. Les densités sont en fait très contrastées. La pauvreté des sols, les problèmes de maladies transmises par les moustiques rendent parfois les conditions de vie difficiles.

D'après O. David, *La population mondiale, répartition, dynamique et mobilité*, Armand Colin, 2012.

Fil rouge

Retrouvez le DOC. 3 et d'autres documents sur ce thème dans votre manuel
Chapitre 10 « Habiter un espace à fortes contraintes naturelles et/ou de grande biodiversité »

Activités

▶ **Socle** *Extraire des informations pertinentes*

1. **DOC. 1** Quels sont les trois foyers de peuplement au début de l'ère chrétienne ? Quelle évolution constatez-vous jusqu'à aujourd'hui ?

2. **DOC. 2** Pourquoi la riziculture et le fort peuplement en Asie sont-ils liés ?

3. **DOC. 4** Quelles contraintes naturelles expliquent la faiblesse du peuplement des déserts humains ?

4. **DOC. 3** Comment les progrès techniques peuvent-ils transformer les contraintes naturelles en atouts dans les Alpes ?

Pour conclure

Répondez à la question suivante sous la forme d'un texte :

➤ Comment l'inégale répartition de population dans le monde s'explique-t-elle ?

Aide | *1. Montrez que les foyers de peuplement sont anciens (réponses aux questions 1 et 2).*

2. Montrez que les contraintes naturelles expliquent les faibles densités, mais qu'elles peuvent être surmontées et devenir des atouts (réponses aux questions 3 et 4).

Les dynamiques du peuplement

➤ **Quelles sont les évolutions démographiques et spatiales du peuplement dans le monde ?**

OCÉAN ATLANTIQUE — FRANCE
ESPAGNE — **Benidorm** — MER MÉDITERRANÉE
Nord
400 km

a. 1964

b. 2016

1 La **littoralisation** : l'exemple de Benidorm (Espagne)

La station balnéaire de Benidorm au début de sa construction. Elle est devenue aujourd'hui une des principales stations touristiques de Méditerranée.

Vocabulaire

Exode rural : mouvement d'une population qui quitte la campagne pour aller s'installer en ville.

Fécondité : nombre moyen d'enfants par femme en âge d'en avoir.

Littoralisation : concentration des hommes et des activités sur les littoraux.

Urbanisation : processus qui désigne à la fois la croissance démographique et spatiale des villes.

2 L'exode rural alimente l'urbanisation

À Pékin, des milliers de migrants arrivent chaque jour des campagnes. *Mingong* : *Min* pour paysan, *gong* pour ouvrier. En Chine, c'est ainsi qu'on appelle les travailleurs migrants issus de l'exode rural. Comme Zhang, la plupart des ruraux qui s'installent en ville essaient de vivre en enchaînant les petits boulots, comme ouvriers de construction, mais aussi comme gardiens, vendeurs à la sauvette, serveurs, collecteurs d'ordures, femmes de ménage... Ils survivent, peut-être motivés par l'espoir de réussir mais plus certainement par le souvenir de conditions de vie encore plus dures au village.

Synopsis du web documentaire « Zhang, une jeunesse chinoise », www.france5.fr, 2010.

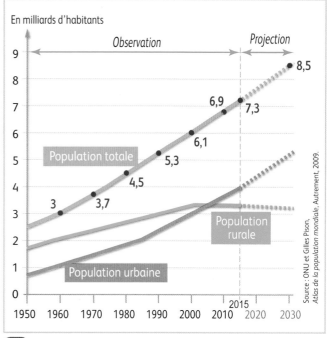

3 L'évolution de la population mondiale jusqu'en 2050

4 L'Afrique, un poids lourd démographique

L'Afrique est le continent dont la population s'accroît le plus vite. Sa population pourrait quadrupler, passant de 1 milliard actuellement à 4,2 milliards en 2100. Un homme sur sept vit aujourd'hui en Afrique. Ce sera probablement un sur quatre en 2050, et peut-être un sur deux ou un sur trois en 2100. [...] C'est en effet là que les femmes ont le plus d'enfants, même si la fécondité baisse.

D'après une interview de Gilles Pison, « La poussée démographique africaine est-elle une réalité ? », www.nouvelobs.com, 2013.

Point méthode

RAPPEL — Une évolution

Une évolution peut être :
- ↗ : une augmentation, une hausse
- → : une stagnation
- ↘ : une diminution, une baisse

Activités

▶ **Socle** *Extraire des informations pertinentes pour compléter une production graphique*

Reproduisez la carte mentale sur votre cahier et complétez-la en répondant aux questions.

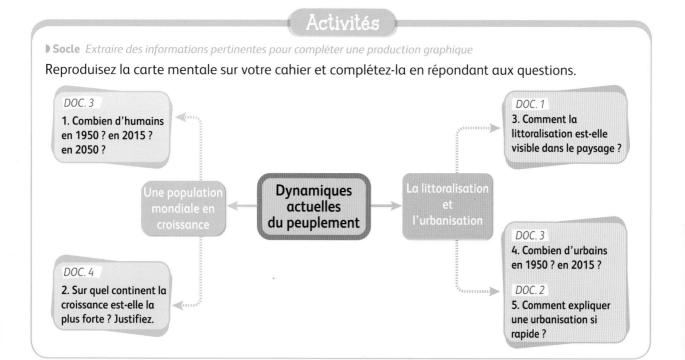

DOC. 3
1. Combien d'humains en 1950 ? en 2015 ? en 2050 ?

DOC. 1
3. Comment la littoralisation est-elle visible dans le paysage ?

Dynamiques actuelles du peuplement

Une population mondiale en croissance

La littoralisation et l'urbanisation

DOC. 4
2. Sur quel continent la croissance est-elle la plus forte ? Justifiez.

DOC. 3
4. Combien d'urbains en 1950 ? en 2015 ?

DOC. 2
5. Comment expliquer une urbanisation si rapide ?

La mégalopole européenne au cœur du peuplement européen

FICHE D'IDENTITÉ DE LA MÉGALOPOLE EUROPÉENNE	
Population	100 millions d'hab.
Longueur	1 500 km du nord au sud

> **Comment la mégalopole européenne s'est-elle formée depuis des siècles ?**

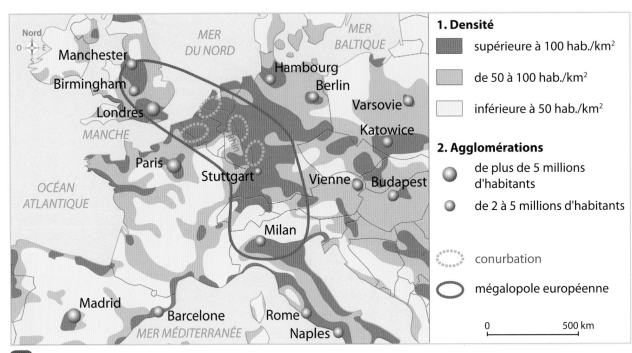

1. Densité
- supérieure à 100 hab./km²
- de 50 à 100 hab./km²
- inférieure à 50 hab./km²

2. Agglomérations
- de plus de 5 millions d'habitants
- de 2 à 5 millions d'habitants

- ⸳⸳⸳ conurbation
- ◯ mégalopole européenne

0   500 km

1 | La mégalopole au cœur de l'Europe

2 | Industrialisation et peuplement dans la Ruhr, l'exemple des usines d'acier Krupp et des logements ouvriers à Essen en 1910 (Allemagne)

Vocabulaire

Conurbation : ensemble urbain constitué de plusieurs villes dont les banlieues finissent par se rejoindre.

Mégalopole européenne : espace densément peuplé et fortement urbanisé qui s'étend du sud de l'Angleterre au nord de l'Italie en passant par la vallée du Rhin.

Quartier des affaires : quartier riche d'une agglomération qui concentre les activités financières (banques) et les grandes entreprises.

Ville durable : ville limitant les déchets, la dépense d'énergie et la circulation automobile pour réduire son impact sur l'environnement.

3 | Le **quartier des affaires** de la City, première place financière européenne au cœur de la mégalopole (Londres)

4 L'origine de la mégalopole européenne

Il y a eu et il existe toujours, de la mer du Nord au nord de l'Italie, d'exceptionnelles concentrations d'échanges, de richesses, de populations et d'activités. L'origine en est assez claire : la mégalopole est née des échanges intensifs entre les deux grands foyers d'activités de la mer du Nord et de la Méditerranée depuis le Moyen Âge. Sans doute les chemins des marchands auraient-ils pu passer ailleurs, par exemple par la vallée du Rhône ; mais ce ne sont pas les Marseillais, ni même les Parisiens, qui ont organisé les trafics ; ce sont les banquiers et les marchands de Venise et de Gênes, plus Florence et Milan – avec ceux de Bruges, Anvers, Londres et Amsterdam.

D'après R. Brunet, « Lignes de force de l'espace européen », revue *Mappemonde* n° 66, 2002.

5 Charbon et fortes densités en Europe

L'apparition de l'industrie au XIXe siècle a profondément marqué la carte des fortes densités européennes qui, aujourd'hui encore, recoupe largement celle des bassins charbonniers en Europe du Nord-Ouest[1]. [...] L'activité extractive fut en effet très peuplante par suite de besoins intensifs en main-d'œuvre. Au Royaume-Uni, les régions les plus peuplées, hormis Londres, correspondent encore aux vieux bassins charbonniers.

D'après G. Baudelle, *Géographie du peuplement*, Armand Colin, 2003.

1. Les premières usines sont construites à proximité des mines de charbon. Aujourd'hui, l'exploitation du charbon a totalement été arrêtée en Europe.

Étape 1 ▶ Repérer les permanences

1. DOC. 1 Localisez et situez la mégalopole européenne.

2. DOC. 1 Quel grand fleuve est au cœur de la mégalopole ?

3. DOC. 4 À partir de quand cette région devient-elle active et peuplée et pourquoi ?

4. DOC. 2 ET 5 Quelles activités ont augmenté le peuplement de cet espace ? Pourquoi se sont-elles implantées ici ?

Étape 2 ▶ Souligner les évolutions

5. DOC. 3 Quelles activités font de la mégalopole un espace très dynamique aujourd'hui ?

6. DOC. 2 ET 3 Comment les paysages de la mégalopole ont-ils évolué ? Donnez une raison.

Étape 3 ▶ Envisager des solutions futures

7. Émettez une hypothèse. À votre avis, comment favoriser le développement de villes durables dans la mégalopole européenne ?

Aide (*Souvenez-vous de ce que vous avez vu dans le chapitre 9 « Habiter la ville de demain ».*

La diversité des façons d'habiter dans le monde

➔ **Comment plus de 7 milliards d'humains occupent-ils l'espace terrestre ?**

Population mondiale	7,3 milliards d'hab.
Part des sédentaires	99 %
Part des nomades	1 %

 | **Paris, une métropole d'un pays développé (France)**
Photo vue chap. 8 p. 166.

2 | **Fermes et openfields de grandes cultures dans le Minnesota (États-Unis)**
Photo vue chap. 11 p. 226.

Vocabulaire

Nomade : personne qui n'a pas d'habitat fixe.
Sédentaire : personne qui a un habitat fixe.

3 | Un campement d'éleveurs nomades en Mongolie
Photo vue p. 263.

4 | Un village près de Miandrivazo à Madagascar (Afrique)
Photo vue chap. 11 p. 235.

Activités

▶ **Socle** *Extraire des informations pertinentes pour réaliser un outil numérique*

Point méthode

Réaliser un tableau numérique
• Pour créer un tableau, vous pouvez utiliser un logiciel de traitement de texte comme Word ou OpenOffice.
• Repérez l'onglet « Tableau », cliquez et sélectionnez « Insérer ».
• Sélectionnez le nombre de colonnes *(ici 5)* ; et le nombre de lignes *(ici 5)*.
• Renseignez les titres des colonnes et des lignes en tapant les éléments du modèle ci-dessous.

1. Complétez le tableau en indiquant dans la première colonne, pour chaque paysage, si la densité est forte ou faible.
2. Puis complétez la colonne sur la forme de peuplement en indiquant s'il s'agit d'une population urbaine, rurale ou nomade.
3. Enfin, complétez les deux dernières colonnes à l'aide de la liste suivante : immeubles et gratte-ciel du quartier d'affaires – habitat dispersé – tentes – terre-pleins – industrie et commerce – agriculture – services – élevage.

	Densité (forte ou faible)	Forme de peuplement	Aménagement	Activité économique dominante
Doc. 1 Paris				
Doc. 2 Minnesota				
Doc. 3 Mongolie				
Doc. 4 Madagascar				

Pour conclure ▶ **Socle** *Pratiquer différents langages en géographie*

Reproduisez les schémas. Choisissez-leur un titre qui correspond à la forme du peuplement que représente chacun des documents :
village – ville – habitat dispersé – peuplement nomade.

Titre : ...

Titre : ...

Titre : ...

Titre : ...

Fil rouge

Retrouvez ces documents et d'autres encore dans votre manuel
Doc. 1 Chapitre « Les métropoles et leurs habitants » p. 162 et p. 176
Doc. 2 Chapitre « Habiter des espaces faiblement peuplés à vocation agricole » p. 224
Doc. 4 Chapitre « Habiter les littoraux industriels et touristiques » p. 242

Des contraintes pour habiter le monde

> **Quelles contraintes les inégalités de peuplement posent-elles aux hommes ?**

A. Dans les espaces à forte densité

1 | **Faire face au manque d'espace de Hong Kong (Chine)**
Photo vue chap. 12 p. 246.

2 | Des **bidonvilles** de plus en plus peuplés dans les métropoles des pays pauvres (Jakarta, Indonésie)
Photo vue chap. 8 p. 163.

Vocabulaire

Bidonville : quartier très pauvre d'une ville où les maisons sont faites de matériaux de récupération par les habitants eux-mêmes.

Contrainte : obstacle ou difficulté à l'occupation humaine.

B. Dans les espaces à faible densité

3 De nouveaux modes de transport pour se déplacer dans un espace faiblement peuplé, Ittoqqortoormiut (Groenland)

Photo vue chap. 10 p. 204.

 Une vie difficile dans un espace isolé de haute montagne

Tashi et ses sœurs vivent dans un village à 4000 m d'altitude, dans l'Himalaya du Ladakh. Sans route, ni commerce, le village de Lingshed pourrait ressembler à un joyau tranquille. Mais vivre ici, c'est être isolé par la neige et les avalanches plusieurs mois par an, sans électricité, avec pour unique chauffage un petit poêle à bouse de yacks. L'hiver, Sonam s'aventure sur la glace et dans des vallons perdus à la recherche de bois pour construire sa maison. Lhamo, la jeune institutrice, aurait pu choisir de vivre en ville, mais elle est revenue dans son village natal. Angmo, la cadette studieuse, a dû quitter sa famille pour étudier à Leh et devenir médecin.

D'après le synopsis du documentaire *Himalaya, le village suspendu*, 2012.

Activités

▶ **Socle** *Coopérer et mutualiser*

Étape 1 Travail individuel.

1. Choisissez un parcours parmi les deux ci-dessous :

• Parcours 1 : Faire face aux contraintes des espaces faiblement peuplés.

a. DOC. 4 Pourquoi l'isolement des espaces faiblement peuplés de haute montagne est-il une contrainte ?

b. DOC. 3 À quelles contraintes les hommes sont-ils confrontés dans cet espace ? Comment le progrès technique permet-il d'y faire face ?

c. Formulez une hypothèse sur les solutions possibles pour surmonter ces contraintes.

• Parcours 2 : Faire face aux contraintes des espaces fortement peuplés.

a. DOC. 1 et 2 Quelles difficultés les hommes rencontrent-ils pour habiter des espaces fortement peuplés ?

b. DOC. 1 Quels aménagements sont réalisés pour gagner de l'espace ?

c. Formulez une hypothèse sur les solutions possibles pour surmonter ces contraintes.

Étape 2 Travail de groupe.

2. Au sein des groupes, chacun présente ses propositions et écoute celles des autres.

3. Après avoir discuté des différentes propositions au sein du groupe, élaborez un texte commun que vous présenterez à l'oral.

Étape 3 Débat « Comment faire face aux différentes contraintes pour habiter le monde ? »

4. Après les présentations orales, chaque groupe classe les informations entendues dans un tableau à deux colonnes : Avantages / Inconvénients pour préparer le débat.

Leçon

Le monde entier est habité

Comment plus de 7 milliards d'humains se répartissent-ils dans l'espace terrestre ?

I Les grands **foyers de peuplement** s'expliquent par l'histoire

● Les êtres humains sont principalement concentrés dans les **espaces favorables aux échanges comme les plaines littorales et les vallées.**

● **L'Asie est le continent le plus peuplé** : la forte **densité** est liée à la mise en place de la riziculture depuis des millénaires (boucle du riz).

● L'Europe doit sa densité au développement commercial puis industriel au XIXᵉ siècle. Quant à l'Amérique, ce sont principalement les migrations qui sont à l'origine de ses foyers de peuplement.

II Des déserts humains

● **Les déserts humains sont de vastes étendues qui demeurent peu peuplées et difficiles à habiter en raison de fortes contraintes naturelles.** Celles-ci peuvent être liées au climat, comme dans les régions polaires, au relief, comme dans l'Himalaya ou encore à la forêt dense, comme en Amazonie.

● Cependant, grâce aux progrès techniques, même des espaces autrefois très peu habités peuvent être plus densément peuplés. Lorsqu'ils sont accessibles aux populations, ceux-ci permettent de résoudre des difficultés autrefois insurmontables pour se loger ou pour se déplacer.

III Les dynamiques actuelles du peuplement

● **La population mondiale continue d'augmenter.** Elle devrait atteindre 9,5 milliards de personnes en 2050. L'Afrique est le continent qui connaît le plus fort accroissement en raison de très nombreuses naissances.

● **La littoralisation des populations s'accentue.** Elle s'explique par l'attractivité des côtes et par l'augmentation des échanges maritimes de marchandises.

● L'autre évolution spatiale majeure est l'**urbanisation**. Déjà très avancée dans les pays développés, elle progresse rapidement dans les pays en développement comme la Chine. **La croissance urbaine est le principal bouleversement actuel de la carte du peuplement.**

Vocabulaire

Densité : nombre d'habitants au km² ; elle permet de mesurer l'importance de l'occupation d'un territoire par les hommes.

Désert humain : espace très faiblement habité.

Foyer de peuplement : espace où la population est très nombreuse depuis plusieurs siècles.

Littoralisation : concentration des hommes et des activités sur les littoraux.

Urbanisation : processus qui désigne la croissance démographique et spatiale des villes.

Fil rouge

Les liens avec les autres chapitres

Le poids des contraintes naturelles : chapitre 10.

L'urbanisation : chapitre 8.

La concentration de la population sur les littoraux : chapitre 12.

Quelques chiffres

● 7,3 milliards d'humains vivent sur la Terre en 2015. Chaque jour, la population mondiale augmente de plus de 200 000 personnes.

● La répartition des hommes est de plus en plus concentrée : 60 % vivent près des littoraux et 54 % habitent en ville.

Je retiens l'essentiel

Une répartition...

- Quatre principaux foyers de peuplement : trois en Asie et un en Europe.
- Des explications surtout historiques et liées aux activités humaines (agriculture, industrie, commerce).

Des foyers de peuplement

- De vastes étendues peu peuplées.
- De fortes contraintes naturelles liées au climat ou au relief.

Des déserts humains

Le monde entier est habité

- La population mondiale est de 7,3 milliards d'humains et elle continue d'augmenter.

- Une concentration à proximité des littoraux : 60 % de la population mondiale.

- Une concentration dans les villes : 54 % de la population mondiale.

Les dynamiques...

L'essentiel en texte

- La population mondiale est très inégalement répartie. L'Asie regroupe les trois principaux foyers de peuplement. L'histoire explique souvent les fortes densités.
- Les déserts humains s'expliquent par de fortes contraintes naturelles pour la population et ses activités, souvent liées au climat ou au relief.
- La population mondiale continue d'augmenter mais à un rythme qui ralentit. Cette augmentation est inégale dans le monde et demeure forte en Afrique.
- Les femmes et les hommes sont de plus en plus concentrés à proximité des littoraux et dans les villes.

Leçon

La variété des espaces et des formes de peuplement

Comment plus de 7 milliards d'humains occupent-ils l'espace terrestre ?

I Habiter en ville

- **Les villes rassemblent plus de la moitié des humains**. Pour la plupart, les urbains travaillent soit dans l'industrie (usines) soit dans les services (bureaux, commerces). Des **quartiers d'affaires** reconnaissables à leurs gratte-ciel, comme la Défense à Paris, regroupent les directions de grandes entreprises (banques, producteurs d'énergie, etc.).

- **Une partie croissante de la population mondiale vit dans des métropoles** comme Tokyo. Elles se caractérisent par l'existence de banlieues souvent très étendues. Les difficultés de déplacement pour les habitants sont un des problèmes liés à ce gigantisme.

- Dans les pays en développement, **les habitants des villes rencontrent aussi d'importantes difficultés pour se loger**. L'étalement urbain prend alors la forme de **bidonvilles** où s'entassent des populations pauvres toujours plus nombreuses comme en Indonésie.

II Habiter dans les campagnes

- La quasi-totalité de la **population rurale** est **sédentaire** et habite dans des villages. Certains ruraux vivent dans des fermes éloignées entre elles comme dans les Grandes Plaines des États-Unis. **Les nomades sont de moins en moins nombreux**.

- **L'agriculture et l'élevage sont des activités essentielles dans les campagnes.** Dans les pays en développement, les exploitations agricoles sont nombreuses et petites. Dans les pays développés, les ruraux sont peu nombreux et rarement agriculteurs. De vastes exploitations agricoles occupent une grande partie de l'espace.

- Dans certains espaces ruraux, l'isolement et le manque d'équipements liés aux contraintes naturelles fortes rendent la vie difficile. C'est le cas dans l'Himalaya. **Se loger, travailler, circuler est compliqué, même si les progrès techniques permettent parfois de surmonter ces difficultés.**

Quelques chiffres

- 1 milliard d'êtres humains vivent dans des bidonvilles et leur nombre ne cesse d'augmenter.
- 46 % de la population mondiale habite dans les espaces ruraux.
- Les peuples nomades représentent moins de 2 % de la population mondiale.

Vocabulaire

Nomade : personne qui n'a pas d'habitat fixe.

Population rurale : population qui vit à la campagne, contrairement à la population urbaine qui vit en ville.

Sédentaire : personne qui a un habitat fixe.

Bidonville : quartier pauvre où les maisons ont été construites sans autorisation et avec des matériaux de récupération.

Métropole : ville qui concentre une population importante, de nombreuses activités et qui rayonne sur un vaste territoire.

Quartier des affaires : quartier d'une agglomération qui concentre les activités financières (banques) et les grandes entreprises.

Fil rouge

Les liens avec les autres chapitres

L'habitat urbain : chapitres 8 et 9.

L'habitat rural : chapitres 10 et 11.

L'habitat nomade : chapitre 10.

Je retiens l'essentiel

- Un habitat adapté aux fortes densités.
- Des métropoles de plus en plus nombreuses.

- Des activités dominantes : industrie, services, tourisme.

- Des contraintes spécifiques pour :
  – se loger,
  – se déplacer,
  – vivre ensemble.

À l'échelle mondiale, un peu plus de la moitié des femmes et des hommes sont des URBAINS.

Variété des formes d'occupation de l'espace

À l'échelle mondiale, un peu moins de la moitié des femmes et des hommes sont des RURAUX.

- Trois formes d'habitats : groupé, dispersé ou nomade.

- Des activités dominantes : agriculture et élevage.

- Des contraintes liées à l'isolement et au manque d'équipements (pour se déplacer, travailler, se loger…).

L'essentiel en texte

- La ville est la forme d'occupation de l'espace qui concerne le plus de personnes dans le monde. Le fort peuplement des villes entraîne des contraintes importantes pour les habitants en particulier pour le logement et les déplacements.

- Les formes d'occupation de l'espace sont diverses dans les espaces ruraux : villages ou fermes dispersées dans les espaces agricoles, nomadisme dans certains espaces à fortes contraintes naturelles. Le faible peuplement pose également des difficultés à ceux qui habitent ces espaces.

J'apprends, je m'entraîne

▶ **Socle**
Méthodes et outils pour apprendre

FICHE DE RÉVISION À TÉLÉCHARGER
Fiche 13

Le monde habité

1. Construire sa fiche de révision : notez le titre de la leçon sur votre feuille

Je connais...

Objectif 1 ▶ Connaître les repères géographiques

1. Sur le planisphère, localisez et nommez :
- Les foyers de peuplement numérotés de 1 à 4.
- Les déserts humains identifiés par les lettres de A à E.

2. Classez les métropoles ci-dessous par continent. Que constatez-vous ?
- Tokyo – Jakarta – Séoul – Shanghai – Los Angeles – New York – Londres – Paris – Pékin (Beijing) – Lagos – Bombay – São Paulo.

Objectif 2 ▶ Connaître les mots-clés

Notez la définition des mots-clés demandés ci-dessous :
- Densité – Foyer de peuplement – Désert humain – Littoralisation – Urbanisation – Métropole – Nomade – Sédentaire.

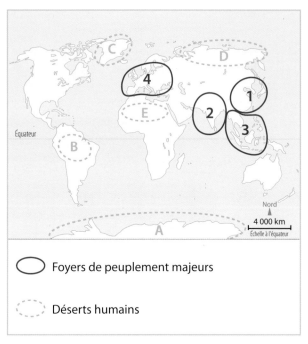

Foyers de peuplement majeurs

Déserts humains

Foyers de peuplement et déserts humains

Je suis capable de...

Pour chacun des objectifs suivants, rédigez une réponse à la consigne.

Objectif 3 ▶ Décrire et expliquer l'inégale répartition de la population

Aide | *Localisez les principaux foyers de peuplement à l'aide de la carte ci-dessus.*
Localisez les principaux déserts humains.
Comment l'histoire et les contraintes naturelles expliquent-elles les différences de peuplement ?

Objectif 4 ▶ Décrire les dynamiques actuelles de peuplement dans le monde

Aide | *Rappelez comment la population mondiale évolue et indiquez les types d'espaces où les hommes sont de plus en plus nombreux.*

Objectif 5 ▶ Décrire les principales formes d'occupation spatiale et les contraintes que peuvent rencontrer les habitants

Aide | *Comment les populations habitent-elles le monde ?*
À quelles contraintes doivent-elles faire face ?

1 Lire et comprendre une carte : la répartition de la population au Brésil

1. Présentez le document (nature, thème, source).

   Aide (*Pensez à la méthode vue p. 264.*

2. Quelles sont les parties du Brésil les plus peuplées ?

3. Où la densité est-elle la plus faible ? D'après ce que vous avez vu dans le chapitre 10, pour quelle raison ?

   Aide | *Comparez cette carte avec la carte des domaines bioclimatiques de la page 215.*

4. À partir de vos connaissances, comment ces différences de peuplement s'expliquent-elles ?

   Aide | *Trouvez des indices dans les schémas p. 277 et 279.*

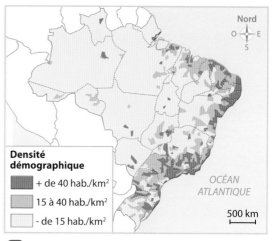

Densité démographique

- ■ + de 40 hab./km²
- ▨ 15 à 40 hab./km²
- □ - de 15 hab./km²

500 km

1 Vides et pleins au Brésil

Source : Hervé Théry, « Les populations du Brésil, disparités et dynamiques », *Revue Espace populations sociétés*, 2014. Chiffres fournis par IBGE (Institut brésilien de géographie et de statistique).

2 Lire un paysage

MADAGASCAR
Miandrivazo
OCÉAN INDIEN
100 km

1. Localisez et situez le paysage.

2. Décrivez le paysage en identifiant les différents espaces et les aménagements réalisés.

3. Comment ce paysage est-il habité (forme de peuplement, densité, activité économique dominante) ?

   Aide (*Rappelez-vous de ce que vous avez fait dans l'activité p. 273.*

2 Un village près de Miandrivazo à Madagascar (Afrique)
Photo vue chap. 11 p. 225.

Auto-évaluation

Je me positionne sur une marche :

1.
- J'observe le paysage.
- Je sais le localiser et le situer.

= Question 1

2.
- J'observe le paysage.
- Je sais le localiser et le situer.
- **J'identifie les différents éléments du paysage.**

= Questions 1 et 2

3.
- J'observe le paysage.
- Je sais le localiser et le situer.
- J'identifie les différents éléments du paysage et **je les classe.**

= Questions 1 et 2

4.
- J'observe le paysage.
- Je sais le localiser et le situer.
- J'identifie les différents éléments du paysage et je les classe.
- **J'interprète (donne du sens).**

= Questions 1, 2 et 3

Pour progresser, j'analyse mes axes de progrès. Que devrais-je améliorer ?

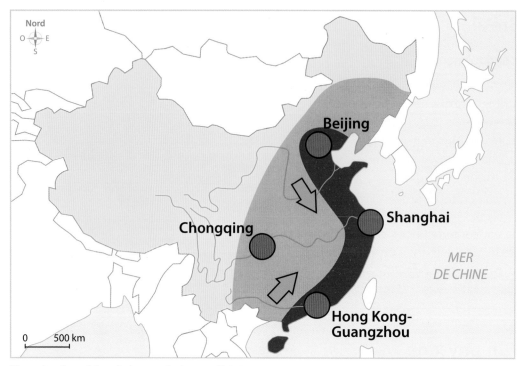

Titre : la répartition de la population en Chine

Point méthode

Réaliser un croquis

Un croquis de géographie est une forme de langage exprimant de manière graphique une organisation de l'espace.

Pour réaliser votre croquis, vous devez utiliser :

- **Des figurés de surface** pour représenter des espaces plus ou moins étendus :
- **Des figurés ponctuels** pour représenter des lieux précis :
- **Des figurés linéaires** (sous forme de points ou de signes précis) pour représenter des flux (par exemple déplacements de populations) ou des axes de circulation (route, voie ferrée par exemple) :
- **Pour les couleurs**, vous devez utiliser des dégradés de couleurs (rouge/orange/jaune), pour représenter des différences de densité (du + au –) :

 Repérez les figurés utilisés sur le croquis.
Puis recopiez le tableau ci-dessous et complétez-le à l'aide des figurés repérés.

Figuré	Texte de la légende
	La Chine littorale : de très fortes densités (de 400 à 3 800 hab. au km²).
	La Chine intérieure : de moyennes densités (de 100 à 400 hab. au km²).
	La Chine de l'Ouest : de faibles densités (moins de 100 hab. au km²).
	Les principales agglomérations : plus de 15 millions d'habitants.
	L'exode rural qui explique la rapidité du développement des métropoles.

Enquêter La population du nord-est de l'Amérique du Nord

Les faits : un foyer de peuplement de 150 millions d'habitants

1. La répartition de la population dans l'est de l'Amérique du Nord

Aux États-Unis, les densités les plus élevées se trouvent dans les États du nord-est et des Grands Lacs. Au Canada, les territoires voisins du fleuve Saint-Laurent sont aussi les plus peuplés.

D'après F. Paris, C. Martinaud, P.Y. Boillet, *Canada, États-Unis, Mexique,* Dunod, 2012.

2. New York, une métropole de 24 millions d'habitants

Les indices

Indice n° 1
L'immigration européenne

Ces régions ont été colonisées par des immigrants d'origine européenne (à partir du XVIIe siècle et surtout au XIXe siècle). Là ils ont trouvé des conditions climatiques assez proches de celles de l'Europe, donc des possibilités agricoles.

D'après l'article « Foyer de peuplement », encyclopédie *Vikidia*, 2015.

Aux XVIIe et XVIIIe siècles, l'économie des colonies d'Amérique était construite sur l'échange avec la métropole européenne, le Royaume-Uni. Ces échanges passaient par les ports de la côte est, ce qui a ainsi favorisé la naissance des premières villes.

D'après l'article « États-Unis d'Amérique », *Encyclopædia Universalis* [en ligne], 2015.

Indice n° 2
La croissance urbaine

Au cours de la dernière année, la population du Grand Montréal a franchi le cap des 4 millions de personnes. Le Grand Toronto a aussi franchi un seuil historique en dépassant la barre des 6 millions de citoyens. Les grands centres voient leur population croître en raison de l'immigration.

D'après Radio Canada, 11 février 2015.

Avez-vous pris connaissance des faits et des indices ?
Quelle est votre conviction : pourquoi y a-t-il autant de populations dans le nord-est de l'Amérique du Nord ?

Par équipe, complétez le carnet de l'enquêteur.
Le foyer de peuplement : … .
Les raisons : … .
Les évolutions actuelles : … .
Rédigez en quelques lignes le rapport d'enquête.

Vocabulaire

Immigration : fait de s'installer dans un pays autre que le sien.

Histoire des Arts

L'architecture pour affirmer sa puissance

➡️ **Pourquoi les tours sont-elles un type d'architecture de plus en plus répandu ?**

1 Les trois gratte-ciel emblématiques du quartier d'affaires de Pudong, Shanghai (Chine).

❶ La tour Jin Mao, inaugurée en 1998, 421 mètres.
❷ Le Centre mondial des finances de Shanghai, construit en 2008, 492 mètres.
❸ La tour Shanghai achevée en 2015, 632 mètres.

3 La folie des hauteurs ?

Les villes, plus particulièrement en Chine et dans le golfe Persique, se dotent de gratte-ciel toujours plus hauts. Ces tours géantes, qui dépassent les 300 m d'altitude, sont au nombre de 74 dans le monde. Il ne s'agit pas de compenser le manque de terrain en construisant à la verticale. Le but est juste de glorifier la puissance, la richesse et le rayonnement du pays.

D'après *Géopolis*, *www.francetvinfo.fr*, 2013.

2 La tour Shanghai en quelques chiffres

• D'une hauteur de 632 m, c'est la deuxième tour la plus haute du monde après le Burj Khalifa de Dubai (828 m).
• La tour de 128 étages comprend neuf jardins, des bureaux, des appartements de luxe, un hôtel haut de gamme, des boutiques, des restaurants et un observatoire public.
• Sa forme en spirale lui permet de résister à des vents de 180 km/h.

Présenter

1. **DOC. 1 ET 2** Relevez : le lieu où la tour Shanghai se trouve et la date de sa construction.

Décrire

2. **DOC. 1 ET 2** Décrivez le bâtiment : hauteur, forme.

Comprendre

3. **DOC. 1, 2 ET 3** Quelles sont les fonctions du bâtiment ?
4. **DOC. 1 ET 3** Quels messages l'architecte veut-il transmettre ?

Exprimer sa sensibilité et conclure

5. Que pensez-vous de ces tours ? Expliquez votre réponse.
6. Dessinez sur votre cahier une tour. Présentez votre réalisation oralement à la classe en expliquant sa forme.

EMC

▶ **Objet d'enseignement** *L'engagement moral (la confiance, la promesse, la loyauté, l'entraide, la solidarité)*

Dans le monde, tous les enfants peuvent-ils aller à l'école ?

1 | L'histoire de Lalita, Inde

Comme beaucoup de parents en Inde, ceux de Lalita voulaient qu'elle se marie à l'âge de dix ans. Voulant s'instruire, la jeune fille s'est rendue secrètement dans une école réservée aux filles des villages pauvres. « Je me souviens encore du jour où mon frère jumeau m'a surprise alors que j'allais à l'école. Il m'a battue car il était honteux que j'ose étudier alors qu'aucun homme de notre famille n'avait jamais été scolarisé. »

Lalita a appris à lire et à écrire. Elle a également appris l'usage de la bicyclette et le karaté. « Je veux poursuivre mes études et devenir un professeur chevronné[1]. Je veux faire découvrir aux filles un monde qu'elles ignorent, et je rêve d'une école dans chaque village ! »

Blog UNICEF Éducation, 2016.

1. Ayant de l'expérience.

2 | Une école dans un camp de réfugiés à Bangui (Centrafrique)

3 | Que dit la Loi ?

Article 28 (extraits) :
Les États parties[1] reconnaissent le droit de l'enfant à l'éducation [...]. Ils rendent l'enseignement primaire obligatoire et gratuit pour tous. Ils encouragent l'organisation de différentes formes d'enseignement secondaire, tant général que professionnel.

Convention internationale des droits de l'enfant, 1989.

1. 197 États ont signé la convention.

La sensibilité : soi et les autres

1. DOC. 1 Qu'est-ce qui vous surprend dans le parcours de cette écolière ?
2. DOC. 2 Dans quelles conditions ces élèves étudient-ils ?

Le droit et la règle : des principes pour vivre avec les autres

3. DOC. 1 ET 3 Quel droit est reconnu ? Comment est-il appliqué dans votre pays ?
4. En groupe, réfléchissez aux mesures qui pourraient être prises pour appliquer l'article 28 de la Convention internationale des droits de l'enfant.

Recopiez et complétez le tableau ci-dessous :

Ce qui pose problème d'après les documents	Comment pourrait-on résoudre le problème ?

5. Avec vos camarades et votre professeur, choisissez l'action qui vous semble la plus réalisable à votre niveau et mettez-la en pratique.

Aide | *Sur un moteur de recherche, tapez « France aide et action », puis choisissez le lien www.france.aide-et-action.org. Après avoir cliqué sur l'onglet « nos solutions », prenez un exemple de projet. Lisez la page Internet, puis recopiez et complétez le tableau ci-contre.*

À la découverte du collège

1 | **Être élève, un droit pour tous**

2 Nina : sa première journée en sixième

Nina a 11 ans et entre en sixième. Elle retrouve deux amies. « Il y a des élèves de mon ancienne école. C'est rassurant ! » La sonnerie retentit. Les trois amies montent dans la classe de M. Durand, professeur principal et d'histoire géographie. Les élèves reçoivent leur emploi du temps et leurs livres. « Le prof est sympa mais il nous a dit qu'il fallait beaucoup travailler ». Ils lisent le règlement intérieur du collège et font connaissance avec leurs professeurs. Puis Nina, Lucie et Zoé vont manger à la cantine. À 13 h le premier cours commence avec M. Dupont, en mathématiques. Ensuite, les élèves vont en anglais et en EPS. À 16 h, les cours se terminent. Nina est soulagée parce que le premier jour s'est bien passé.

Témoignage de Nina, interviewée par les auteurs, septembre 2015.

3 Les obligations du collégien

- Respecter le règlement intérieur,
- Être assidu aux enseignements scolaires,
- Faire les devoirs demandés par les enseignants,
- Respecter les membres de la communauté scolaire, y compris les autres collégiens,
- Respecter les bâtiments et les matériels.

servicepublic.fr.

Vocabulaire

Assiduité : présence régulière en classe.
Communauté scolaire : les élèves et les adultes du collège.

4 | **De nouvelles personnes pour suivre les élèves**

Des personnes travaillant au collège : principal(e), documentaliste, CPE, assistant(e) social(e), surveillant(e), personnel de service, professeur(e).

Activités

Le droit et la règle, des principes pour vivre avec les autres

1. DOC. 1 Quel droit universel doit permettre aux enfants de poursuivre leur scolarité au collège ?

2. DOC. 2 ET 3 Quelles obligations Nina aura-t-elle pendant sa scolarité au collège ?

3. DOC. 4 Donnez la fonction des personnes travaillant au collège. Sur quel dessin sont-elles représentées ?

L'engagement, agir individuellement et collectivement

4. Réfléchissez par groupes à la question suivante : À partir de votre expérience, comment aideriez-vous les futurs élèves de 6ᵉ à se sentir bien au collège ?

> **Aide** | *Listez ce que vous appréciez au collège, ce que vous n'appréciez pas, ce que vous aimeriez y trouver. Proposez une action pour améliorer la vie au collège.*

5. Chaque groupe présente son projet, et la classe choisit des actions à mettre en œuvre.

Point méthode

S'engager

• **Pourquoi s'engager ?**
Pour sensibiliser à un problème, pour trouver des solutions…

• **Comment s'engager ?**
En faisant des actions pour améliorer la vie au collège.

• **Quelle méthode utiliser ?**
Réaliser un état des lieux (un diagnostic), mettre en place un plan d'action…

Je construis mon essentiel

Reproduisez et complétez le schéma bilan suivant :

Avoir des droits :
– ....
– ....

Être élève au collège, c'est…

Avoir des obligations :
– ....
– ....

Avec l'aide de nouvelles personnes :
– ....

La laïcité, une valeur pour vivre ensemble

JE SUIS
BRUNE
LYCÉENNE
MUSULMANE
VÉGÉTARIENNE
ROCKEUSE
CITOYENNE

www.gouvernement.fr/observatoire-de-la-laicite

observatoire de la laïcité

1 | **Qu'est-ce que la** laïcité **?**

Affiche réalisée par les élèves de 3ᵉ année de l'école d'art Brassart de Tours (37). Ce travail a été distingué par le Prix de la laïcité de la République française (2015), www.laicite-ecole.fr.

Pour moi, c'est le respect. On se respecte tous.

Nathan

La religion, c'est si on veut, mais ça ne doit pas poser de problème.

Flore

La laïcité, c'est tu peux être chrétien, musulman, juif, sans ou avec une religion. À l'école, on est tous pareils.

Liam

2 | **Des élèves de 6ᵉ expliquent ce qu'est la laïcité pour eux**

Propos recueillis par les auteurs en classe, décembre 2015.

Vocabulaire

Laïcité : neutralité de l'État et de l'administration en matière de religion, qui s'accompagne du respect de toutes les croyances.

1880	1900	1950	2000
1882 École gratuite, obligatoire et laïque (Loi Ferry)	**1905** Loi de séparation des Églises et de l'État « La République ne reconnaît, ne salarie ni ne subventionne aucun culte. »	**1946** Constitution de la IVᵉ République « L'organisation de l'enseignement public gratuit et laïc à tous les degrés est un devoir de l'État. »	**2004** Loi interdisant les signes religieux ostentatoires à l'école

3 | **La laïcité en France**

1 | La France est **une République indivisible, laïque, démocratique et sociale**. Elle assure l'égalité devant la loi, sur l'ensemble de son territoire, de tous les citoyens. Elle respecte toutes les croyances.

9 | La laïcité implique **le rejet de toutes les violences et de toutes les discriminations**, garantit **l'égalité entre les filles et les garçons** et repose sur une culture du respect et de la compréhension de l'autre.

14 | Dans les établissements scolaires publics, les règles de vie des différents espaces, précisées dans le règlement intérieur, sont respectueuses de la laïcité. **Le port de signes ou tenues par lesquels les élèves manifestent ostensiblement une appartenance religieuse est interdit.**

15 | Par leurs réflexions et leurs activités, **les élèves contribuent à faire vivre la laïcité** au sein de leur établissement.

Liberté • Égalité • Fraternité
RÉPUBLIQUE FRANÇAISE

ministère éducation nationale É

 4 | La charte de la laïcité à l'école
www.education.gouv.fr.

Activités

La sensibilité

1. DOC. 1 Comment comprenez-vous cette affiche ?
2. DOC. 2 Quelle proposition préférez-vous parmi celles de Flore, Liam et Nathan ? Justifiez votre choix.

Le droit et la règle, des principes pour vivre avec les autres

3. DOC. 3 Depuis quand l'école publique est-elle laïque ? Depuis quand la France est-elle laïque ?
4. DOC. 1, 2 ET 4 De quelle manière la laïcité se traduit-elle dans la vie des établissements scolaires ? Citez trois exemples.

L'engagement, agir individuellement et collectivement

5. Avec vos professeurs, réalisez un mur ou un arbre de la laïcité.

Point méthode

Réaliser le mur ou l'arbre de la laïcité
• Par groupe, faites la liste des mots qui sont liés à cette valeur républicaine. Puis, sur des feuilles de couleur décorées, écrivez ces mots.
• Ainsi, vous pourrez les afficher sur un mur ou les accrocher à un arbre.

Cérémonie de la laïcité, école Jean-Jaurès, Troyes (10), décembre 2015.

Je construis mon essentiel

Construisez deux phrases en utilisant les mots-clés ci-dessous :
Conscience, laïcité, l'État, élèves, les religions.

La .... garantit la neutralité religieuse à l'école et permet ainsi d'assurer l'égalité entre les ....
C'est le principe de séparation entre .... et .... (loi de 1905).
Elle est basée sur la liberté de ....

Le respect des autres dans son langage et son attitude

1 | **Des scènes de la vie quotidienne**

3 **Le regard des élèves sur le climat au collège**

82,3 % des élèves pensent que l'ambiance est tout à fait bien ou plutôt bien entre les élèves. 89,9 % des élèves ont répondu qu'il n'y avait pas du tout d'agressivité entre les élèves et les professeurs. 90,6 % trouvent que leurs relations avec les adultes du collège autres que leurs professeurs sont bonnes ou très bonnes.

Enquête nationale de victimisation en milieu scolaire, organisée par le ministère de l'Éducation nationale, 2013.

2 **Le témoignage de Claire, professeure d'histoire-géographie**

Il y a deux sortes de politesse, celle envers le professeur et celle entre eux. Le souci est qu'il ne devrait y en avoir qu'une. Étonnamment, les élèves peuvent être très polis envers les profs, mais cela ne les empêche pas deux secondes après, de dire « sale bouffon » à un copain. Ils savent ce que c'est que la politesse, mais ils ne l'appliquent pas à tous. Se dire « merci » entre eux, se dire « pardon, je ne l'ai pas fait exprès », ils ne le font pas.

Pour moi, la première chose, c'est de dire bonjour. Certains élèves passent devant toi sans le dire. Sinon, l'important c'est le respect de la parole de l'autre, lever le doigt, écouter les autres.

Claire Alonso, professeure au collège Mozart à Athis-Mons (91), interviewée par les auteurs du manuel en janvier 2016.

Débat organisé en classe avec des élèves de 5e le 5 février 2016, collège Franklin de Lille (59).

4 | **« La politesse, ça sert à quoi ? »**

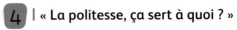

Qui fait preuve de sympathie Aura de nombreux amis

5 | **Une affiche créée par des élèves**

Les affiches ont été réalisées par des élèves de 6ᵉ sur le thème « On n'est pas que des animaux, restons civils au collège ».
Affiche mise en ligne par le blog du CDI du collège Saint-Étienne de Sens (89), le 2 septembre 2015.

Activités

La sensibilité, soi et les autres

1. **DOC. 1** Quels élèves ont une attitude polie selon vous ? Quelles sont les impolitesses commises ? Sur quels dessins ?
2. **DOC. 2 ET 3** Quel constat ce professeur fait-il par rapport à ses élèves ? Comparez son témoignage avec le ressenti des élèves en général.
3. **DOC. 4** Avec quelles paroles d'élèves êtes-vous le plus d'accord ? Justifiez.
4. **DOC. 4 ET 5** Quel est le message de l'affiche ?
   Mettez-la en relation avec certaines paroles des élèves lors du débat. Qu'en pensez-vous ?

L'engagement, agir individuellement et collectivement

5. Par groupes, définissez la politesse et le respect.
   Listez ensuite les règles que vous vous engagez à respecter pour que chacun se sente bien dans la classe.
   Après avoir mis en commun les listes de chaque groupe, la classe décide comment et à qui communiquer cet engagement.

Point méthode

Communiquer son engagement
• Par un affichage dans la classe.
• Par une lettre d'information aux parents, aux autres élèves…
• Sur l'ENT du collège…

Je construis mon essentiel

Recopiez et complétez la carte mentale avec vos réponses.

Elle sert à :
....

La politesse
Définition :
....

Au collège cela veut dire que :
....

Le règlement intérieur, une loi pour tous

1 | **Des situations prévues par votre règlement intérieur**

2 **Que dit la loi ?**

Article 28

1. Les États reconnaissent le droit de l'enfant à l'éducation. […]

Ils prennent des mesures pour encourager la régularité de la fréquentation scolaire et la réduction des taux d'abandon scolaire. […]

2. Les États prennent toutes les mesures appropriées pour veiller à ce que la discipline scolaire soit appliquée d'une manière compatible avec la **dignité** de l'enfant en tant qu'être humain et conformément à la présente Convention.

Article 29

1. Les États conviennent que l'éducation de l'enfant doit viser à : favoriser l'épanouissement de la personnalité de l'enfant et le développement de ses dons et de ses aptitudes mentales et physiques, dans toute la mesure de leurs potentialités.

D'après la **Convention internationale** des Droits de l'Enfant, Convention des Nations unies du 20 novembre 1989.

Vocabulaire

Convention internationale : texte de droit international signé par plusieurs États.

Dignité : respect dû à quelqu'un ou à quelque chose.

Règlement intérieur : texte officiel fixant les règles qui doivent être respectées par tous dans un collège.

3 | Plus de portable au collège Montaigne à Paris

Les élèves du collège Montaigne à Paris (75) vont faire grise mine à la rentrée. Ils vont devoir ranger leur portable au fond du sac, l'éteindre et surtout l'oublier pour toute la journée… La décision d'interdiction a été votée à la demande des parents d'élèves au dernier conseil d'administration de l'établissement et sera inscrite en septembre prochain dans le règlement intérieur. Jusqu'ici, à Montaigne, comme dans beaucoup de collèges parisiens, le téléphone était autorisé dans la cour et toléré dans les couloirs. Désormais, il sera banni dans tout l'établissement sous peine de sanctions. Cette décision intervient après que des élèves de 6e ont fait un mauvais usage de leur téléphone portable.

D'après « Les portables seront interdits à la rentrée au collège Montaigne », *Le Parisien*, le 06/07/2015.

Toute sanction est notifiée par courrier aux familles.
La sanction a pour objet « *d'attribuer à l'élève la responsabilité de ses actes et de le mettre en situation de s'interroger sur sa conduite en prenant conscience des conséquences qui en découlent* ».
Une sanction disciplinaire peut être assortie d'un sursis total ou partiel.
Toute sanction, hormis l'exclusion définitive, est effacée du dossier administratif.
La mesure de responsabilisation a pour objectif de faire participer les élèves, en dehors des heures d'enseignement, à des activités de solidarité, culturelles ou de formation à des fins éducatives. Elle peut consister en l'exécution d'une tâche qui peut être effectuée à l'extérieur de l'établissement. L'externalisation de la mesure de responsabilisation nécessite la signature préalable de conventions avec les partenaires susceptibles d'accueillir des élèves.

3 - Les dispositifs alternatifs et d'accompagnement
- La commission éducative se réunit en tant que de besoin. Elle participe notamment à la recherche d'une réponse éducative personnalisée s'agissant des élèves dont le comportement est inadapté aux règles de vie de l'établissement. Elle assure, par ailleurs, le suivi de l'application des mesures non seulement de prévention et d'accompagnement mais également des mesures de responsabilisation.
- La réparation éducative est un travail d'intérêt scolaire, d'intérêt collectif, ou une action à caractère éducatif. Tout élève ayant commis un préjudice à l'égard des biens d'un autre élève ou d'un adulte de l'établissement aura l'obligation de procéder à la restitution, au remplacement ou à la remise en état de ces biens.
- Les mesures de prévention sont : confiscation d'objets, engagement écrit, tutorat éducatif, collaboration avec les personnels de service pour une action éducative.
- Les mesures d'accompagnement sont : travail d'intérêt scolaire, devoirs, révisions.

4 - Un registre des sanctions est déposé au Secrétariat
DISPOSITIF DE VALORISATION : le Conseil de classe peut proposer pour les élèves méritants
  - encouragements
  - compliments
  - félicitations

Sur le bulletin sera fait mention d'un comportement positif qui sera valorisé.
En inscrivant leur enfant au collège, les parents reconnaissent la fonction éducative des membres du personnel. Il doit donc exister entre eux et les éducateurs du collège un pacte de confiance et d'aide réciproque et de nombreux échanges.

Signature de l'élève,　　　　　　　　　Signature des parents,

4 | Un extrait de règlement intérieur
Extrait du règlement intérieur d'un collège.

Activités

Le droit et la règle, des principes pour vivre avec les autres

1. DOC. 1 Identifiez pour chaque vignette la rubrique du règlement intérieur que vous devez regarder si vous êtes dans cette situation.
2. DOC. 2 Montrez que le règlement intérieur de votre collège respecte la Convention internationale des Droits de l'Enfant.
3. DOC. 3 Le principal a-t-il décidé seul de l'interdiction de l'utilisation des portables ? Que pensez-vous de cette initiative ?
4. DOC. 4 Par qui le règlement intérieur est-il signé ? Pourquoi selon vous ?

Le jugement, agir individuellement et collectivement

5. Par groupes, choisissez une vignette du document 1 et mettez-la en scène. Quels rôles les adultes ont-ils ? Présentez votre scène devant la classe.

Point méthode

Construire une saynète
• D'abord distribuer les rôles de chacun.
• Réfléchir avec ses camarades à des dialogues réalistes.
• Discuter de la mise en scène. Qui fait quoi ? À quel endroit doit-il être placé ?
• Jouer devant ses camarades en articulant bien pour être compris.

Je construis mon essentiel

Recopiez et complétez la carte mentale avec vos réponses.

```
  ?                              est organisé
  ?       ← Sert à    Le règlement                        ?
  ?                    intérieur    est voté par
  ?                                              ?
```

Refuser le harcèlement

1 | **L'affiche lauréate, catégorie 6ᵉ-5ᵉ,
du prix « Non au harcèlement » (2015)**

Le projet « Harcèlement, ne restez pas indifférents » est réalisé par des élèves du collège du Château à Morlaix (29), académie de Rennes.

2 **Témoigner contre le harcèlement**

Injures, coups, racket... Jonathan Destin témoigne de son calvaire dans son livre *Condamné à me tuer*. Un calvaire qui a commencé en classe de CM2 et a continué jusqu'au collège. À bout, l'adolescent décide de mettre fin à ses jours en s'immolant par le feu. Après deux mois de coma, il s'en sort et choisit de raconter son histoire. « Après ma tentative de suicide, à ma sortie du coma, j'ai regretté mon geste. Aujourd'hui je sais que je me suis trompé et je voudrais que mon témoignage puisse servir d'exemple aux autres victimes de harcèlement. J'avais honte et peur. En primaire, j'en ai parlé à mes parents, les harceleurs se sont fait réprimander. Malheureusement, le lendemain je me faisais agresser de nouveau. Une fois au collège, un psychologue nous a demandé de nous confier sur un papier et j'en ai profité pour tout raconter. Finalement, lorsqu'il a demandé à rencontrer la personne, j'ai nié car j'avais peur des représailles : certains de mes agresseurs avaient menacé de tuer mes parents si je parlais. »

D'après E. Obiang, « Harcèlement scolaire : Jonathan Destin témoigne de son calvaire », *lefigaro.fr*, le 05/11/2015.

3 **Que dit la Loi ?**

Le fait de harceler une personne par des propos ou comportements répétés se traduisant par une altération de sa santé physique ou mentale est puni d'un an d'emprisonnement et de 15 000 € d'amende lorsque ces faits ont causé une incapacité totale de travail inférieure ou égale à huit jours ou n'ont entraîné aucune incapacité de travail.

Les faits mentionnés au premier alinéa sont punis de deux ans d'emprisonnement et de 30 000 € d'amende :
lorsqu'ils ont été commis sur un mineur de quinze ans et moins.

Article 222-33-22 du Code pénal (extraits).

Vocabulaire

Code pénal : ensemble des règles définissant les comportements contraires à la vie en société (les infractions et les sanctions applicables).

Si tu es victime

1 Se confier

N'aie pas honte ou peur des représailles ! Ose te confier à un adulte du collège mais aussi à tes parents, à ton grand frère ou ta grande sœur. Ne laisse jamais la situation s'installer dans le temps.

2 Se protéger

Pour éviter tout problème sur Internet, ne donne jamais de détails sur ta vie privée et réfléchis avant de diffuser des photos. Ne donne jamais tes mots de passe, ce sont des informations très personnelles.

3 Signaler un abus

Sur Facebook, tu peux signaler un contenu abusif et « bloquer » les amis qui n'en sont pas. Les comptes des agresseurs peuvent eux aussi être bloqués. Va faire un tour sur ce centre d'aide : www.facebook.com/safety/

4 Téléphoner

Si tu es victime de harcèlement à l'École, tu peux appeler le numéro gratuit « Stop Harcèlement » 08 08 80 70 10.

10 CONSEILS contre le harcèlement

5 Porter plainte

Dans les cas les plus graves, il est possible de porter plainte contre l'auteur du harcèlement. C'est à tes parents, qui sont tes représentants légaux, d'effectuer cette démarche.

Retrouve conseils et outils pratiques sur
AGIR CONTRE LE HARCÈLEMENT À L'ÉCOLE .GOUV.FR

Si tu es témoin

6 Soutenir

Bien souvent, les élèves victimes de harcèlement sont mis à l'écart de la classe. Ne participe pas à cet isolement forcé et n'hésite pas à aller leur parler.

7 Ne pas rire

S'il cesse d'avoir une « majorité silencieuse », ou pire, un public hilare face à lui, l'agresseur arrêtera sans doute ses brimades. Les témoins ont un grand rôle à jouer contre le harcèlement à l'école.

8 En parler

Adresse-toi à un délégué de classe ou à un adulte du collège si tu es témoin d'un cas de harcèlement. S'il existe des médiateurs, ils peuvent aider à dénouer la situation.

9 Ne pas participer

Si tu reçois un message ou une photo humiliante « à faire tourner », supprime le message plutôt que de le transférer à tes amis. Tu pourras ainsi briser la chaîne du harcèlement.

10 Convaincre

Si le harceleur fait partie de ton groupe d'amis, essaie de le raisonner et de comprendre pourquoi il agit ainsi. Vouloir faire du mal aux autres est aussi un signe de mal-être.

---

4 | Lutter contre le harcèlement

Activités

Les sentiments, soi et les autres

1. DOC. 2 Qu'est-il arrivé à Jonathan ? Que ressentez-vous en lisant son témoignage ?
2. DOC. 1 ET 2 Quelles peuvent être les conséquences du harcèlement ?
3. DOC. 3 Quelles mesures et sanctions pénales sont appliquées aux mineurs ?
4. DOC. 4 Si vous étiez victime ou témoin de harcèlement, quelles attitudes adopteriez-vous le plus facilement ?

L'engagement, agir individuellement et collectivement

5. Par groupes, réalisez une affiche contre le harcèlement. Indiquez les formes que peut prendre le harcèlement et la manière dont on peut lutter contre. Présentez votre travail à l'oral.

Pour aller plus loin

● Si vous êtes intéressés et après en avoir parlé à vos professeurs, vous pouvez vous renseigner pour participer au concours « Non au harcèlement ».

● Sur un moteur de recherche, tapez « Prix « Non au harcèlement » » pour avoir plus d'informations.

Je construis mon essentiel

Recopiez puis complétez le schéma à l'aide de vos réponses et de vos connaissances.

Qu'est-ce que le harcèlement ?		Quels textes permettent de lutter contre le harcèlement ?
....	**Refuser le harcèlement**	....
Un exemple d'action contre le harcèlement		Comment lutter contre le harcèlement ?
....		....

Être une fille, être un garçon

1 | **Des filles qui jouent au rugby**
Angleterre-France, tournoi des Six Nations, 21 mars 2015.

3 **Un homme sage-femme face aux préjugés**

La profession de sage-femme est ouverte aux hommes depuis 1982. En 2011, il y avait 347 hommes dans la profession (soit 1,92 %). Yann témoigne :

Je ressens quelquefois le besoin de me justifier devant des personnes parfois surprises, me posant la question « Pourquoi sage-femme ? ». Je fais mon travail de sage-femme avec la même passion et le même respect que mes collègues féminines. Mais après quelques minutes passées avec le couple, les choses se passent souvent très bien.

D'après Yann Sellier, « Je suis un homme et... sage-femme : je dois souvent me justifier, surtout auprès des pères », *leplus. nouvelobs.com*, le 18/03/2014.

En heures et minutes par jour (Temps domestique = ménage, courses, soins aux enfants, jardinage, bricolage)

Femmes / Hommes

1986 : 5,07 / 2,07
1999 : 4,36 / 2,13
2010 : 4,01 / 2,13

Source : Insee, enquêtes Emploi du temps 1986, 1999, 2010.

2 | **La répartition des tâches ménagères chez les hommes et chez les femmes**

4 **Un père au foyer témoigne**

Je ne connais pas beaucoup d'hommes qui s'arrêtent de travailler pour s'occuper des enfants. Je me suis rendu compte que c'était quelque chose qui intriguait. « Ah, bon, tu sais changer des couches ? », « Qu'est-ce que c'est que ce papa qui vient toujours chercher les enfants à l'école ? », « Ah, bon, c'est ta femme qui porte la culotte ? ».

Dans la tête de beaucoup de personnes, s'occuper des enfants reste un travail de femme. Chacun doit pouvoir avoir la place qu'il souhaite et pas celle qu'on lui impose en fonction de son sexe.

D'après *Sans préjugés*, émission de France Info du 16/06/2013.

Vocabulaire

Préjugé : jugement porté sur quelqu'un ou quelque chose sans savoir.

5 | Que dit la loi ?

Art. 3 La loi garantit à la femme, dans tous les domaines, des droits égaux à ceux de l'homme.

> Préambule de la constitution du 27 octobre 1946.

La loi du 4 juillet 1975 interdit de rédiger une offre d'emploi réservée à un sexe, de refuser une embauche ou de licencier en fonction du sexe ou de la situation de famille.

> vie-publique.fr, 2016.

80% DE L'ACTIVITÉ DOMESTIQUE REPOSE SUR LES FEMMES. COURAGE MESSIEURS.

Laboratoire de l'Égalité | Partager une culture commune de l'égalité entre les femmes et les hommes | PACTE POUR L'ÉGALITÉ

laboratoiredelegalite.org

6 | Affiche de la campagne de sensibilisation du Laboratoire de l'égalité

Activités

La sensibilité, soi et les autres

1. **DOC. 1** Quel sport ces jeunes femmes pratiquent-elles ? Est-ce que cela vous surprend ? Justifiez votre réponse.
2. **DOC. 3** Pourquoi les gens sont-ils surpris de découvrir le métier de Yann ? L'êtes-vous également ?
3. **DOC. 2 ET 6** Que montrent ces documents ? Trouvez-vous cette situation normale ?
4. **DOC. 4** Les gens comprennent-ils le choix de ce père ?
5. À l'aide des documents 2 et 6, expliquez pourquoi.
6. **DOC. 5** La loi autorise-t-elle à réserver certaines activités aux femmes ou aux hommes ?

Le jugement, penser par soi-même et avec les autres

7. Organisez un débat en classe sur la question suivante : « Y a-t-il des activités réservées aux filles et d'autres aux garçons ? »

   Aide | *Classez vos idées pour le débat en deux colonnes : celles pour et celles contre.*

Point méthode

Débattre
Préparer un débat.
• Réfléchir au sujet,
• Classer ses idées (oui/non).
• Donner des exemples.

Participer au débat.
• Écouter et respecter les arguments des autres,
• Demander la parole,
• Exprimer son point de vue et le justifier.

Je construis mon essentiel

Reproduisez et complétez le tableau suivant à l'aide des arguments échangés pendant le débat.

Sujet du débat : ....

Oui	Non
....	....
....	....
....	....

Est-ce que le débat a changé votre vision des garçons et des filles ? Expliquez votre réponse.

Intégrer le handicap à l'école

1 Ryadh Sallem, triple champion d'Europe de basket fauteuil, sensibilise des élèves au handicap à Paris

2 **Louis, en fauteuil roulant, ne peut pas entrer en 6ᵉ dans l'établissement à côté de chez lui**

Louis et ses parents voulaient que ce dernier entre en 6ᵉ au collège de secteur, mais il n'a pas été possible de l'y inscrire. Ils ont fait appel à la médiatrice de la ville, Claire B., pour régler la situation.

Louis : « J'aurais bien aimé suivre mes camarades de l'école primaire jusqu'au collège de secteur, à 200 mètres de chez moi ».
Le principal : « Le collège n'est pas accessible aux handicapés. Je suis sensible à la question du handicap, mais c'est aux collectivités de financer les aménagements ».
Claire B. : « Le collège a aussi son propre budget. C'est une question de volonté. Les enseignants auraient même pu faire cours en rez-de-chaussée à la classe de Louis sans que cela coûte un centime ».

D'après P. Romain « Louis, handicapé, 11 ans, refusé au collège », *leparisien.fr*, le 31/01/2012.

3 **L'application de la loi**

La loi établit comme principe que les enfants handicapés doivent être accueillis dans les établissements de leur secteur. Pourtant, pour les handicapés moteurs, moins de six écoles primaires sur dix (57,7 %) sont accessibles selon l'Association des Paralysés de France.
Seuls 40 % des collèges sont aux normes. Au niveau des lycées, l'estimation tombe même à 20 % selon un rapport de l'Éducation nationale.

D'après A. Durand, « L'accessibilité des handicapés, un problème toujours pas résolu », *lemonde.fr* du 26/02/2014.

Ⓥocabulaire

Accessibilité : fait de rendre praticables certains lieux pour les handicapés moteur en les aménageant.

4 Le témoignage de Thomas

Mon handicap a eu un impact énorme puisque je suis en corset et en fauteuil roulant électrique. Je me fatigue très vite et ne peux aller en cours que le matin. L'après-midi, j'étudie à la maison mais en position allongée. Et comme, depuis quelques années, je ne suis plus capable d'écrire, j'ai besoin en permanence de l'accompagnement d'un auxiliaire qualifié. À aucun moment je ne suis allé en établissement spécialisé.

L'entrée en 6e a été un peu compliquée car il fallait trouver un établissement adapté, avec un ascenseur. En fait, mes parents voulaient surtout que je fasse ma scolarité dans de bonnes conditions, ils avaient envie de partir sur de bonnes bases et ont préféré choisir un endroit qui avait vraiment envie de m'accueillir. Apprendre, c'est ma passion, alors ma priorité c'était de me sentir à l'aise.

D'après *informations.handicap.fr*,
2 décembre 2015.

Sous le haut patronnage de Najat Vallaud-Belkacem
Ministre de l'Éducation nationale, de l'Enseignement supérieur et de la recherche

Collégiens handi-citoyens, rejoignez-nous !

Association Différent comme tout le monde, dessin de Philippe Caza.

5 Intégrer les handicapés

Affiche du projet de sensibilisation au handicap auprès de 5 000 collégiens de cinquième du Languedoc-Roussillon organisé par le préfet et le rectorat de Montpellier.

Activités

La règle et le droit, des principes pour vivre avec les autres

1. **DOC. 2** Pourquoi Louis ne peut-il pas aller dans le même collège que ses amis ? Qu'en pensez-vous ?
2. **DOC. 2 ET 3** La loi donne-t-elle raison à Louis ? Expliquez votre réponse.
3. **DOC. 1** Comment les élèves sont-ils ici sensibilisés au handicap ? Que peut leur apporter cette sensibilisation selon vous ?
4. **DOC. 4** Quels ont été les aménagements et l'accompagnement mis en place pour permettre à Thomas de suivre une scolarité normale ?
5. **DOC. 5** Expliquez le message de l'affiche. Êtes-vous d'accord ?

Le jugement, penser par soi-même et avec les autres

6. **DOC. 4 ET 5** Par groupes, faites une liste des endroits du collège qui sont accessibles aux élèves en fauteuil et une liste des endroits qui ne le sont pas. Proposez les aménagements pour améliorer la vie d'un élève en fauteuil. Quels comportements devriez-vous adopter pour lui faciliter la vie ?

Je construis mon essentiel

Recopiez et complétez la carte mentale avec vos réponses. Vous pouvez ajouter ou changer des branches en fonction de ce que vous avez appris ou de vos propres expériences.

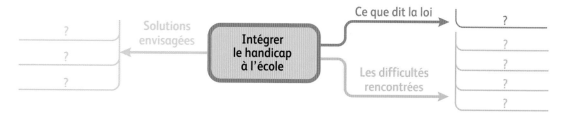

Réfléchir contre le racisme

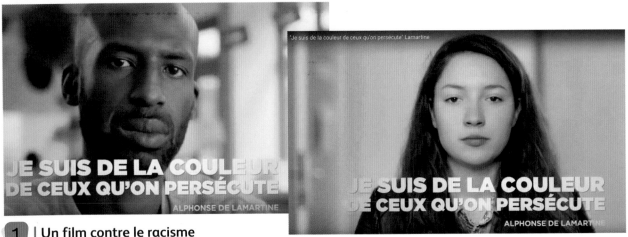

1 | Un film contre le racisme

La Licra, le Mrap, la Ligue des droits de l'homme et SOS racisme ont dévoilé le 27 novembre 2015 les films de cette campagne #DeboutContre LeRacisme.

2 Comment Lilian Thuram a découvert le racisme

Je suis arrivé de la Guadeloupe en région parisienne à 9 ans. Je suis devenu noir à l'âge de 9 ans. Je n'étais plus Lilian, mais j'étais perçu comme un noir par mes camarades de classe. Et le tout de manière négative. Je me suis donc questionné pour savoir pourquoi les personnes de couleur noire étaient enfermées dans cette image négative. J'ai donc commencé à lire, à observer la société, à poser des questions. Puis durant ma carrière on m'a invité dans les écoles pour parler du racisme. Petit à petit, je me suis dit que je devais me servir du fait que j'étais joueur de football, médiatique, pour questionner la société sur l'égalité entre les personnes.

D'après *Nice-matin*, le 14/04/2015. Retrouvez la vidéo de l'interview sur http://www.bfmtv.com/mediaplayer/video/lilian-thuram-son-combat-contre-le-racisme--je-suis-devenu-noir--9-ans-499325.html.

Qui est-il ?

Lilian Thuram

Né en Guadeloupe en 1972, il a été champion du monde de football avec l'équipe de France en 1998. En 2008, il a créé la Fondation Lilian Thuram, Éducation contre le racisme.

3 Que dit la Loi ?

Les injures raciales sont punies. Quand elle est publique (internet, rue, réunion, affiche, livre, radio, télévision…), l'auteur d'une injure risque jusqu'à 6 mois d'emprisonnement et 22 500 € d'amende.

Les violences à caractère raciste sont celles commises envers une personne en raison de son appartenance, vraie ou supposée, à une nation, une ethnie, une race ou une religion. Les peines peuvent aller jusqu'à 20 ans de réclusion criminelle.

D'après SOS Racisme, 2016.

Vocabulaire

Racisme : croyance qu'il existe des groupes d'humains différenciés entre eux, notamment par leur couleur de peau, et que certains seraient supérieurs aux autres.

4 Le racisme à l'école

Dans une école de l'Orne, Paul subit depuis le début de l'année des insultes racistes répétées. On le surnomme « Black vache ». Dans le bus scolaire, s'il s'assoit à côté de certains élèves, ils se lèvent et changent de place en disant que « ça pue ». La mère de Paul a déposé deux plaintes à la gendarmerie. Elle a effectué un signalement au rectorat et à l'inspection d'académie dès le mois de novembre. Puis, elle a contacté « Stop harcèlement » qui l'a mise en relation directe avec une personne de l'académie.

D'après *http://passerelle.ac-nantes.fr/respect-360/2015/04/16/la-lutte-contre-le-racisme-a-lecole*, 2016.

AFFICHE 8

Tous unis contre le racisme. Il ne faut pas juger les gens par leur origine ou leur couleur de peau. Il faut se respecter car on est tous égaux.

UNited CoLors
of france

5 | Des collégiens combattent le racisme

Pour aller plus loin

- Licra (Ligue internationale contre le racisme et l'antisémitisme) : www.licra.org
- Ligue des droits de l'homme : www.ldh-france.org
- Mrap (Mouvement contre le racisme et pour l'amitié entre les peuples) : www.mrap.fr
- SOS racisme : sos-racisme.org

Activités

La sensibilité, soi et les autres

1. **DOC. 2 ET 4** Que ressentez-vous face au témoignage de Lilian Thuram et à la situation de Paul ?
2. **DOC. 1 ET 2** Que pensez-vous des démarches des associations et de Lilian Thuram ?
3. **DOC. 1, 3, 4 ET 5** Quelles actions sont mises en œuvre pour lutter contre le racisme ?

L'engagement, agir individuellement et collectivement

4. Par groupes, réfléchissez aux autres formes de racisme. Quels moyens pouvez-vous mettre en place dans votre collège pour lutter contre le racisme ?

Aide | *Discutez des solutions qui pourraient améliorer la situation. Présentez votre réflexion à l'oral ou jouez une saynète.*

Point méthode

Faire une présentation orale

- **Préparer sa présentation.** Noter les mots-clés et idées principales sur une feuille (par exemple, sous la forme d'une carte mentale).
- **Exposer ses idées à l'oral.** Parler distinctement (fort et articuler) pour être compris. Regarder le moins possible sa feuille.

Je construis mon essentiel

Recopiez puis remplissez le schéma à l'aide de vos réponses.

Respecter la loi :
– ....
– ....

Réfléchir contre le racisme, c'est...

Agir ensemble :
– ....
– ....

Respecter les autres :
– ....
– ....

Des jeunes s'engagent pour l'éducation et la paix

A. Les Kids United et l'Unicef

1 | Un groupe de jeunes qui chantent pour l'Unicef

2 Les Kids United à la rencontre d'autres enfants

Les Kids United sont allés dans une école pour présenter leur album, Un Monde Meilleur. *Celui-ci inclut le tube* On écrit sur les murs, *qui compte plus de 5,1 millions de vues sur YouTube[1].*

La discussion s'engage autour des droits de l'enfant. « Cet album c'est pour l'Unicef, pour les droits de l'enfant, qu'ils aient une belle vie et sourient », raconte Gabriel. « Un monde meilleur, comme le titre de l'album, ça serait un monde sans guerre, où on serait tous égaux », poursuit Erza. « Notre album, c'est un message d'amour et de paix », lancent-ils à l'unisson.

D'après Judith Korber, « Une matinée avec les Kids United, des enfants presque comme les autres », metronews.fr, le 09/12/2015.

1. Près de 45 millions de vues en mars 2016.

3 L'UNICEF laisse la place aux jeunes

L'UNICEF France organise tous les ans une consultation des 6-18 ans, pour connaître leur vision du quotidien, leurs relations au sein de la famille, de la ville, du quartier, de l'école... et leur donner la parole. Elle s'appuie sur des programmes d'engagement adaptés aux adolescents et jeunes pour faire vivre la Convention internationale des droits de l'enfant et « faire entendre la voix des enfants et des jeunes du monde » : La Voix des Jeunes (communauté en ligne de jeunes), Jeunes ambassadeurs pour les 16-18 ans et UNICEF Campus pour les étudiants.

D'après *www.unicef.fr*, 2016.

Vocabulaire

Unicef : Fonds des Nations Unies pour l'enfance. L'Unicef travaille pour les droits des enfants dans le monde.

Talibans : personnes qui adhèrent au mouvement extrémiste et intégriste qui s'est développé au Pakistan et en Afghanistan.

B. Malala, militante des droits des enfants à l'éducation

4 ## Malala, la plus jeune lauréate du prix Nobel de la Paix

Malala Yousafzai est née en 1997 au Pakistan. Dès l'âge de 11 ans, elle dénonce les talibans qui détruisent les écoles et imposent la charia[1]. Elle a survécu à un attentat perpétré par ceux-ci. En 2013, elle lance à l'ONU un appel à « l'éducation pour tous les enfants ». « Nos livres et nos stylos sont nos armes les plus puissantes. Un enseignant, un livre, un stylo peuvent changer le monde », déclare-t-elle. En 2014, elle reçoit le prix Nobel de la paix avec Kailash Satyarthi « pour leur combat contre l'oppression des enfants et des jeunes et pour le droit de tous les enfants à l'éducation ».

D'après *Direct Matin*, 10 octobre 2014.

1. Loi dirigeant la vie religieuse, politique, sociale et individuelle dans la religion musulmane. Elle est appliquée de manière stricte au Pakistan.

5 **Malala inaugure une école de réfugiées syriennes (Liban, 2015)**

6 ## Des livres, pas des balles, Malala

« Au nom de tous les enfants du monde entier, je demande à nos dirigeants d'investir dans les livres, et pas dans les armes », a affirmé Malala ce dimanche, devant de jeunes réfugiées syriennes. « Nous continuerons de nous faire entendre jusqu'à ce que tous les gouvernements investissent dans l'éducation, et non dans les conflits armés », a ajouté la jeune femme qui a lancé cette semaine la campagne #BooksNotBullets. Sur les réseaux sociaux, elle a invité les internautes à se prendre en photo avec leur livre préféré. Elle-même a posé avec *Le Journal d'Anne Frank*. La jeune militante a relevé que « l'équivalent de huit jours de dépenses militaires suffirait à financer une scolarité gratuite de 12 années pour tous les enfants du monde. »

D'après *Le Figaro*, « Vous abandonnez le peuple syrien », le 12/07/2015.

Activités

Le jugement, penser par soi-même et avec les autres

1. **DOC. 1 ET 4** Qui sont les personnes présentées dans cette double page ? Quel âge ont-elles ?
2. **DOC. 2 ET 6** Quels buts poursuivent-elles ?
3. **DOC. 2, 3, 4 ET 5** Que pensez-vous de l'action des Kids United, de Malala et de l'UNICEF ?

L'engagement, agir individuellement et collectivement

4. Quelles sont les injustices, les discriminations qui vous révoltent ?
5. Par groupes, imaginez une action pour aider une association qui lutte pour une cause qui vous tient à cœur. Faites une affiche pour en faire la publicité. Présentez-la ensuite à l'oral.

Je construis mon essentiel

Recopiez puis remplissez le schéma à l'aide de vos réponses et de vos connaissances.

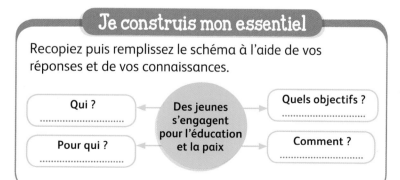

Qui ?
....

Des jeunes s'engagent pour l'éducation et la paix

Quels objectifs ?
....

Pour qui ?
....

Comment ?
....

L'élection des délégués, un temps fort de la vie collégienne

C'est un peu comme le chef de classe.

Sarah

Il assiste au conseil de classe où les professeurs parlent du travail des élèves à la fin de chaque trimestre.

Inès

Hugo

Lucas

C'est celui qui accompagne les élèves quand ils sortent de la classe.

Il écoute les élèves et peut parler au nom de la classe aux professeurs.

Élèves du collège Franklin de Lille (59) interviewés par les auteurs du manuel, décembre 2015.

1 | À quoi sert un(e) délégué(e) de la classe ?

2 | Les qualités d'un(e) bon(ne) délégué(e)

3 | **Dabalé, délégué en 6ᵉ, témoigne**

Dans la classe, il y avait une mauvaise ambiance. Je me suis dit que je pouvais aider la classe. J'écoute les élèves, leurs sentiments, ce qui va ou pas, et j'en parle à la conseillère principale d'éducation, au professeur principal ou au conseil de classe. Au conseil de classe, les profs parlent de l'ambiance, puis ils passent au cas par cas et on peut défendre l'élève, dire s'il a des problèmes ou pas.

Dabalé, collège Franklin à Lille (59), interviewé par les auteurs du manuel, décembre 2015.

4 | **Que dit la loi ?**

Les délégués et leurs suppléants sont élus au scrutin uninominal à deux tours dans chaque classe, avant la fin de la septième semaine de l'année scolaire. Si deux candidats obtiennent le même nombre de voix au second tour, le plus jeune candidat est déclaré élu.

Tous les élèves sont électeurs et éligibles.

www.education.gouv.fr, 2016.

Ⓥocabulaire

Profession de foi : déclaration publique exposant son programme, son projet.

Scrutin uninominal à deux tours : scrutin où l'on vote pour une personne. Une personne peut être élue dès le premier tour si elle obtient plus de 50 % des voix. Si ce n'est pas le cas, un deuxième vote est organisé et celui qui recueille le plus de voix l'emporte.

5 | Comment se déroule une élection ?

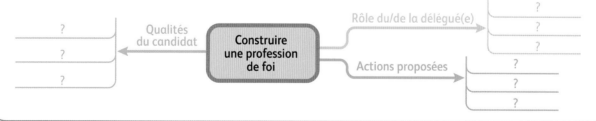

EMC

Les valeurs de la République

1 Réaffirmer les valeurs de la République

Les actes commis vendredi soir à Paris et près du Stade de France sont des actes de guerre. Ils ont fait au moins 129 morts et de nombreux blessés. Ils constituent une agression contre notre pays, contre ses valeurs, contre sa jeunesse, contre son mode de vie.

Les terroristes croient que les peuples libres se laisseraient impressionner par l'horreur. Il n'en est rien et la République française a surmonté bien d'autres épreuves. Elle est toujours là, bien vivante.

Vendredi, c'est la France tout entière qui était la cible des terroristes. La France qui aime la vie, la culture, le sport, la fête. La France sans distinction de couleur, d'origine, de parcours, de religion. La France que les assassins voulaient tuer, c'était la jeunesse dans toute sa diversité.

La plupart des morts n'avaient pas 30 ans. Ils s'appelaient Mathias, Quentin, Nick, Nohemi, Djamila, Hélène, Élodie, Valentin et j'en oublie tellement d'autres ! Quel était leur seul crime ? C'était d'être vivant.

Ce qui a été visé par les terroristes, c'était la France ouverte au monde. Plusieurs dizaines d'amis étrangers font partie des victimes, représentant 19 nationalités différentes.

D'après le discours de François Hollande après les attentats de Paris du 13 novembre 2015, devant le Parlement réuni à Versailles le 16 novembre 2015.

2 Des valeurs partagées

Cette photographie a été prise le 17 novembre 2015 lors de l'ouverture du match amical de football entre l'Angleterre et la France qui a eu lieu quelques jours après les attentats de Paris du 13 novembre. Les joueurs chantent la *Marseillaise* et portent un brassard noir en signe de deuil.

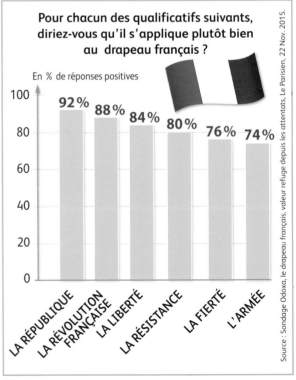

Pour chacun des qualificatifs suivants, diriez-vous qu'il s'applique plutôt bien au drapeau français ?

En % de réponses positives

LA RÉPUBLIQUE 92% — LA RÉVOLUTION FRANÇAISE 88% — LA LIBERTÉ 84% — LA RÉSISTANCE 80% — LA FIERTÉ 76% — L'ARMÉE 74%

Source : Sondage Odoxa, le drapeau français, valeur refuge depuis les attentats, Le Parisien, 22 Nov. 2015.

3 Les mots associés au drapeau français

D'après Odoxa, « Sondage : le drapeau français, valeur refuge depuis les attentats », *Le Parisien*, le 22/11/2015.

 | La devise républicaine illustrée par un artiste

Triptyque – *Liberté, Égalité, Fraternité*, œuvre de Mathieu Molinaro, 2007.

Activités

Le jugement, penser par soi-même et avec les autres

1. DOC. 1 Relevez les valeurs que le Président de la République met en avant.
2. DOC. 2 Quelles valeurs la photographie illustre-t-elle ? Comment les footballeurs ont-ils montré leur solidarité avec les victimes des attentats ?

La sensibilité, soi et les autres

3. DOC. 3 Et vous, auquel de ces mots associeriez-vous le drapeau ? Expliquez pourquoi.
4. DOC. 4 Comment ces collégiens ont-ils choisi de représenter chacune des valeurs de la devise ?
5. DOC. 4 Rappeler la devise de la République française. Comment l'artiste a-t-il choisi de représenter les valeurs de la devise ? Qu'en pensez-vous ?
6. Par groupe, réalisez une affiche qui illustre les valeurs de la France. Présentez-la ensuite à la classe.

Je construis mon essentiel

Recopiez et complétez la carte mentale sur votre cahier.
Puis présentez et expliquez les valeurs de la République à l'oral.

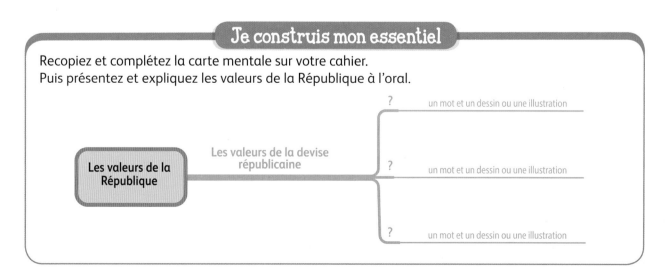

La liberté, une valeur importante

1 | **La Liberté guidant le peuple**
Eugène Delacroix, huile sur toile, 1830, musée du Louvre, Paris.

2 La découverte de la liberté en France

Haetham Al-Aswad a 20 ans. Il est né en Syrie, un pays en guerre civile depuis 2011. Son père prend des positions politiques et toute la famille, menacée, doit partir pour la Jordanie, puis la France.

Il a peu de nouvelles de ses amis syriens : internet est contrôlé. Son profil Facebook est bloqué par certains de ses amis, terrorisés à l'idée que leurs échanges les exposent à des représailles.

L'enseignement français séduit Haetham. Il peut développer son esprit critique. « Ici, j'ai découvert la philosophie et j'ai vraiment compris ce qu'était la liberté. J'ai compris que la vraie liberté est avant tout celle de sa conscience. » Ce qui frappe le jeune homme c'est qu'« en France, on parle des vraies valeurs de l'humain et pas de celles du gouvernement ou du président. »

D'après M. Dauphiné, Haetham Al-Aswad : « En France, j'ai compris que la vraie liberté est avant tout celle de sa conscience », *Histoires de France*, 1er septembre 2015, *gouvernement.fr*.

3 | **Une valeur importante pour les Français**
Des manifestants, le 11/01/2015, après les attentats de *Charlie Hebdo*.

Vocabulaire

Esprit critique : qui pèse le pour et le contre pour faire son choix.

Liberté : droit de faire ce que l'on veut sans nuire à autrui, dans la limite de la loi.

Libertés individuelles : libertés exercées par une personne en particulier, celles de penser, d'aller et venir, de choisir ses représentants, de s'exprimer...

4 Que dit la loi ?

Art. 1er. Les hommes naissent et demeurent libres et égaux en droits.

Art. 10. Nul ne doit être inquiété pour ses opinions, même religieuses, pourvu que leur manifestation ne trouble pas l'ordre public établi par la Loi.

Art. 11. La libre communication des pensées et des opinions est un des droits les plus précieux de l'Homme.

Déclaration des droits de l'Homme et du Citoyen, 26 août 1789.

Êtes-vous attaché aux libertés individuelles ?

- 5 %
- 2 %
- 40 %
- 53 %

☐ Très attaché   ☐ Pas attaché
☐ Assez attaché   ☐ Ne se prononce pas

5 | Les Français interrogés sur la liberté individuelle

D'après ViaVoice, étude publiée par *L'Express* et diffusée par Radio Classique, le 8 juillet 2015.

Activités

Le droit et la règle, des principes pour vivre avec les autres

1. **DOC. 4** Quelles sont les libertés reconnues par la Déclaration des droits de l'Homme et du Citoyen ?
2. **DOC. 2** Selon Haetham, les Syriens jouissent-ils de ces libertés actuellement ? Justifiez votre réponse. Quelle liberté Haetham a-t-il découverte en France ? Vous paraît-elle importante ?
3. **DOC. 3** Quelle liberté exerce cette foule ? Que pensez-vous du slogan écrit sur la banderole ?

La sensibilité, soi et les autres

4. **DOC. 1** Comment ce tableau représente-t-il la liberté ? Justifiez votre point de vue.
5. **DOC. 5** Montrez que les Français sont attachés aux libertés.

Représenter la liberté dans une production artistique

6. Seul ou par groupes, réfléchissez à ce que représente la liberté pour vous et réalisez une production artistique qui met en avant votre idée de la liberté.

Aide | 1. Trouvez des mots qui définissent pour vous la liberté.
2. Choisissez un support avec lequel vous êtes à l'aise pour réaliser votre production artistique (chanson, poésie, dessin, peinture, collage, etc.)

Je construis mon essentiel

Reproduisez le schéma et complétez-le.

La .... est le grand texte qui reconnaît la Liberté comme un droit pour tous les êtres humains.
Date : ....

Votre idée de la liberté : coller ici votre travail

La liberté, une valeur importante

Type de libertés découvertes dans l'activité
....

Partie 1 Histoire

1. **Avoir des repères pour répondre à des questions et compléter une carte et une frise**

1. Rappelez ce qu'est une cité dans l'Antiquité.

2. Dans quelle région les cités sont-elles apparues pour la première fois ?

3. Sur la **carte 1**, localisez chaque région en indiquant à quelle lettre (**A**, **B** ou **C**) elle correspond.

4. Sur la **carte 1**, à quoi correspond la zone entourée de rouge ?

5. Quand les premières cités sont-elles apparues ?

6. Reproduisez la frise, puis coloriez en rouge le millénaire pendant lequel les premières cités sont apparues.

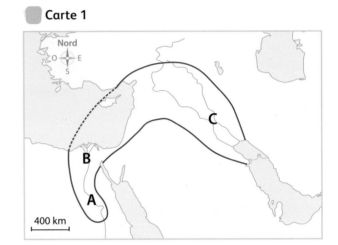

Carte 1

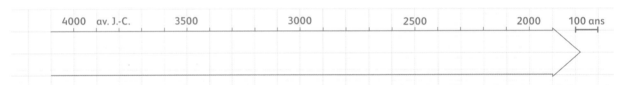

7. Sur la **carte 2**, localisez la région où sont apparues les premières cités en indiquant à quel numéro elle correspond. Nommez les autres régions numérotées.

8. Quel est le nom des mers désignées par les lettres a, b et c ?

Carte 2

2. Comprendre un document et réaliser une production écrite

1 **Jules César**
Statue en marbre,
Ier siècle av. J.-C., musée
du Capitole, Rome (Italie).

2 **Auguste**
Statue en marbre,
Ier siècle av. J.-C., musée
du Vatican, Rome (Italie).

3 **Valentinien Ier**
Statue en bronze,
IVe siècle ap. J.-C., Barletta
(Italie).

Bâton de commandement
manquant

Dieu Amour,
fils de Vénus

Pieds nus à la manière
des dieux

Globe impérial

Comprendre des documents iconographiques

1. Montrez que les trois personnages sont représentés comme des *imperatores*
(des généraux victorieux de l'armée romaine).
   Conseil (*Décrivez leur habillement en utilisant un vocabulaire précis.*

2. Pourquoi Auguste est-il représenté pieds nus ?
Est-ce le cas des deux autres personnages ?

3. Quel objet Valentinien Ier brandit-il de sa main droite ?
Comment l'expliquez-vous ?

Réaliser une production écrite

4. Rédigez quelques lignes pour présenter le christianisme et expliquer comment
l'Empire romain est devenu chrétien.
   Conseil | *Rédigez quelques lignes pour chacune des deux idées que le sujet vous demande
   de développer.*

Partie 2 Géographie

1. Avoir des repères pour répondre à des consignes

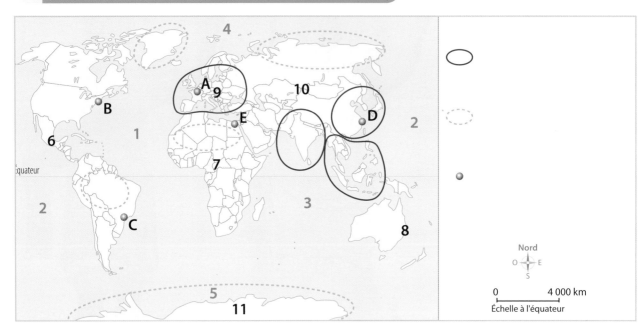

1. Sur la carte, identifiez les océans
   et les continents repérés par un numéro.

2. Rappelez la définition de métropole puis
   associez chaque lettre sur la carte à la
   métropole qui lui correspond.

3. Reproduisez et complétez la légende de la carte.

4. Citez ensuite deux contraintes naturelles et les
   solutions mises en œuvre par les populations
   pour les surmonter.

5. Rappelez la définition de littoral, puis identifiez
   le type de littoral suivant :

6. Associez chaque espace agricole suivant
   aux mots qui lui correspondent : agriculture
   intensive, agriculture vivrière, openfield,
   agriculture commerciale, agriculture extensive,
   faibles rendements.

Paysage agricole 1

Paysage agricole 2

2 Aménagements et activités sur le littoral de Yokohama

La construction des zones industrialo-portuaires a fait naître des conflits entre les industriels et les pêcheurs. Ceux-ci voyaient en effet leur zone de pêche diminuer énormément. Cette activité a aujourd'hui pratiquement disparu de la baie de Tokyo. Aux étals de pêcheurs ont succédé les zones de promenade, les bateaux restaurants et les commerces.

Cependant les pollutions dues aux activités industrielles et portuaires sont problématiques du point de vue de l'écologie marine. Elles entravent le développement des nouvelles activités.

D'après R. Scoccimarro, *Le rôle structurant des avancées sur la mer dans la baie de Tokyo*, 2007.

1 Yokohama, un port et une ville sur la baie de Tokyo (Japon)

Lire un paysage

1. DOC. 1 Localisez et situez Yokohama.

2. DOC. 1 Identifiez les deux espaces présentés au premier plan et à l'arrière-plan.

3. DOC. 1 Quelles activités se sont implantées sur les terres gagnées sur la mer ? Justifiez votre réponse avec des éléments précis du paysage.

4. Émettez une hypothèse : pour quelles raisons, les Japonais ont-ils eu besoin de gagner de l'espace sur la mer ?

Comprendre un texte

5. DOC. 2 Relevez la phrase expliquant « les conflits entre les industriels et les pêcheurs ».

6. DOC. 2 Quel autre problème posé par les aménagements du port peut également expliquer ces conflits ?

7. DOC. 2 Quelles nouvelles activités se développent aujourd'hui sur le front de mer ?

Réaliser une production graphique

8. À l'aide de vos connaissances et des réponses précédentes, reproduisez et complétez la carte mentale suivante en répondant aux questions par des mots ou mots-clés :

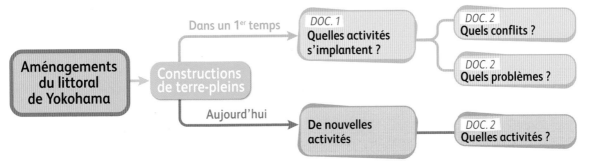

Réaliser une production écrite courte

9. Rédigez pour conclure quelques lignes montrant comment les populations habitent un littoral comme celui de Yokohama.

Conseil (*Rappelez-vous ce que signifie « habiter » en géographie.*

Lexique **Histoire-Géographie-EMC**

A

Accessibilité : fait de rendre accessible, praticable un lieu. Voir p. 298.

Acropole (« cité en hauteur ») : colline fortifiée où se trouvent le principal sanctuaire et le trésor d'une cité. Voir p. 60.

Activités extractives : exploitation des ressources du sous-sol (fer, or, pétrole…). Voir p. 212.

Agglomération : une ville et sa banlieue. Voir p. 166 et 174.

Agora : place publique rassemblant la communauté des citoyens. C'est le centre religieux, politique et civique de la cité. Voir p. 60.

Agriculture : travail de la terre (culture) et élevage qui produisent de la nourriture. Voir p. 26, 30, 224 et 234.

Agriculture biologique : agriculture respectant l'environnement et limitant l'utilisation de produits chimiques (engrais, pesticides). Voir p. 234.

Agriculture commerciale : agriculture destinée à la vente. Voir p. 226, 234 et 244.

Agriculture extensive : agriculture donnant de faibles rendements sur de vastes espaces. Voir p. 228.

Agriculture intensive : système de production agricole donnant d'importants rendements sur des espaces restreints. Voir p. 226 et 234.

Agriculture vivrière : ensemble des productions destinées à la consommation personnelle du paysan et de sa famille. Voir p. 228 et 234.

Aire urbaine : ensemble formé d'un pôle urbain et des communes attenantes. Voir p. 166.

Aménagement : transformation d'un territoire pour améliorer la vie des habitants. Voir p. 230, 242 et 254.

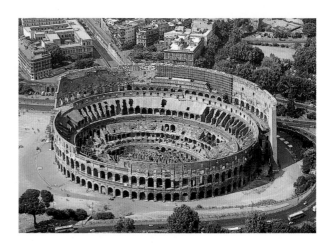

Amphithéâtre : édifice public de forme circulaire où se déroulaient les combats de gladiateurs. Voir p. 116.

Apothéose : dans l'Antiquité, moment où les héros deviennent des dieux après leur mort. Voir p. 91.

Arche de l'Alliance : coffre renfermant les Tables de la Loi, d'après la Bible. Voir p. 100.

Aridité : manque d'eau dû à la rareté des pluies. Voir p. 206.

Assiduité : présence régulière en classe. Voir p. 286.

Atout : élément favorable à l'occupation humaine. Voir p. 210.

Auspices : pour les Romains, signes envoyés par les dieux. Voir p. 82.

B

Banquise : épaisse couche de glace d'eau salée flottant sur la mer. Voir p. 204.

Baptême : rite par lequel on devient chrétien. Voir p. 140.

Bas-relief : sculpture en relief léger. Voir p. 92.

Bible chrétienne : livre sacré des chrétiens. Elle est composée de l'Ancien Testament (Bible hébraïque) et du Nouveau Testament. Voir p. 48, 96 et 138.

Bible hébraïque (ou Ancien Testament) : livre sacré des juifs. Voir p. 96.

Bidonville : quartier pauvre où les maisons sont construites par les habitants avec des matériaux de récupération. Voir p. 164, 174, 186, 274 et 278.

Biodiversité : diversité des formes de vie animales et végétales. Voir p. 202, 204 et 216.

Brûlis : technique qui consiste à brûler la végétation pour préparer le sol à la culture. Voir p. 212.

Caravane : groupe de marchands traversant ensemble le désert avec des dromadaires ou des chameaux. Voir p. 126 et 130.

Chrétien : personne qui adhère au message de Jésus-Christ à partir du Iᵉʳ siècle ap. J.-C. Voir p. 140.

Christ : le Messie, « envoyé de Dieu » en hébreu. Voir p. 138 et 148.

Christianisme : religion apparue au Iᵉʳ siècle ap. J.-C. en Palestine. Elle repose sur la croyance de la résurrection du Christ et la mise en œuvre de son enseignement. Voir p. 138.

Citadin : personne qui vit en ville. Voir p. 184 et 194.

Cité : territoire indépendant composé d'une ville et de sa campagne. Voir p. 38, 40, 50, 58, 70, 78 et 86.

Citoyen : habitant qui participe à la vie politique d'une cité ou d'un État. Voir **Cité**.

Code pénal : ensemble des règles définissant les comportements contraires à la vie en société (les infractions et les sanctions applicables). Voir p. 294.

Cohabiter : vivre ensemble, occuper un même espace. Voir p. 170.

Colonie grecque : cité fondée par des Grecs en dehors de la Grèce. Voir p. 62 et 70.

Colonie romaine : cité munie d'une garnison destinée à contrôler un territoire récemment conquis par Rome. Voir p. 114.

Commerce équitable : commerce conçu pour assurer des revenus justes aux producteurs et améliorer leur niveau de vie. Voir p. 228.

Communauté scolaire : les élèves et les adultes d'un collège. Voir p. 286

Commune : division du territoire (village ou ville) dirigée par un maire et le conseil municipal. Voir p. 241.

Complexe hôtelier : ensemble d'hôtels accueillant des touristes. Voir p. 248.

Conflit d'usage : conflit sur la manière d'occuper un espace. Voir p. 170, 239 et 244.

Conteneur : grande boîte métallique standardisée contenant des marchandises. Voir p. 244.

Contrainte : obstacle ou difficulté à l'occupation humaine. Voir p. 274.

Convention internationale : texte de droit international signé par plusieurs États. Voir p. 292.

Conversion : fait de changer de religion. Voir p. 146 et 148.

Covoiturage : utilisation à plusieurs d'un même véhicule pour effectuer un trajet. Voir p. 190 et 194.

Croissant fertile : territoire de l'Égypte et de l'Orient ancien où sont apparues l'agriculture et les écritures. Voir p. 50.

Culte impérial : pratiques religieuses pour honorer un empereur mort déclaré vivant par le Sénat. Voir p. 118 et 124.

Cunéiforme : écriture avec des signes en forme de clous (*cuneus* en latin). Voir p. 44.

Déforestation : disparition de forêts liée aux défrichements. Voir p. 212.

Défrichement : coupe d'arbres pour permettre la mise en culture des terres. Voir p. 26, 28, 30 et 212.

Démocratie : le pouvoir est exercé par la communauté des citoyens. Voir p. 58, 68 et 70.

Densité : nombre d'habitants au km². Voir p. 216, 246, 262, 266 et 276.

Désert : région chaude ou froide dans laquelle les pluies sont très faibles, ce qui limite la présence de végétation. Voir p. 206 et 216.

Désert humain : espace très faiblement peuplé. Voir p. 264 et 276.

Développement durable : développement qui essaie de préserver la planète pour les générations futures. Voir p. 194.

Développement urbain durable : développement qui répond aux besoins des citadins, sans empêcher celui des générations du futur, en luttant contre l'étalement des villes, les mauvaises conditions d'habitat, les nuisances liées aux transports… Voir p. 182.

Diaspora juive : dispersion des populations juives hors de Palestine. Voir p. 104.

Dignité : respect dû à quelqu'un ou à quelque chose. Voir p. 292.

Lexique

E

Écriture : signes inscrits sur un support (argile, pierre, papyrus...) pour communiquer et conserver une trace. Voir p. 38 et 50.

Élite : petit groupe de personnes qui domine une société. Voir p. 118.

Empire romain : ensemble des territoires dominés par les Romains, mais aussi régime politique né après la fin de la République et qui s'apparente à une monarchie. Voir p. 112 et 124.

Environnement : ensemble des éléments naturels ou non dans lesquels l'homme vit. Voir p. 28.

Épopée : récit qui chante la gloire d'un personnage ou d'une cité. Voir p. 80.

Esprit critique : qui pèse le pour et le contre pour faire son choix. Voir p. 308.

Étalement urbain : fait qu'une agglomération s'étende sur toujours plus d'espace. Voir p. 186 et 194.

État : territoire indépendant administré par un chef qui gouverne. Voir p. 38 et 50.

Évangiles (« bonne nouvelle » en grec) : livres relatant la vie, l'enseignement et la résurrection de Jésus. Ils forment l'essentiel du « Nouveau Testament » de la Bible chrétienne. Voir p. 138.

Évêque : chef d'une communauté chrétienne. Voir p. 148.

Exode rural : déplacement de population des campagnes vers les villes. Voir p. 230, 234 et 268.

Exploitation agricole : entreprise dirigée par un agriculteur. Voir p. 226.

F

Fécondité (taux de) : nombre moyen d'enfants par femme en âge d'en avoir. Voir p. 268.

Fonction publique : ensemble des fonctionnaires qui travaillent pour l'État. Voir p. 137.

Fonctionnaire : personne travaillant pour l'administration. Voir p. 128 et 130.

Fonctions urbaines : ensemble des activités d'une ville (administratives, industrielles, culturelles, commerciales...). Voir p. 166 et 170.

Fondation : acte politique et religieux qui marque la naissance d'une cité dans l'Antiquité. Voir p. 82 et 86.

Forum : place et lieu de réunion pour les habitants des cités romaines. Voir p. 84 et p. 116.

Foyer de peuplement : espace où la population est très nombreuse depuis plusieurs siècles. Voir p. 264 et 276.

Fresque : peinture murale. Voir p. 154.

Friche : terrain abandonné par une activité. Voir p. 168 et 230.

Front pionnier : espace en cours de peuplement et de mise en valeur. Voir p. 212 et 232.

H

Habiter : avoir son domicile et/ou vivre dans un territoire (travailler, se déplacer, avoir des loisirs…). Voir p. 162 et 174.

Hébreux : peuple qu'Abraham conduit vers Canaan. Voir p. 96.

Héros : individu né d'une divinité et d'un mortel. Voir p. 64.

Hiéroglyphes (*hieros***, « sacré » en grec) :** écriture des Égyptiens avec des signes représentant un objet, un être, une action ou un son. Voir p. 44 et 48.

Hippodrome : circuit destiné aux courses de chevaux. Voir p. 116.

Hominidés : groupe de mammifères pouvant se tenir debout sur deux jambes et dont est issu l'homme moderne. Voir p. 16 et 22.

I-J

Immigration : fait de s'installer dans un pays autre que le sien. Voir p. 283.

***Imperator* :** nom donné à un général romain victorieux. Voir p. 114.

Inlandsis : masse de glace très épaisse recouvrant en permanence le Groenland et l'Antarctique. Voir p. 204.

Insalubrité : conditions de vie mauvaises qui nuisent à la santé. Voir p. 188.

Irrigation : technique permettant d'apporter de l'eau à des cultures. Voir p. 209.

Judéens : habitants du royaume de Juda jusqu'en 587 av. J.-C. Voir p. 96.

L

Laïcité : neutralité de l'État et de l'administration en matière de religion. Elle s'accompagne du respect de toutes les croyances. Voir p. 288.

Légion : unité de l'armée romaine. Voir p. 114.

Liberté : droit de faire ce que l'on veut sans nuire à autrui, dans la limite de la loi. Voir p. 308.

Limes : à l'époque romaine, zone de défense des frontières associant des routes, des forts et parfois un mur de défense. Voir p. 122.

Littoral : zone de contact entre la mer et la terre. Voir p. 170, 242 et 254.

Littoralisation : concentration des hommes et des activités sur les littoraux. Voir p. 268 et 276.

Martyr : personne violentée pour ses croyances et ses engagements. Voir p. 144.

Mégalopole européenne : espace densément peuplé et fortement urbanisé qui s'étend du sud de l'Angleterre au nord de l'Italie en passant par la vallée du Rhin. Voir p. 270.

Messie : terme hébreu utilisé pour annoncer l'« envoyé de dieu » (Christ en grec). Voir p. 142.

Métissage : mélange d'espèces différentes. Voir p. 22.

Métropole : ville qui exerce son influence sur un territoire à des échelles différentes (régionale, nationale, mondiale). Voir p. 162, 174, 264 et 278.

Milieu : ensemble d'éléments naturels (relief, sol, climat, faune, flore) associés en un même lieu ainsi que les modifications qui leur sont apportées par l'homme. Voir p. 216.

Monothéisme : religion dans laquelle on ne croit qu'à un seul dieu. Voir p. 94, 104, 142 et 148.

Municipalité : élus (maire et conseillers municipaux) chargés de s'occuper d'une commune. Voir p. 190.

Mythe : récit fabuleux mettant en scène des dieux et des hommes. Voir p. 78 et 86.

Mythologie : ensemble des mythes partagés par une civilisation. Voir p. 64 et 70.

Nappe phréatique : nappe d'eau souterraine alimentée par les pluies. Voir p. 206.

Nécropole : lieu où l'on enterre les morts, du grec *nekro* (morts) et *polis* (cité). Voir p. 24.

Néolithique : période de la « nouvelle pierre » ou « âge de la pierre polie » (10 000 / 5000 av. J.-C.). Voir p. 26 et 30.

Nomade : personne qui n'a pas d'habitat fixe et change de lieu en fonction des ressources disponibles. Voir p. 20, 22, 204, 212, 272 et 278.

Oasis : espace cultivé et habité dans le désert grâce à la présence d'eau. Voir p. 206.

Openfield : paysage agricole à champs ouverts sans haies et sans clôtures. Voir p. 226.

Ostracisme : bannissement d'un citoyen pendant dix années par la décision de l'Ecclésia. Voir p. 68.

Païen : polythéiste, pour les juifs et les chrétiens dans l'Antiquité. Voir p. 100.

Paix romaine : longue période de paix s'étendant du Ier au IIe siècle ap. J.-C. imposée par les Romains à l'intérieur de leur Empire. Voir p. 122 et 124.

Paléolithique : période de la « pierre ancienne » ou « âge de la pierre taillée » (1 000 000 / 10 000 ans av. J.-C.). Voir p. 22.

Panhellénique : qui réunit tous les Grecs. Voir p. 66 et 70.

Papyrus : feuille composée de plusieurs couches de tiges de plante sur laquelle les Égyptiens écrivaient. Voir p. 48.

Parc national : espace naturel où la faune et la flore sont protégées. Voir p. 210.

Patrimoine : héritage commun (culturel, historique) d'un groupe humain transmis aux générations suivantes. Voir p. 188.

Pays de Canaan : Palestine actuelle, appelée aussi « Terre promise » dans la Bible hébraïque. Voir p. 96.

Pays émergent : pays qui s'enrichit rapidement et qui joue un rôle de plus en plus important dans le monde. Voir p. 164.

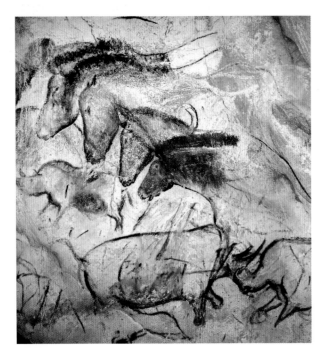

Peinture pariétale : décor d'un mur ou d'une paroi.
Voir p. 36.

Persécution : actes cruels et violents.
Voir p. 144 et 148.

Pharaon : nom donné au souverain d'Égypte.
Voir p. 46 et 50.

PIB (produit intérieur brut) : richesse produite
à l'intérieur d'un État, d'une ville. Voir p. 199.

Pictogramme : dessin qui représente un objet,
un être ou une action. Voir p. 44.

Poldérisation : technique pour gagner de la terre
sur la mer. Voir p. 246.

Polythéisme : croyance en plusieurs dieux. Voir p. 50.

Population rurale : population qui vit à la campagne,
contrairement à la population urbaine qui vit en ville.
Voir p. 278.

Préjugé : jugement porté sur quelqu'un ou quelque
chose sans savoir. Voir p. 296.

Profession de foi : déclaration publique exposant
son programme, son projet. Voir p. 304.

Pyramide : bâtiment abritant le tombeau
des pharaons. Voir p. 56.

Quartier des affaires : quartier qui concentre
les activités financières et les grandes entreprises.
Voir p. 166, 270 et 278.

Quartier résidentiel : quartier où vivent les
populations aisées et les classes moyennes.
Voir p. 164.

Racisme : théorie selon laquelle il existe des groupes
d'humains supérieurs, notamment en raison
de leur couleur de peau. Voir p. 300.

Reconversion : abandon d'anciennes activités
et implantation de nouvelles. Voir p. 168.

Réhabilitation : abandon d'anciennes activités
et implantation de nouvelles. Voir p. 179 et 188.

Rendements : quantité de récolte par rapport
à la surface utilisée. Voir p. 226 et 234.

République : régime politique où le pouvoir
est exercé par des personnes désignées
par les citoyens. Voir p. 86.

Ressource naturelle : richesse offerte par la nature
et exploitée par l'homme. Voir p. 204, 206 et 216.

Résurrection : retour de la mort à la vie,
fait de ressusciter. Voir p. 140 et 142.

Rites : ensemble de pratiques et gestes religieux.
Voir p. 100.

Riziculture : culture du riz. Voir p. 266.

Romanisation : influence de la culture romaine
sur le mode de vie des autres peuples de l'Empire.
Voir p. 118 et 124.

Royauté : régime politique où le pouvoir est exercé
par un roi. Voir p. 86.

Rural : qui concerne la vie dans les campagnes.
Voir p. 224.

Saint : femme et homme dont le comportement
ou les actes sont des modèles pour les croyants.
Voir p. 144.

Sanctuaire : territoire religieux consacré aux divinités.
Voir p. 66.

Sceptre : bâton de commandement. Voir p. 46.

Scribe : spécialiste de l'écriture dans l'Antiquité.
Il tient les comptes et prend des notes, et recopie
les textes sacrés. Voir p. 46.

Sédentaire : personne qui a un habitat fixe
(Contraire : nomade). Voir p. 26, 272 et 278.

Sédentarisation : fait de fixer géographiquement son
habitat (Contraire : nomadisme). Voir p. 28, 30 et 212.

Ségrégation socio-spatiale : séparation
dans l'espace de populations, selon leurs revenus.
Voir p. 174.

Sépulture : endroit où un être humain est enterré
(inhumé) après sa mort. Voir p. 24.

Shabbat : jour consacré à Dieu, chez les juifs,
le samedi. Voir p. 98.

Sismomètre : instrument qui capte le mouvement
du sol lié aux tremblements de terre. Voir p. 128.

Station balnéaire : lieu de séjour au bord de la mer aménagé pour l'accueil de vacanciers. Voir p. 248 et 254.

Stèle : monument en pierre gravé d'inscriptions et de dessins afin de commémorer un événement ou un individu. Voir p. 42 et 48.

Street art : art urbain sous toutes ses formes : peintures, projections lumineuses, mosaïques… réalisées dans les villes en pleine rue. Voir p. 180.

Symbole : signe concret ou figure qui rappelle une idée ou une réalité spirituelle. Voir p. 93 et 154.

Synagogue : lieu de culte juif. Voir p. 94, 100 et 104.

Tables de la Loi : tablettes de pierre sur lesquelles Yahvé aurait gravé les Dix Commandements remis à Moïse sur le mont Sinaï. Voir p. 98.

Talmud : commentaires des rabbins sur la Bible hébraïque. Voir p. 104.

Taux d'urbanisation : pourcentage de personnes habitant en ville. Voir p. 172.

Terminal : ensemble d'installations pour charger et décharger les bateaux. Voir p. 244.

Terre-plein : espace artificiel conquis sur la mer. Voir p. 244 et 254.

Tesselles : petits cubes de pierre, de terre cuite ou de marbre taillés pour composer les mosaïques. Voir p. 136.

Thermes : bains publics gratuits. Voir p. 116.

Toge : vêtement masculin formé d'un drap qui se porte au-dessus d'une tunique. Voir p. 118.

Torah : cinq premiers livres de la Bible hébraïque constituant la Loi. Voir p. 100.

Toundra : végétation rase des régions polaires surtout composée de mousses et d'herbes. Voir p. 204.

Tourisme : fait de se déplacer, plus d'une journée, hors de chez soi. Voir p. 248 et 254.

Triomphe : cérémonie au cours de laquelle l'empereur défile dans Rome à la tête de ses troupes. Voir p. 116.

Unicef : Agence des Nations unies qui est chargée de promouvoir et défendre les droits de l'enfant, et faire en sorte qu'ils soient respectés. Voir p. 302.

Urbanisation : processus qui désigne à la fois la croissance démographique et spatiale des villes. Voir p. 268 et 276.

Urbs : terme utilisé par les Romains pour désigner Rome, la Ville par excellence. Voir p. 116.

Valeur : qualité à laquelle une société accorde de l'importance. Voir p. 84 et 93.

Vallée : espace creusé par un cours d'eau ou un glacier. Voir p. 210.

Versant : une des deux pentes d'une montagne. Voir p. 210.

Villa : vaste domaine agricole au centre duquel se trouve une grande maison appartenant au maître. Voir p. 120 et 124.

Ville dense : ville compacte ayant une densité de population élevée et un étalement urbain limité. Voir p. 190 et 194.

Ville durable : ville limitant les déchets, la dépense d'énergie et la circulation automobile pour réduire son impact sur l'environnement. Voir p. 194, 200 et 270.

Y-Z

Yahvé : nom donné à Dieu par les Hébreux. Voir p. 94 et 104.

Zone industrialo-portuaire (ZIP) : partie d'un port accueillant des activités industrielles et commerciales. Voir p. 244 et 254.

Crédits

Cartographie : Romuald Belzacq (Légendes cartographie)
Dessins : Gilbert Bouchard (partie EMC), Jean-Pierre Crivellari (dessins au trait) et Stéphanie Lezziero (reconstitutions historiques et mascottes)
Infographies : Jean-Pierre Crivellari
Maquette : Anne-Danielle Naname
Mise en pages : Frédérique Buisson, Laure Péraudin et Olivier Brunot (partie EMC)
Recherche iconographique : Anne Mensior (Histoire), Laurence Blauwblomme (Géographie)

Relecture typographique : Bénédicte Gaillard et Marie-Paule Rochelois
Responsables de projet : Delphine Renard, Maëlys Mandrou (partie EMC)
Stagiaires : Aliénor Benzékri et Sara Pereira
Relecteurs pédagogiques : Catherine Cachot (Académie de Bordeaux), Jean-Marc Cardot (Académie d'Amiens), Wilfried Charrier (Académie de Clermont-Ferrand), Séverin Ledru Milon (Académie de Créteil), Elsa Scheiff-Leconte (Académie de Créteil), Odile Vimpère (Académie de Créteil), Mélanie Weyl (Académie d'Amiens)

Achevé d'imprimer en Espagne par Macrolibros - Dépôt légal : mai 2021 - Édition 10 - 20/7934/2

Lexique des verbes de consigne en histoire-géographie cycle 3

▶ **Caractériser**
Donner les principaux aspects d'une personne, d'un phénomène, d'un lieu…

▶ **Classer**
Ranger selon un ordre (logique, thématique, chronologique…).

▶ **Compléter**
Apporter les éléments qui manquent.

▶ **Conclure**
Récapituler les informations que l'on a trouvées.

▶ **Confronter les documents**
Regarder si plusieurs documents partagent la même vision d'un fait, se complètent ou se contredisent.

▶ **Débattre**
Échanger des arguments avec ses camarades.

▶ **Décrire**
Exposer les particularités d'un événement, un paysage, un tableau, une personne…

▶ **Déduire**
Donner la(es) conséquence(s) logique(s) d'un fait.

▶ **Émettre une hypothèse**
Proposer des réponses qui pourraient expliquer un événement ou une situation.

▶ **Expliquer**
Exposer les éléments qui permettent de comprendre un phénomène, une situation, un problème.

▶ **Exprimer sa sensibilité**
Dire ce que vous ressentez à propos d'un événement ou d'une œuvre d'art : est-ce que vous le(a) trouvez beau/belle ou laid(e), agréable ou désagréable, choquant(e)…

▶ **Faire preuve d'esprit critique**
Déterminer si les informations données sont fiables, si on peut leur faire confiance.

▶ **Hiérarchiser**
Classer des éléments selon leur ordre d'importance.

▶ **Identifier**
Reconnaître et donner :
– le nom d'une personne, d'un lieu et d'un phénomène,
– la date et l'auteur d'un document.

▶ **Indiquer**
Montrer de manière précise.

▶ **Justifier**
Donner des arguments pour prouver sa réponse.

▶ **Localiser**
Indiquer où se trouve un lieu, un espace ou une personne.

▶ **Nommer**
Donner le nom d'un lieu, d'une personne, d'un phénomène…

▶ **Rédiger**
Écrire des phrases complètes comportant au moins un sujet, un verbe et un ou plusieurs compléments.

▶ **Relever**
Trouver une information dans un document.

▶ **Sélectionner**
Choisir des informations.

▶ **Situer**
Indiquer où se trouve un lieu, un espace ou une personne par rapport à un repère.

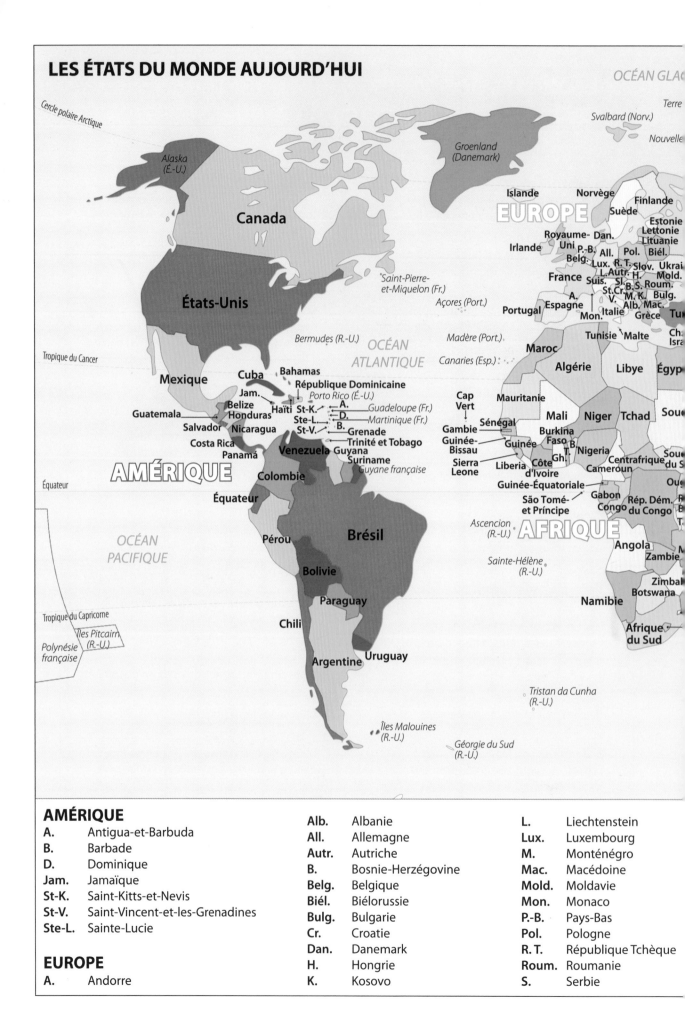

LES ÉTATS DU MONDE AUJOURD'HUI

AMÉRIQUE

A.	Antigua-et-Barbuda
B.	Barbade
D.	Dominique
Jam.	Jamaïque
St-K.	Saint-Kitts-et-Nevis
St-V.	Saint-Vincent-et-les-Grenadines
Ste-L.	Sainte-Lucie

EUROPE

A.	Andorre
Alb.	Albanie
All.	Allemagne
Autr.	Autriche
B.	Bosnie-Herzégovine
Belg.	Belgique
Biél.	Biélorussie
Bulg.	Bulgarie
Cr.	Croatie
Dan.	Danemark
H.	Hongrie
K.	Kosovo
L.	Liechtenstein
Lux.	Luxembourg
M.	Monténégro
Mac.	Macédoine
Mold.	Moldavie
Mon.	Monaco
P.-B.	Pays-Bas
Pol.	Pologne
R. T.	République Tchèque
Roum.	Roumanie
S.	Serbie